六　追蹤　131
七　消失雪中　141

第三章——馴鹿的故鄉

一　過冬　149
二　墨荷蒺　157
三　悠娜　167
四　初夏的森林　175
五　夏之光　183
六　樹隙的金色陽光　191

第四章——黑狼熱

一　御前狩獵　196
二　黑犬襲來　205
三　兩種醫術　218
四　阿卡法王的居城　227

CONTENTS
目錄

五　發作　235
六　與疾病的苦鬥　244
七　新藥　255
八　過敏反應　261
九　阿卡法的詛咒　275

第五章——反轉者

一　謠言　284
二　變化　291
三　渡鴉　304
四　濡羽的使者　312
五　浴場裡的女人　326
六　靈主　336
七　背馱我兒　347
八　火箭劃破黑暗　355

CONTENTS
目錄

第六章——追逐黑狼熱

一 繼母與繼姊 362
二 托馬索爾 370
三 「奧」的總管 377
四 枯槁冬季的移住地 397
五 毒麥 407
六 馬柯康的故鄉 417

主要登場人物

凡恩　故事主角。率領「獨角」對抗東乎瑠，戰敗後成為在阿卡法鹽礦工作的奴隸。

悠娜　凡恩在鹽礦撿到的孩子，個性活潑。

多馬　住在歐基的青年。受傷無法動彈時，得到凡恩出手相救。

奧馬　多馬的父親。

季耶　多馬的母親。被迫從東乎瑠移居到歐基。

赫薩爾　故事的另一位主角，是位天才醫術師。

馬柯康　赫薩爾的隨從。

米拉兒　赫薩爾的助手。

利姆艾爾　赫薩爾的祖父，曾救治罹患重病的東乎瑠皇妃，因而成為知名醫術師。

托馬索爾　赫薩爾的姊夫，歐塔瓦爾深學院「生類院」院長。

席康　托馬索爾的助手，是出身猶加塔平原的「火馬之民」。

阿卡法王　被東乎瑠征服的阿卡法之王，曾立誓臣服於東乎瑠。

絲露米娜　阿卡法之王的侄女，也是東乎瑠權貴——與多瑠之妻。

多力姆　有「阿卡法的活字典」之稱，是阿卡法王的左右手。

麻盧吉　追蹤獵人的首領。

莎耶　麻盧吉的女兒。即使以追蹤獵人的標準來看，也是位技術精湛的能手。

蘇厄盧　靈主。可讓靈魂乘著渡鴉飛翔，是位住在「由米達之森」的老人。

那多瑠　東乎瑠帝國皇帝。由於利姆艾爾曾救過皇妃一命，因此深深信賴他。

王幡侯　東乎瑠帝國阿卡法領主。曾因赫薩爾的治療而活命。

迂多瑠　王幡侯的長子，是個既傲慢又強勢的人。

與多瑠　王幡侯的次子，後來娶阿卡法王的侄女絲露米娜為妻。

呂那　王幡侯領地（王幡領）所屬的祭司醫長。

閃亮頭角　是我槍戟
無畏無懼　不羈之角
背馱我兒　屈身低伏
纖弱生命　賴此爲盾

光葉之卵

「爺爺！」

伴隨著哀傷的叫聲，少年衝進屋裡。

壯年男子將讀了一半的書放在桌上，問：

「怎麼了？」

少年哭喪著臉，氣喘吁吁地說：

「『光葉』好像死了！」

男人推開椅子，站起身，跟著少年一起走向栽培「光葉」的房間。

中庭裡有個房間，燦爛陽光透過大片玻璃窗灑進房裡。房裡有座巨大水槽，綠藻則在清澈的水中悠然輕擺。

綠藻下，漂著一片看似灰色落葉的東西。

少年看看水槽，再抬頭看看祖父，嘴唇微微顫抖。

「我明明有好好照顧啊！照爺爺的吩咐換水……」

祖父將手放在少年肩上。

「不是你的錯，冷靜一點。」

「可是……」

「別緊張，你仔細看。哪，有沒有在綠藻附近看到什麼？」

少年緊皺著眉，把額頭靠在水槽上，盯著綠藻。

「……啊！」

綠藻上沾附著無數微小顆粒。少年瞪大了眼睛，轉頭看著祖父。

「爺爺，這些是牠的卵嗎？」

祖父點點頭。

「沒錯，是卵。」

祖父低頭看著水槽說：

「『光葉』產卵後不久就會死，幾乎是在同一時間，沒有例外。」

少年眼前突然掠過一抹陰影。

「……不照顧自己的孩子，就這樣死了？」

祖父又點點頭。

「打從一出生就只憑自己的力量生存、不靠父母親幫忙的生物不只有牠。這類生物意外的還不少呢。」

少年靜靜看著水槽，好像在思考什麼。

「可是『光葉』爲什麼會死呢？產完卵就馬上死掉也太奇怪了吧！是這些卵殺死牠的嗎？」

祖父搖搖頭。

「不是的。」

望著那宛如樹葉般無聲漂流的東西，祖父開口：

「牠的身體裡藏著『病種』。」

「……什麼？」

「『光葉』呢，是種體內潛伏著活生生的病種的生物。」

祖父那隻放在少年纖瘦肩膀上的手，微微地加重了幾分力道。

「所有生物都一樣，大家體內都有病種存在。如果能戰勝身體裡的這些病種，就能活下去；如果輸了，就會死。」

祖父說著，聽起來簡直嘆息似的。

「所有生物都是一樣的。」

第一章　倖存者

一　咬傷

又做了坐在樹下、陽光從葉隙灑落全身的夢。

抬起頭，遠方是冠雪的山脈。夢中是故鄉山裡的河川，自己坐在被陽光曬得暖熱的岩石上垂釣。

爲什麼呢，在這遍布汙泥的地底，竟夜夜做著同樣的夢。

那條河好美。樹木的枝葉慵懶地往外伸展，一到秋天，換上紅黃色新裝的葉子，爲水面染上織錦般的色彩。

至於那些用盡最後一分力氣，翩翩飄落水面的老去枯葉，在清澄的水底投下小小的影子，不知流向何方。

總有一天，我也會這樣。每個人都一樣。

難道當時年幼的我，因爲看著水面上隨波逐流的枯葉，讓這段宛如天啓的徹悟記憶深植心中，所以現在才會不斷夢見清流？

（如果真是如此……）

凡恩露出苦澀的表情。

（我還真是無聊啊。）

庫許納河畔那場戰役，整個軍隊宛如被老虎鉗夾住的小樹枝，在東乎瑠占壓倒性優勢的兵力下潰不成軍。但不可思議的是，至今從未夢見當時的情景。

直到現在，凡恩還能鮮明地想起那些親如手足的夥伴在自己眼前慘死刀下的樣子，但為什麼始終沒夢見呢？

屍橫遍野的戰場上，只剩衣衫襤褸的他還能站著，頭上一張大網迎面撒下。不管是那股油膩的塵埃臭味也好，淪為戰俘後被帶到阿卡法鹽礦這個地獄前的種種也好，全都不曾來到夢裡。

不過，偶爾，那張臉會在夢裡出現。

那是剛開始在故鄉山地征戰時，他第一次親手殺死的男人。

那男人是一位在後面指揮部隊、身騎駿馬、高聲對士兵發號施令的將領。遠遠看去，雖然只覺得是個傲慢的東乎瑠將軍，但凡恩巧妙地讓對方與部隊拉開距離，從旁切近後，再一箭射向那位將領的胸口。他的頭往後仰，頭盔隨之落下，但顯露出來的竟是一張意外年輕的臉孔。

那張臉茫然地盯著透過鎧甲接縫刺進胸口的那枝箭。

先是懷疑：「自己真的要死了嗎？」然後體認到：「沒錯，真的要死了。」那張因恐懼和痛苦而扭曲的年輕面孔，至今還深深烙印在眼底。

那場戰役後，伴隨著一場場殺戮無數的戰爭，死亡，就這麼偷偷摸摸地變成了隨處可見的日常。

現在，凡恩再次親眼見證死亡。

據說在這個地獄裡，不出三個月就會成爲屍體、遭到丟棄，而他已經待了兩個月。這些日子以來，自己就像螞蟻一樣，扛著裝有岩鹽、重得深深嵌入肩膀的竹簍，不停往來地底和地面之間；到了晚上，則銬上與深埋岩盤裡的鐵樁相連的腳鐐，就這麼入睡，日復一日。

剛被帶來這裡的時候，他一心以爲只要不斷用腳踢鐵樁根部，總有一天會鬆脫也說不定；但不管再怎麼踢，那根深深打進堅硬岩盤裡的鐵樁卻絲毫未動。每天遭受苛刻對待，卻只能拿到少許糧食，這種嚴重透支的身體，就連抬腿踢鐵樁的力氣都沒有。

在日漸衰弱的身體哀求下，他的心或許早在不知不覺中想放棄一切了。

（無聊……）

被無情砍倒的樹，哪有什麼枯葉般的徹悟。

雖說凡恩已不年輕，但也才四十歲，應該還有即使身心磨耗至油盡燈枯那一刻，也要奮力砍下敵人腦袋的骨氣才對。

但有此念頭的同時，心底卻覺得空蕩蕩一片，找不到非得活下去不可的執著。就像掉到研缽底部一樣，當生命走向盡頭時，這種被掏空的感覺說不定還能帶來些許慰藉。

我的人生，說穿了不過就是這樣。

想到這裡，胸口便掠過一股哭笑不得的空虛。

儘管如此，凡恩仍無意選擇死亡。

如果想死，方法多得是，他才不想因爲敗給痛苦而選擇一死。

直到殘存的生命之火消失前，他非得活著不可。

喀噠，喀噠。微小的聲音持續著。

那是往地底送進微風的風扇葉片旋轉發出的聲音。風扇是利用地下水流推動水車而運轉的，微弱的風就這樣隨著葉片，經過長長的風箱送進來。這就是延續生命的救命索。會不會有那麼一天，自己再也聽不到這聲音呢？

闔上的雙眼深處看見的，是清澈的潺潺流水。

喀噠，喀噠，可以聽到彷彿說悄悄話般的微弱聲響。

玩具水車轉動著。那是凡恩做給兒子的水車。他一邊回憶父親在遙遠的從前替自己做的水車，一邊做給兒子。因爲用竹葉做的水車只會「唰唰」地發出些微水聲，兒子便拚命用嘴巴模仿眞正水車的聲音。

手臂似乎還能感覺到兒子的呼吸。若有似無的、柔軟的氣息……

夏天，河畔那些乾燥的白色石頭對面，從葉隙灑下的陽光舞動著。樺樹的白色樹幹令人眩目，滿眼嫩綠也被風吹得沙沙作響，熱鬧極了。

兒子抬起頭，碰碰他的手肘。指著樹林深處。

（……啊。）

是鹿。有隻飛鹿。

在樹木的縫隙間，牠看起來就像是片濃綠色的影子。這隻鹿已經過了壯年，體型卻異常龐大。鹿角宛如熊熊燃燒的火焰，向天飛竄。

凡恩站起身，牽起兒子的手往前走。

就像蒸騰的熱氣，鹿的身影隱約搖動，彷彿隨時都會消失。

凡恩握著兒子的小手，輕聲對他說：

（那該不會是……）

隱隱聽到叫聲，凡恩一驚，睜開雙眼。

眼前的美麗光芒瞬時消失，又回到充滿黑暗汙臭的現實。

還聽得到……聲音很遠。

這地底層疊著許多因挖掘岩鹽而形成的洞窟，看來有如蟻巢，但他聽到的並不是被鎖在這一層的奴隸所發出的聲音。

他們的聲音完全沒停過。

呻吟、啜泣、簡直不像人聲的獸般咆哮，總是不分晝夜不絕於耳，那些聲音幾乎已不成聲，只是種噪音而已。

但現在聽到的聲音很明顯有所不同，正因如此，耳朵才能清楚地辨別出來。

那聲音聽來很急迫。在空間裡不斷迴盪，疊成好幾層聲音。

那是帶著恐慌的叫喊、嘶吼聲。一開始是通往外面的上方坑道有異狀，接著，騷動漸漸往下移動。

（……怎麼回事？）

凡恩撐起上半身，蹙起眉頭。這時，剛好看到一名奴隸拖著鐵鏈站起來；那奴隸就被綁在離坑道出入口的幹道最近的地方。

位於坑道跟幹道交叉口的火把，映出那男人一邊慘叫一邊扭動身體的影子，就在這時，一個黑影迅速無聲地竄進來。

（……狗？）

在晃動的火把亮光下，可以看到發亮的毛流，但周圍實在太暗，無法看清完整的樣子——有點像狼，但又比狼小。

（該不會是山犬？）

故鄉的山裡有許多極爲剽悍殘酷的山犬。看那影子的身形動作，確實很像山犬，但山犬爲什麼會來這種……？

位於入口的奴隸和那影子糾纏交錯，接著發出一聲撕裂般的慘叫。

「……烏里亞，基？奧諾，洛吉？」

睡在身邊的男人也跟著起身，望著前方的黑暗，怯生生地開口。那男人面朝著凡恩，像是在提問，但凡恩完全聽不懂他在說什麼。

會在這鹽礦工作的，幾乎都是東乎瑠的死囚，或是從南方帶來的戰俘，很少遇到語言相通的人。來自阿卡法的可能只有凡恩一個。

凡恩對身邊的男人聳聳肩，開始環視周圍，看看有沒有可用的東西。

如果把那條將自己鎖在岩盤上的鐵鏈纏在手腕上，或許還能派得上用場，但腳踝被腳鐐銬著，就無計可施了。

那黑色野獸接二連三襲擊奴隸，慢慢往這裡接近。

「喔呀！喔呀！喔呀！」

身邊的男人驚叫著，揮手想趕走野獸，但野獸並沒有停下來。

野獸跳向男人的剎那，凡恩奮力用沒銬住的左腳踢向野獸側腹。

被踢飛的野獸發出短促的哀鳴，但是在背部即將撞上岩壁前，竟一個扭身，反踢岩壁一腳，穩穩落在地面上。

令人難以置信的俐落身手。

凡恩啞口無言，與那野獸正面對望了片刻。

黑暗中，那對綻放著異樣光芒的金色眼睛若有所思地望著這裡……下個瞬間，一團黑影迫近眼前。

有些暖和的氣息包圍著臉。野獸嘴裡散發出有如剛裂開的新鮮木頭般奇妙的草腥味。野獸的牙齒深深嵌入凡恩下意識護住喉嚨的手臂。

先是感受到手臂上彷彿被硬物夾住的壓迫感，馬上又轉為利齒咬破皮膚的劇痛。

凡恩在呻吟中抓住那團黑影的鼻子，沿著長長的鼻梁往前，手指往對方眼睛一戳。

野獸發出一聲慘叫，鬆開凡恩的手臂，閉上受傷的單眼，只往後方蹣跚退了一、兩步，卻沒有逃走，又咬了隔壁男人的腳。就這樣接連咬傷奴隸們，最後消失在坑道深處。

凡恩按住被咬傷的手臂，粗喘著氣。雖然痛得厲害，但沒什麼出血。

其他奴隸也各自按著被咬的地方，略顯亢奮地互相探問。

大家都被鐵鏈綁著無法脫逃，所以野獸突然襲來的恐懼也更加駭人，不過一陣騷動過去，倒是沒有人受到危急性命的重傷。

「奧他庫，耶傑！拉吉，洛吉，蓋得、邁耶！」

凡恩低頭看著身旁一邊不停咒罵，一邊按住腳呻吟的男人，不禁皺起眉頭。

（到底為什麼……）

為什麼要攻擊人？

山犬也好，狼也好，除非餓到極點，或是為了保護自己的地盤跟孩子，否則並不會輕易攻擊人。

難道是遭到追趕，才會逃進鹽礦？

若是因爲畏怯或恐慌，當然有可能出於反射而咬人。不過……

（那傢伙絲毫沒有怯意。）

在一瞬間四目交接的金色眼珠。那雙眼睛就連一點亢奮的神色都沒有。不如說牠像是在冷靜地觀察四周。

（那是士兵的眼睛。）

冷靜執行任務的士兵就是那種眼神。想到這裡，凡恩搖搖頭。再想也沒有用。

他使勁地擠壓傷口周圍好幾次，讓血滴在地上，同時在心裡啐了一聲。

（明天早上一定會腫得很厲害。）

現在煩惱也無濟於事。

可能是恐懼突然來襲導致的反彈，身體開始覺得疲倦，就像一灘熔化的鉛液。凡恩讓身體避開鐵鏈躺下，嘆口氣後，閉上了眼睛。

隔天早上，女奴送來勉強算得上早餐的食物，她好像受了傷，分配薄粥的動作極爲彆扭。粥碗送到眼前時，他瞥見女奴的手臂用現成的破布纏著。

總是帶著威嚴十足的腳步聲走下坑道的奴隸頭子，也拖著疲累無力的腳步走下來，命令大家開始工作。

第四天早上，女奴送早餐的手劇烈抖動，粥都灑了出來。即使在昏暗的光線中，也可看出她手臂和臉上都長了疹子。凡恩直覺猜想，可能是得了麻疹。

凡恩腦中浮現小時候得麻疹時，母親給他喝的藥草，忍不住開口：

「如果有朱棘（把蒼耳曬乾磨成粉製成的藥）的話，喝喝看。」

對方雖然不懂凡恩在說什麼，但似乎仍能感受到話語中的體貼，女奴抬起頭，淺淺一笑。不過，就連要擠出那抹微笑都很吃力的樣子。

七天後，已經早上了，但身旁的男人還沒醒來。

那人躺在地上，身體蜷縮成一團，很痛苦的樣子。就算叫他也沒反應，輕輕一搖，才發現全身已經冰冷。

這麼說來，大概是前天吧，這個人開始咳得很嚴重；即使是半夜，也一直能聽到呻吟聲。但凡恩太疲倦，無力起身，只能就這麼呆呆躺著，聽那聲音不斷傳來。

要是能起身替他拍拍背就好了。看著對方再也不會動的背影，凡恩暗暗想著。同時發現身體異樣地燥熱、無力，連剛剛那個念頭都好像漂浮在內心極遙遠的彼端。

坑道四處都可聽見宛如枯木磨擦般的乾咳聲。

隔天早上，被鎖在坑道裡的男人之中，有四個人再也沒從睡夢中醒來。

凡恩來到坑道外工作，看見每條坑道都躺著幾具遺體。那些還能動的奴隸，和拿著鞭子站在一旁監視的奴隸頭子也一樣，人人都咳到胸口凹陷。

凡恩隱約感覺到，疾病正靜靜地蔓延著，不過他並沒有太在意。

那些男人再也不用背負這些重得陷入肩膀、讓人肉綻骨散的重擔了。不久之後，自己應該也會變得跟他們一樣吧。

被野獸咬傷後的第八天晚上，凡恩沒夢見從葉隙灑落的陽光；取而代之的，是淒厲的惡夢。

突然，劇烈的頭痛襲來，隨之而來的是讓牙齒不停打戰的惡寒。

如海浪般一波波打來、讓全身猛烈顫抖的惡寒與戰慄終於慢慢平緩下來；但同時，發燒的熱度也開始攀升，高燒的程度就連吐出的氣息都好像在燃燒似的。

身子因高燒變得軟綿的同時，他做了一個惡夢。

一個長出樹根的夢。

樹根從那遭到野獸啃咬的傷口鑽進手臂中。

凡恩大叫著想按住手，身體卻不聽使喚。樹根就這樣一寸一寸爬進無法動彈的手臂裡。到達肩膀的樹根開始分支，一根往頸部、一根從鎖骨邊往胸口延伸。樹根不斷繼續分支，沿著血管遍布全身。

難以忍受的疼痛。

他不斷發出無聲慘叫，一次又一次，好幾次覺得自己再也無法忍受，寧可就此失去意識，然而在夢中卻始終無法如願。蔓延身體各處的樹根終於到達頭部，那瞬間，凡恩的感覺變得異常清晰鮮明。

就在凡恩已做好心理準備，要迎接劇痛襲來時，大腦深處的某一點彷彿被什麼東西刺穿，下一刻，麻痺般的溫熱快感傳遍全身。

從下腹部到大腿根部硬得像木板一樣，凡恩反弓著身子，不停顫抖。

快感持續了很長一段時間。

心跳快得彷彿心臟就要裂開。

好痛苦。

就在他覺得死亡近在眼前時，眼窩深處開始布滿無數光點。

那些光粒像是被什麼東西吸引似的聚集起來，像漩渦那樣，一邊旋轉一邊擴大。光粒在體內不斷磨擦，那些被磨擦到的地方也都變成了光粒。

（要崩散了……）

身體漸漸變成細碎的光粒，崩潰瓦解。

原本在身下的岩石，不時何時也變成了光粒。與身體接觸到的東西都化為光粒，一切全都崩解，融入一片混沌。

在逐漸消失的身體中，凡恩看到一顆顆光粒映照出的自己。

時光猶如走馬燈般快速回溯。

他看見妻子古靈精怪的淘氣笑容、兒子羞澀的笑顏、父親母親和哥哥的臉、故鄉老家的門，還有獵犬烏茲從那扇門後輕快跑出來的樣子；炊煙、清流所反射的光，還有從泛紅的葉片透過來、舞動不止的陽光，全都看見了……

（別走……）

凡恩拚命拉住正在流逝的這些，想讓它們再次匯聚於身體。

或許是這強烈的意念化成了微小的力量。

那些往四周逐漸擴散、變得黯淡的光粒，終於，慢慢地——慢得令人心焦，重新匯聚，再次重塑他的身體。

二　相遇

喉嚨如灼燒般的乾渴，讓凡恩醒了過來。

他一邊發出嘶啞的呻吟，一邊睜開雙眼，聽見眼垢剝落的聲音。手背碰到的是冰冷的岩壁。周圍一反常態的明亮，他甚至還能看到手臂上的汗毛。

看看被野獸咬傷的傷口，曾被利牙深嵌的明顯傷口已結了痂。

昨晚，好像因爲發高燒，做了可怕的夢。

（昨天晚上……）

眞的是昨天晚上嗎？

凡恩不太確定自己的時間感是否準確，也完全不知道自己到底睡了多久。好像做了一場很長的夢，又好像陷入一片空白，有種奇妙的恍惚感。

（餓了……）

不，不是肚子餓了那麼簡單。是彷彿腹部有把火由裡往外燒灼般、非常強烈的飢餓感，並隨著時間一分一秒過去，變得更加強烈。手有些顫抖。不快點吃些什麼的話，可能會昏過去。

但是在被鐵鏈綁著的狀態下，不可能靠自己去覓食。距離早上送粥的時間應該還有很久，一想到這裡，凡恩又流了一身冷汗。

口好渴，頭也很暈……但是，除了這些症狀，腦袋似乎好一陣子沒這麼清醒過了。

就像發高燒熟睡的隔天早上，出了一身汗，熱度也已經消退，那種醒來後神清氣爽的感覺。話說回來，還眞安靜。

連老鼠和蟲子走動的聲音都聽不見。送風葉片轉動的聲音還是聽得見，卻完全感覺不到其他人的動作和氣息，連聲音都聽不到。

（該不會還是半夜吧？）

凡恩一邊狐疑著，一邊把身體轉向岩壁，使勁一撐，站了起來。此刻映入眼中的光景，讓他不禁為之愕然。

視線所及之處，盡是癱倒在地上的屍體。

斜對面那個男人，昨天晚上明明還活著；還有鎖在對面牆上的人也是……這一層所有人都斷了氣。

一眼就看得出來，他們並不是睡著了。

不知何時燒盡的火把已然燒成黑炭，地底下明明只有從幹道透進來的些許微光，但那些死去的男人臉上痛苦掙扎和猙獰的表情卻看得一清二楚。

在一片死寂中，凡恩開始發抖。

心臟劇烈跳動。喘不過氣。

發生了什麼事……現在到底是什麼狀況……他什麼都不知道。但心裡有種「不能再待在這裡」的預感。不知道哪來的聲音警告他：快逃！

飢餓也在腹部深處催促著身體。

（得快點離開這裡才行，越快越好！）

凡恩什麼也沒多想，正要拔腿狂奔，鐵鏈「哐啷」一聲用力拉住他的右腳。他往前撲倒，下意識用雙手抵住岩床撐著身體，啐了一聲。

（可惡！）

怒火突然湧上心頭。

現在的凡恩深深憎恨那些抓住他、把他囚禁於此的人。

他抓住腳鐐，在盛怒下用力一拉。用兩根鐵樁鎖住的鐵板和螺絲發出「哐啷」的刺耳聲音。

明知不可能鬆動，但此刻凡恩可顧不得這麼多。

熊熊怒火讓他大吼一聲，緊咬牙關，用全身肌肉的力量拉扯著鐵鏈。

手臂、肩膀的肌肉扎實地隆起。

接著……手裡傳來粗大鐵鏈開始像麥芽糖般扭轉的觸感。鏈環的開口越來越大，終於整個扯斷，凡恩應聲往後一倒、跌坐在地。

凡恩跌坐在睡亂了的草蓆上，呆呆看著手中垂下的鐵鏈。

他就這樣盯著被自己扯斷的鐵鏈。過了好一會兒，才回過神來，拖著還連在腳鐐上的殘餘鐵鏈往外跑。

凡恩一面聽著自己的呼吸聲，一面跑在坡度平緩的幹道上，跑向能通到地面的天通坑。

他看見遠方高處的光線。光線被支撐滑車的堅固木架擋住，和木架綁在一起的粗繩則緩緩搖晃著。

凡恩抓住覆著一層粗糙白鹽的大型木梯，開始不斷往上爬。

越接近上層，四周也越亮。

來到第二層岩盤時，他聽見馬蹄敲在岩石上的達達聲。

（馬還活著？）

大概是發現到凡恩的存在，綁在岩壁和木柵欄之間的馬從容地望向這裡，抬起鼻子，噗嚕噗嚕地噴著氣。

除此之外，沒看見任何會動的東西。

他瞇起眼環視坑道，只看到氣絕倒地的奴隸。

凡恩咬緊牙關，繼續專心往上爬。

（那野獸……）

前幾天來襲的那隻野獸浮現眼前。

牠是怎麼爬下這座梯子的？不管是狗或是狼，應該都不會爬梯子下來，更別說往上爬了。

（不……）

回想牠能在快撞上岩壁前一個扭身，踢向岩壁，在半空中一躍落地；那麼在這狹窄洞穴中，一邊輪流踢著梯子和岩壁，一邊往下，對牠來說，也許同樣輕而易舉。

看牠的身手，不無可能。

（那傢伙到底是什麼？）

奴隸們接二連三死去，都是被牠咬傷之後的事。

不管再怎麼嚴苛的勞動，也只是帶來身體的疲累，那麼多奴隸不可能一口氣全部死光光。

地底也有可能突然充滿毒氣。但如果真是毒氣，那個睡在靠近出口處的男人應該可以倖免才對；而且怎麼想，分別睡在不同岩層的男人們同時送命都是不可能的事。

大家都出現劇烈的咳嗽，那種類似感冒的症狀也是被野獸咬傷後開始蔓延的。

（可是……）

一想到那野獸冷靜、彷彿在執行任務般，一個接一個咬傷奴隸的樣子，凡恩忍不住咬住嘴唇。

（如果死因是被咬傷，那爲什麼我還活著……）

來到最後一段，凡恩努力抬高身體，連滾帶爬地從通往礦山口的坑道出來。

凡恩瞇著眼，看著眼前彷彿大張著嘴的礦山口。

西下的太陽在岩壁染上了一層淡淡的紅。

（黃昏……）

還是清晨？這樣算來，自己到底睡了多久？半天？還是更久……？

凡恩緊抿著唇，來到坑口外。

一瞬間，整個人包裹在金黃色的光芒中。

清涼的秋日晚風輕撫過臉頰。夕陽透過搖曳的枝葉，悄悄染紅大地。

完全沒有人的氣息。

那些爲了阻止奴隸逃亡而看守鹽礦的守門士兵，還有奴隸頭子，全都不見蹤影。

發出細小振翅聲飛來飛去的蒼蠅，暗示了他們的現狀。

一陣涼風吹來，凡恩打了個哆嗦。

總之，先找點東西吃吧。只要是能吃的，什麼都好。

他看看四周，發現幾幢建築。

被帶到這裡來的時候，爲了怕他逃亡，所以眼睛被遮住了；運送岩鹽時，四處也有許多奴隸和奴隸頭子，根本沒閒工夫窺看四周。這還是凡恩第一次看到鹽礦周圍的風景。

眼前首先看到的是瞭望臺。旁邊那排像是大雜院的建築，應該是奴隸頭子們的住處吧。東邊建有大小不同的兩幢建築物，屋頂還伸出幾根煙囪，可能是烹煮奴隸三餐的廚房。旁邊還有幾間看起來像倉庫的房子，應該是這樣沒錯。

所有房子全部緊閉門戶。

凡恩餓極了，早就沒有多餘的心力去提防。他走向離自己最近的建築物，踢踢門，還用身體撞了幾次。屋子好像從裡頭上了門閂，雖然已經撞出一點縫隙，但還是沒辦法就這樣打開門。

他沒有放棄，繼續撞了好幾次，終於聽到有什麼斷裂的聲音，門突然開了。

身體頓時失去重心，凡恩踉蹌跌進屋裡，小腿還碰到了硬物。他啐了一聲，摸摸小腿。門前倒著三張椅子。

（是這些擋住了門？）

屋裡一片死寂。

黃昏的餘光從窗戶斜斜照了進來，塵埃漫天飛舞。

淡淡的光線中，他看見倒在地上的女人們。還有個女人可能正要喝水吧，雖然倒地不起，但手仍伸向了水壺。

看來應該是用餐時死去的。房間中央的調理檯上，散置著切好的發姆（小麥麵包），桌上湯汁四濺。

他想起送粥來的女奴手臂上纏著破布。

（門閂……用椅子檔門……）

她們害怕受到襲擊。

（是那隻野獸嗎？）

這裡一定也遭到了襲擊。碗盤碎片全被掃到地板一角。他幾乎可以想見女人們鐵青著臉，一邊打掃一邊談論「那到底是什麼」的景象。爲了怕再次受襲，晚上才會這樣緊拴著門睡。一天、兩天、三天……開始出現咳嗽症狀時，只覺得是感冒了，仍拖著發燒的身體工作。最後，她們終究一一死亡。

看著這些已經斷氣的女人，凡恩想起身體突然覺得沉重如鉛的奇妙感覺。她們已失去血色的臉龐和脖子上浮著一顆顆的紅黑色斑點。或許是發燒留下的痕跡吧。凡恩頭痛欲裂，身體不住顫抖，連呼吸都覺得痛苦。儘管如此，他還是無法對這些突然迎接悲慘死亡的女人身體視若無睹。

凡恩闔起顫抖的雙手，閉上眼睛，祈求女人們的魂魄能回到遙遠常春之地。

接著他張開眼睛，觀察四周。

鼻子從剛剛就一直聞到濃郁的食物味道。

抬頭一看，先是看到天花板掛著成束的辣椒和大蒜，一旁還掛著成捲的香腸。房間中央的大調理檯上則放著出爐後還來不及切的大圓發姆。

看來這裡並不是烹煮奴隸三餐的廚房。奴隸能吃的只有黏糊糊的麥粥。香腸和發姆這些東西已經很久沒看過了。

凡恩先衝到大水瓶前，用杓子接水咕嚕咕嚕喝了幾口。冰涼的水甜美有如甘露，簡直讓人難以置信。他喝了再盛、盛了又喝，盡情喝飽後，一把抓起調理檯上的發姆，撕下一大塊，一口咬下。

發姆的大小足以當做四口之家的晚餐，但凡恩甚至等不及咀嚼，狼吞虎嚥吃下肚後，馬上又撕了一塊大口咬下，不知不覺就塞滿了肚子。

腦中有個聲音在對他說：別吃過頭了。

那個冷靜的聲音告訴自己：已經有很長一段時間，都過著這種只吃少量食物果腹的日子，一下子吃太多的話，可能會有生命危險。

儘管如此，他的手完全停不下來。

簡直就像身體裡有個深不見底的大洞一樣，不管再怎麼吃、再怎麼吃，那個洞還是塡不滿。

凡恩伸長了手，粗魯扯下掛著香腸的繩子，大啖鹹香夠味的香腸；就連冷香腸裡凝固的白色脂肪，都讓他覺得美味極了。久違的肉味像是開啓了身體裡的某個機關，讓他全身暖了起來，就像即將熄滅的蠟燭再度明亮起來。

他暫歇片刻，用手背擦擦嘴。突然，好像聽到了什麼聲音。凡恩抬起頭，側耳傾聽。

確實有聲音——好像是哭聲。

（還有人沒死？）

在哪裡？聲音是哪裡傳來的？

他仔細聆聽，好像找到了聲音傳來的方向。

離開廚房後，哭聲稍微變大了些。

（在隔壁嗎？）

眼前是一幢比剛剛那幢更簡陋，但規模大得多的建築物。

這裡也一樣，有什麼東西從內側擋著門。現在的體力雖然比剛才好，不過少了生死交關的緊迫，也使不出把門踹破的力氣。

看看四周，東側牆壁上方有一扇小氣窗。

凡恩把剛剛小腿撞到的椅子搬過來，踩著它從氣窗擠進去。

和隔壁相比，這幢昏暗建築物內部顯得更加冷清。

偌大的空間裡只排著幾口爐灶。灶上放著黑色的鍋子。看來這裡才是烹煮奴隸三餐的廚房。

這裡也有好幾個已經死去的女人，有些看起來還很年輕。

看著她們腳上的腳鐐，凡恩不禁咬牙——這些女孩也是奴隸。應該是戰敗後被趕出故鄉，整群帶到這裡來的吧。

後面幾口灶的灶灰都掃了出來，堆在灰桶裡。大部分的鍋子也都已洗好晾乾。

但靠近凡恩的兩口灶底還留著灰。放在灶上的黑鍋裡也還留有一些粥。

她們可能是替鹽礦的奴隸做完飯、收拾完畢，正打算煮東西給自己吃時倒下的。

那哭聲聽來依然朦朧，不過已經比剛剛清楚許多。可是女奴們全都倒在地上，看不出有一息尚存的人。

只有一個女奴在靠裡面的地方。她並沒有倒在地上，背部還正好堵住灶口，就這樣坐著死去。包著頭髮的布歪歪斜斜，頭髮散在臉頰上。年紀大約二十二、三歲吧。

直到死去的那刻，她都拚命抱住身體，深怕沒能把灶口擋好。

是不是因爲發燒產生幻覺，想用身體保護灶裡的某樣東西不被野獸吃掉呢？

凡恩雙手輕輕抱起女人的身體，將她從灶口前移開。

瞬時，哭聲變得清晰。

凡恩往昏暗的灶裡一望，一對圓滾滾的黑眼珠正驚訝地看著這裡。

灶裡有個小孩，圓胖的小手裡拿著一塊發姆，臉頰盡被淚水沾濕。

三　灰中的光芒

聽到木柴被火燒斷的聲音，凡恩一驚，睜開了眼。

睡了多久？

從靠近天花板的排煙孔看見的天空還很暗。

照理說，這狀況應該很難入睡才對，但有可能是吃得太飽，或是該做的事暫時告一段落，才一坐下，強烈的睡意便隨之襲來。

過夜的這個地方，就是發現小孩的奴隸用廚房。

隔壁廚房的門壞了，而且在這裡的話，萬一那傢伙又跑來攻擊，也可以把孩子藏在灶裡。

昨天發現孩子後，凡恩把仍在哭泣的孩子暫且留在灶裡，趁著還有太陽，在周圍巡了一圈；不過並沒找到比這幢建築物更適合過夜的地方。

這房子不但堅固、又能生火，而且後門距離鹽礦坑道很近。

儘管只是一碗粥，但要運送幾十個奴隸的份，也不是什麼輕鬆的活。當初應該是爲了有效率地搬運，才把廚房蓋在這裡的吧。如果是這個距離，萬一發生什麼狀況可以隨時逃進鹽礦裡。只要一進入那迷宮般的坑道，逃生的機率再怎樣都能高一些。

鹽是白色的金子。

阿卡法鹽礦是貴重的財源，這裡發生的異常狀況一旦傳出去，想必會引發難以收拾的混亂。得在官員和士兵蜂擁而來之前逃走才行。

不過凡恩可不想冒著生命危險，摸黑走進可能有那些傢伙虎視眈眈的山裡。

在這裡精製的鹽累積到一定的量，運貨人就會來收貨。凡恩並不知道多久收一次貨，不過從堆積在倉庫裡的鹽袋數量看來，應該不會是明天。

但他畢竟不了解工作機制，也無法精確預測會有誰、基於什麼理由到來。有可能是來送食材的商人，也有可能是爲了監督進度而定期來訪的官員。

考慮到這些因素，就算今晚已經不可能，至少第二天清晨一定要離開這裡。

凡恩繞到那排奴隸頭子的住處，先找到鑰匙，解開腳鐐。

腳鐐「砰！」地應聲分開，那重量一離開腳踝，心裡隨即充滿一股難以言喻的解放感。他現在很能體會狗在卸下頸圈後，爲什麼總是會抖抖身子。

凡恩把腳鐐和鐵鏈的殘骸一併丟進鹽礦的豎坑，再次回到頭子的住處，拿走了眼前生活所需的錢。

除了需要的錢，他一分也沒多拿。逃亡的奴隸一旦被捕，只會被處以鞭刑，還不至於被判死罪。沒有人會笨到殺掉堪用的牛馬。

但如果是強盜或殺害奴隸頭子的人，爲了殺雞儆猴，會被大卸八塊。成爲奴隸就已經夠屈辱了，還要依照他們的規矩遭到處刑，光想到這一點就讓人忿忿不平。凡恩想起奴隸頭子對待自己的種種，就算把這裡所有的錢都拿走，也不會覺得良心不安；只是他不想落人口實、被冠上不合理的罪名。

爲了不要太明顯，凡恩注意別只偷一間房間的東西。不過他還是設法在日落前弄到了錢、不會暴露奴隸身分的衣服、打火匣和小刀，還有一把刀。

刀是東乎瑠人愛用的款式，稍微有點彎度。雖不是凡恩慣用的直刀，但這種狀況下無法要求太多。

最高興的是弄到了弓箭。那是一副保養得宜的弓箭，用起來很順手。

帶著這些行李回到廚房，那孩子還在灶裡吸吮著手指。

凡恩看著那對直盯著他瞧的圓亮黑眼珠，蹲在地上呆了一會兒。

帶著孩子逃亡未免太亂來，但是他又不忍心把孩子丟下。

這孩子的長相很特別。母親的淺黑色皮膚在阿卡法南部的猶加塔平原一帶很常見，但是這孩子的膚色比母親略白，眼睛的形狀也有點像東乎瑠人。雖然已經不可能知道這孩子的父親是誰，但光是從這些特徵猜測可能的事實，就讓他湧起無端厭惡。

如果把孩子留在這裡，就算能活命，等待這孩子的也就只有跟他母親一樣，甚至是更悲慘的命運。奴隸跟家畜一樣，主人一旦嫌麻煩就會殺掉；就算主人覺得放一條生路比較有利，也不會被當成人類看待。

「……喂。」

他輕聲叫喚，那孩子眨了眨眼。凡恩伸出手，孩子雖然盯著手看了一會兒，但似乎不太怕生，也慢慢伸出自己的小手。

他從灶裡把孩子抱出來，那孩子已經會站。身體雖然還不太穩定，搖搖晃晃的，不過不至於到蹲下來無法站立的程度。

「麻，馬。」

那孩子伸手觸摸躺在地上的母親遺體，凡恩扶著孩子的身體，讓他的臉可以靠在母親胸前。

孩子哭得很厲害。

是難過母親沒有睜開眼來抱他吧？孩子開始鬧脾氣，大哭起來。凡恩想把他抱開，但孩子不斷向後倒，還用小小的手打著凡恩。即便如此，凡恩仍一隻手抱著那孩子，一隻手燒水，再脫下他骯髒的衣服，用熱水擦拭孩子的身體。

不知為什麼，這孩子的哭聲並沒有讓凡恩感到不耐。他帶著一種異常平靜的心情，默默地照料這孩子，就像從遠處遙望做著這些事的自己一樣。

原來是個女孩。

替她擦淨髒得徹底的身體時，凡恩發現孩子左腳腳踝下方有一道細長的刮痕。

（好像是被牙齒刮過的痕跡。）

傷口已經結痂。

凡恩不經意看看手臂上已結痂的傷口。

「……妳也是倖存者啊。」

鹽礦裡有幾十個人一起生活，最後卻只有兩個人活下來？——想到這裡，奇妙的巧合再次打動他。

大概是用溫水擦拭身體很舒服的緣故吧，當凡恩用找到的軟布包住孩子，再將她抱在懷中後，孩子吮著手指便漸漸睡著了。

感受在懷抱中沉睡的孩子帶來的溫潤觸感，凡恩的情緒也漸漸平靜了下來。

在這個屍體橫陳的房間裡，彷彿只有這裡亮著燈火，讓他心情寧靜詳和。

一旁，那孩子的母親已完全沒入黑暗中，看起來就只是一團隱約可見的灰色物體。

在這片黑暗裡，無論生者、死者、地板、爐灶，都一樣變成灰色的影子，連輪廓都模糊不清。只有懷裡這孩子的溫暖，宣告著這裡還有生命的訊息。

那孩子矇矇矓矓醒了一兩回，像是想起什麼似的哭了一會兒，他讓孩子躺進用現成布料鋪成的床，孩子馬上就睡熟了。

太陽一下山，寒意更重。雖然比起吸走所有熱度的鹽礦好些，但還是相當冷。

（……昨天晚上一定也很冷吧。）

眞難爲她熬過了這麼冷的天氣。

凡恩在灶裡生了火，出神地望著在身邊發出安穩呼吸的孩子。慢慢的，自己也有了睡意。

遠方傳來輕聲鳥囀。

天快亮了。

凡恩抖抖身子，站起來，掏了掏灶裡的火，又加了點薪柴，火劈哩啪啦地生起；他在空鍋裡加了水，放到灶上。水一燒開，他就把靠在牆面晾乾的空鍋拿來，倒入熱水。

他脫下纏在身上的毛毯和破爛不堪的衣服，把衣服浸在熱水裡，並且仔細地擦拭身體。

好久沒洗的身體沾滿汙垢，一轉眼熱水便髒得嚇人，凡恩換了好幾次水，安安靜靜地清洗身體。

他將偷來的衣服一件件穿在洗淨的身上，再把破布和髒水丟在外面的垃圾場。

晨光灑下時，他煮了熱粥吃，叫醒孩子，用湯匙餵食已經放涼的粥。

孩子還沒睡醒，放進嘴裡的湯匙馬上被她用舌頭推出來。不過等她醒來，突然覺得肚子餓，便睜亮了眼睛，就著湯匙大口把粥吞下肚。

看孩子吃得那麼急，甚至舔到凡恩握著湯匙的手指，他忍不住低聲笑了起來：

「……喂喂喂，別吃掉我的手指啊。會吃壞肚子的。」

聽到說話聲，那孩子驚訝地抬頭看著凡恩：

「金麻，歐那給？」

凡恩聽不懂這孩子在說什麼，不過塡飽肚子後，她心情看起來似乎不錯，咧著嘴甜笑起來。

把湯匙交給她時，也懂得自己舀粥來吃。

孩子認眞吃著粥，濺得滿臉都是，早晨的陽光落在她身上，映照出一個模糊光白的輪廓。

凡恩只是出神地看著她身上晶亮的汗毛。

四 離開鹽礦

鹽礦四周圍著結實的鐵柵。

南側有道門，正對著運送鹽和生活物資的道路。到了早上，守衛應該會打開這道門，但現在已經沒有人會來開門了，大門也就這麼緊閉著。

守衛小屋裡應該找得到鑰匙吧。不過凡恩沒打算開門，決定翻過柵欄。他知道柵欄上面埋了密密麻麻的刺釘，以防奴隸逃亡或外人入侵，但他不想讓人察覺門是從內側打開的，也不想被發現有人逃亡。

他找來一只廢棄桶子，放在垃圾場附近的柵欄下，站上去，再把別人丟棄、已破破爛爛的馬用毛毯疊好，蓋在刺釘上。先把行李丟到對面，再背起孩子跨越柵欄。

跨過去後，他伸長了手，拿掉柵欄上的馬用毛毯，丟回裡頭。運氣好的話，桶子和毛毯看起來應該會像是被風從垃圾場吹跑的。

（如果有狗在，就沒這麼容易逃走了。）

一想到這裡，他才發現完全沒聽到狗叫聲。奴隸頭子總是神氣地牽著好幾頭狗，但現在別說叫聲了，連一絲狗的氣息都感覺不到。

（難道也被那傢伙咬了？）

如果是綁在狗屋時遭到攻擊，確實很有可能已經被咬死。

（昨天就應該先探查清楚的。）

可是昨天他壓根沒想到狗的事。

（看來我變得太遲鈍了。）

淪為奴隸之後，過著看不見希望的日子，或許在不知不覺中，心裡的某些東西也漸漸被消磨殆盡。過去毋須思考也能自然而然警覺到的事，現在竟然完全沒發現。

望著眼前那片深邃森林，凡恩嘆了一口氣。

凡恩用掉落在那母親身邊的背巾背著孩子，或許因為這樣，孩子不哭不鬧，乖乖攀著凡恩的脖子。多虧如此，翻越柵欄的過程遠比想像中順利。

「眞乖。」

他把孩子往上托了托，喃喃說道。孩子開心地叫了一聲。

「捏格，咚咚！」

她可能很習慣被母親背在背上。孩子在背上小聲地自言自語，凡恩拿起行李開始前進。肚子裡已經塞了足夠的食物，讓他的腳步十分輕盈。

背上背著孩子，單手拿著弓箭、箭筒和行李，再掛上刀，一點也不覺得吃力。森林蓊鬱幽深、巨木參天。秋意已深，但樹冠的葉子還沒落下，密密遮住日光。寧靜陰涼的森林裡，樹下草木長得低矮，就算沒有道路，走起來也並不吃力。

接下來該怎麼辦？他心裡還沒有明確的打算。

故鄉早已落入征服者的手中。

位於阿卡法領土最西邊的土迦山地，是阿卡法王國被東乎瑠帝國逐步蠶食鯨吞的最後一波目標。

連小孩子都知道，跟強大的東乎瑠帝國對抗絲毫沒有勝算；不過大家也很清楚，邊境小氏族若是毫不抵抗、乖乖服從，就會遭受等同奴隸的待遇。

問題是，就算想逃，西邊還聳立著遠比東乎瑠更殘忍的穆可尼亞王國。

阿卡法王國聰明地對東乎瑠帝國展現恭順態度，已在帝國中取得一定地位，因此阿卡法人也得以用帝國屬州平民的身分，過著正常生活。

然而，散落於土迦山地的各氏族儘管說的是阿卡法語，面對穆可尼亞等外敵侵略時，也以「阿卡法人」的身分作戰，但終究不是阿卡法人。大家本來都是臣服於阿卡法王，以換取寬鬆自治權的獨立民，因此阿卡法王國成爲帝國屬州後也一樣，土迦山地的人們並沒有被視爲帝國屬州的平民。

歷經漫長歲月，東乎瑠帝國逐步推動對屬州——也就是阿卡法領土的管理，到了最後一步，正式著手進行土迦山地平定計畫時，阿卡法王派遣使者告訴各氏族，若能在這個階段向東乎瑠皇帝表示恭順，阿卡法王將會盡力阻止東乎瑠軍隊進軍，並且和東乎瑠溝通，保障氏族民的人身安全。

但阿卡法王所能做的，也只有「保障人身安全」而已。站在屬州舊統治者的立場，不可能有權力決定各氏族臣服後所獲得的身分。

如何管理征服地的民族，跟帝國的邊境統治有很深的關係，而屬州的舊統治者參與其中，只會衍生種種問題。

東乎瑠帝國刻意將下層民帶離故土，讓他們移居到遠方的征服地。假如不能像阿卡法人一樣以平民身分歸化，而是被視爲下層民納入東乎瑠帝國，就必須離鄉背井，到陌生的異鄉過著艱困生活。

進退失據下，甘薩氏族的長老們歷經漫長討論，最後選擇的道路，是組成一批「抗戰隊」。

讓東乎瑠軍知道這裡有一群高唱「徹底抵抗」的勇猛戰士、有一群不能輕易控制的氏族；也讓他們知道，如果將這支抗戰隊納入己方，不失爲可用的戰士，只要再提出可接受的條件，說不定就能成爲東乎瑠麾下守護西方前線的尖兵。

如果東乎瑠願意承認這支熟知當地風土，又具備足以抵擋穆可尼亞王國的國境防衛戰力，或許這個氏族還能繼續留在故土生活……

這項策略的王牌，就是人稱「獨角」的戰士，他們勇敢打毫無勝算的仗，作用猶如敢死隊。

「獨角」是由一群脫離尋常生活的男人們所構成的戰士團。

據說這個組織早在神靈仍以飛鹿之姿現身於世上時就已存在，編入「獨角」的男人們必須立誓，若逢戰事，必須成爲氏族之盾，誓死守護；相對的，他們也獲准不受氏族的規則所限。就算是因故遭到流放、遠離故鄉的外地人，只要有意加入「獨角」，就能被接納爲氏族的一員——正因爲有這樣的組織，氏族長老們才會想到打造抗戰隊這個方法吧。

土迦山地位於阿卡法西方的邊境，長久以來一直苦於來自西方的侵略。侵略者不僅帶來戰亂，還會帶來疾病。尤其是這十幾年來，流行病頻傳，有些弱小氏族甚至因此喪失大半成員。

因爲戰禍和流行病失去家人，顛沛流離，最後寄身甘薩氏族的男人們前仆後繼而來，不但使得「獨角」戰士人數達到前所未有的高峰，也讓氏族長老們的策略得以實現。

氏族長老對「獨角」首領凡恩提出這個計策時，凡恩跟兄弟夥伴們一起笑著接受了。

當時凡恩心裡浮現的念頭是，終於有個完美的藉口，可以動身前往妻兒等待的地方。

失去了父母、祖父母和兄長，連妻兒都已經不在世上。長久以來，他始終活得像是只剩一口氣的空殼。

心愛的家人已經前往「常春之地」。如果是因爲疾病、災禍、年老而離開人世，一定會受到那裡溫暖相迎；但若是一個正值盛年的人整天悲嘆度日，甚至自我了結，絕不可能受到歡迎。

總之，成爲飛鹿騎士的人，必須立誓爲了榮耀夥伴的生命而燃燒自己，善終此生。違背這個誓約、屈服於絕望的膽小自殺者，永遠，永遠，都只能不斷走在白晝之路。

凡恩心想，在這條看不見盡頭的明亮大道上，看著自己的影子拖得老長，只是不斷埋頭走著，其實也還挺適合他的。如果眞有所謂的「常春之地」，妻兒也在那裡等著他，那麼他更不願兩人承受漫長等待之苦。

生者永遠無從得知是否眞有「常春之地」的存在。

不過，如果要死，他希望死時能面朝妻兒所在的方向。

自從接受氏族長請求的那天起，凡恩便率領著與他一樣懷抱絕望的男人們，投身漫長的征戰生涯。

有時必須深入連馬匹都無法自由行走的險峻土迦山區或森林，逼近敵軍，跨上能在山地戰發揮驚人力量的飛鹿，反覆執行最擅長的突擊……

這場抗戰已持續將近兩年。

從濃密林蔭後或險峻山崖邊突然現身的「飛鹿騎士」，已讓恐懼深植東乎瑠軍士兵心中，有段時間甚至感覺到東乎瑠軍有考慮撤退的跡象。

他們的抵抗終於奏效，東乎瑠對氏族長老們提出了有利的停戰條件。

雙方還在交涉時，「獨角」也稱職地扮演了不聽從族長命令，高喊「徹底抗戰」而遭到孤立的瘋狂戰士，最後終於在庫許納河畔展開激戰，達成使命，壯烈犧牲。

氏族長和其他男人並非等閒之輩，想必不會讓「獨角」的死白費。哪怕只有一點點，他們的犧牲也一定會留給氏族甜美的果實吧。

他雖掛心故鄉現在變得如何，不過正因爲過去戰功彪炳，東乎瑠軍中一定有人對他恨之入骨，回到故鄉很有可能被抓；再說，他也不想做出不利於氏族同胞的事。

（反正……）

風一吹動，針尖般的細碎陽光便在深綠色的葉隙間閃爍搖動。

（那裡的我早已是個死人了。）

最諷刺的是，不管在庫許納河畔或阿卡法鹽礦，這樣的他都苟延殘喘活了下來。

「歐恰，咚咚？」

小小的手扯著他的耳垂，凡恩苦笑著。

「怎麼？肚子餓了嗎？」

那孩子當然沒有回答。也不知道到底有什麼好玩的，她開始擰扭著凡恩的耳垂玩。

反正不痛，凡恩也就由她去，而那小小手指的觸碰喚醒了遙遠的記憶，讓他胸口一陣刺痛。

爲了壓抑住那些即將甦醒的回憶，凡恩把思緒拉回來，開始盤算往後的計畫。

（……好吧，接下來該怎麼辦呢？）

凡恩對附近的地理狀況大致有概念。

妻子死後，他形單影隻了很長一段時間，到處流浪。當他知道東乎瑠來犯時，也曾經跟夥伴假扮爲交易商人，遍查阿卡法內外，所以什麼地方有哪些城鎮道路，他大概都清楚。

（……總之，先到卡山吧。）

卡山是個大商城。

過去曾經是阿卡法王國的首都，現在則是治理阿卡法的東乎瑠王幡侯的領都城。凡恩去過兩次，對那地方還算熟，在這三教九流往來頻繁的交易都市裡，應該可以聽到最新的消息，說不定也能找到工作機會。

（還得替這小傢伙找到養父母才行呢！）

卡山有座祈宮，祭祀著各地人民所信仰的不同神祇。那裡的神官或許可以幫幫失去父母的這孩子。

儘管沒有任何確切的把握，總之只能先去探探再說。

從剛剛開始就覺得天色有點陰暗，果然，一過中午便下起小雨。

蒼鬱茂密的樹葉替他們擋了雨，所以沒怎麼淋濕。凡恩先解開背巾放下孩子，脫下自己身上的連帽莫克（披風），重新背好孩子後，再披在最外面。

這孩子好像不喜歡披上莫克的感覺，開始鬧彆扭。凡恩將孩子往上托了托……這時候，突然嗅到一股煙味。

真奇怪。

不過是聞到空氣中淡淡的味道，他就知道這是烤豬肉，連燒烤的火堆、在哪裡燒烤，都彷彿歷歷在目。

一名年輕男子在長著青苔的岩石後方凹處獨自生著火堆……這光景瞬間閃過腦中，又很快消失。

他正想避開這個方向，尋找獸道，孩子卻突然哭了起來。

「歐恰，捏格！捏格啊啊！」

可能是凡恩不把莫克拿掉讓她感到不耐，她兩手抓著凡恩頸窩，身子往後倒，放聲大哭，不管輕搖或小聲斥責，都止不住她的哭聲。

哭聲大到連鳥兒都受驚飛走，老鼠也驚慌地在草叢中竄逃。

「喂喂喂，妳怎麼哭成這樣呢？」

凡恩無奈地對孩子說話時，聽到隔著樹林傳來的細小聲音。

「……有誰在嗎？」

不是東乎瑠語，是阿卡法語。

那聲音帶有邊境民族特有的口音，或許因爲如此，聽起來就像夥伴，讓凡恩心頭一驚；不過仔細一聽，語尾有北部地方特有的輕重音。他重整心情，決定裝做沒聽到，快步往前走。

這時，那聲音的語調轉爲哀求。

「如果有誰在的話，拜託幫幫我吧！」

凡恩忍不住停下腳步。

「拜託，不要走！救救我！我腳扭傷，走不動了！」

那聲音聽來很急迫。

如果是平常的他，應該不會搭理。

這種森林裡有很多盜賊，先是假意求助，等到哪個老好人毫無戒心地靠近，再殺人搶劫。這是稀鬆平常的事。

不過一股莫名的猶豫拉住了凡恩的腳步。

也不知爲什麼，他很篤定那男子只有隻身一人，而且年紀還很輕。他覺得嗅到煙味時浮現腦中的光景，宛如親眼見到般眞切確實。

他想確認爲什麼自己會有這種感覺——在這片樹林後方，是不是眞的有一片長滿青苔的岩石和凹處……

（……看來我也瘋了啊。）

凡恩背著仍大哭不已的孩子，就這樣鬆開腰間獵刀的刀鞘，做好隨時都能拔刀的準備。

接著，他撥開草叢，往發出焚火氣味的方向走近。

五 霧中飛鹿

巨大雲杉的樹蔭下，有三塊長了青苔的岩石。

岩石後方的凹處，有位年輕人背倚著石頭、雙腳伸直坐在地上。他面色慘白，看來似乎已經筋疲力盡，隨時要昏倒的樣子。

他身旁雖然有一輛阿卡法北方遊牧民族常用的馴鹿貨車，卻沒看見拉車的馴鹿。火堆上烤著成串的肉，燒得滋滋作響。

那年輕人身上穿著馴鹿毛皮製成的衣服，一身北方民族的裝扮；但說來奇怪，從火光微微映照著的那張臉上，卻難以辨別他來自何方。

眼睛細長、鼻子扁平。這長相是標準的東乎瑠人。

（……難道是混交民？）

凡恩有些驚訝地凝視著那張臉。

阿卡法受到東乎瑠統治已經有很長一段時間。

東乎瑠送往阿卡法的移住民中，有些人雖然來到異鄉，但還是想保有東乎瑠人的純粹，因而建立起單純由移住民組成的聚落和城鎮；不過也有很多人跟阿卡法人通婚，就此落地生根。尤其在北方，這種人特別多，年輕一輩中有不少人同時流著兩種民族的血液。這年輕人或許也是混交民。

凡恩繞過樹林，一踏入岩石凹處，年輕人那張火光照耀下的蒼白臉孔立刻露出詫異的表情——大概是沒想到現身眼前的，竟然是個背著小孩的男人吧。

年輕人發現凡恩的手放在腰際的刀鞘上，眼裡露出怯色。

「……別、別殺我。」

他嘴唇發抖，不住地想往後退。

凡恩看到年輕人臉頰上的刺青，心想他應該已經行過成人禮了吧。看似東乎瑠人的扁平輪廓，臉頰上卻出現阿卡法北方民族儀式的痕跡，實在有種奇妙的衝突感；而這種衝突感雖然教人覺得有些哀傷，卻不令人討厭。

凡恩謹慎地環視周圍，手始終沒離開刀柄。

「怎麼扭傷的？」

凡恩平靜地開口探問。

年輕人眨了眨眼，臉上終於慢慢恢復血色。

「……因、因爲山犬。」

年輕人囁嚅著，連嘴唇都被口水沾濕。接著，他斷斷續續地開始話說從頭。

「我到卡山去批發毛皮……這是三天前的事……因爲平常走的路被倒下的樹木擋住，所以換了一條沒走過的路，沒想到繞了一大圈，天也黑了，我只好在這裡露宿。過了大半夜吧，一群跟黑水一樣的山犬突然出現……」

他倉皇跳上貨車、躲在裡面，幸好山犬沒發現，就這樣繞過，不過繫在樹幹上的飛鹿嚇得在周圍繞來繞去，脖子還被皮繩纏住。

「我本來想替牠解開，但牠完全不聽我的話；好不容易解開後，我竟然被牠拖倒在地上，牠就逃走了……」

就是在那時候扭傷了腳、無法走路。只好露宿在此，等待有人經過伸出援手。

「本來以爲出入鹽礦的人應該會經過這附近，但是三天來沒看到半個人影，我正以爲沒救了，心裡好害怕……」

年輕人說著，臉上浮現的仍是青澀的表情，完全不像已經舉行過成人禮的樣子。

凡恩低著頭，靜靜看了這年輕人一會兒。然後轉過身，走向繫著飛鹿的那棵樹。

至於凡恩背上的孩子，不知是對眼前全新的狀況感到疑惑，還是因爲轉移了注意力不再覺得無聊，剛剛震天價響的哭聲早在不知不覺中停下，現在看來心情極好，嘖、嘖地打著舌頭。

凡恩撫摸著被繫繩磨平的樹幹，回頭對年輕人說：

「你剛剛說，繫在樹上的是飛鹿對吧？我以爲北方民族只養馴鹿。」

年輕人露出狐疑的眼神。

「你不知道嗎？」

看凡恩沒回答，年輕人嘆了一口氣。

「你住的地方可能不一樣吧，我們那邊在前年年底接到上頭的命令，說是增加飛鹿代替馴鹿的話，可以減稅，所以大家都急著到土迦山地捕飛鹿；但是飛鹿這種動物脾氣暴烈又不好養，很難駕馭，大家都說，減那麼一點點稅根本划不來。本來以爲鹿應該很聽話，結果根本不是嘛！」

凡恩不禁露出微笑。確實，要駕馭飛鹿是有特殊訣竅的。只懂馴鹿的人根本無法勝任。

（說到這個……）

很久以前曾聽過風聲，隔一座山的奧克巴氏族好像收集了大量飛鹿，送到阿卡法。

以前的奧克巴也跟凡恩所屬的氏族一樣，屬於飛鹿遊牧民族，但他們很早就屈服於東乎瑠，成爲農奴散居各地。

當凡恩跟「獨角」的兄弟們從那些留在土迦山麓當農奴的奧克巴人口中，聽說奧克巴人奉東乎瑠軍之命，要把飛鹿送到阿卡法時，大夥還大笑了一番：「東乎瑠那些傢伙吃了我們這麼多苦頭，所以現在他們也想騎飛鹿了嗎？」

這種想像並沒有讓任何人覺得不安——因爲飛鹿跟馬或馴鹿完全不一樣。短短一兩年是不可能培養出飛鹿騎士的。

大家都確信，這只是一時興起，用不了多久，東乎瑠就會知難而退。不過，看來東乎瑠似乎遠比想像中更認眞在培養飛鹿兵團。

（說不定現在我們的人也正在幫忙呢。）

凡恩正這麼想的時候，雨聲突然變大。

「……雨變大了。」

年輕人低聲說著，連忙把木柴塞到馬車下，以免弄濕；同時還用求助的眼神看著凡恩。

「貨車裡有遮雨布，但是我站不起來……」

凡恩放下背上的小傢伙，交給年輕人。

「你抱著。」

年輕人抱著孩子的動作出乎意料地老練。凡恩從貨車裡拿出小型帳篷用的防水布，利用貨車和岩石搭起勉強夠三個人躲雨的空間。

他坐在抱著孩子的年輕人身邊，從自己的行囊裡拿出發姆和乾酪。

「一起吃吧。」

他問道，年輕人眼睛一亮，點點頭。

「感激不盡。我的食物也放在貨車的籃子裡，不過從昨天開始就痛到完全站不起來，只能吃事先拿出來的肉。也吃吃我烤的肉吧。今年橡實長得不錯，山豬肉很好吃呢。」

凡恩露出微笑。

「眞是太感謝了……看起來眞的很好吃。」

凡恩用小刀切開發姆，擺上乾酪。然後拿小刀刺穿放上乾酪的發姆，放在火上烤。

乾酪融化後，他將覆上一層油亮光澤的發姆遞給年輕人，年輕人接過，向他點了點頭，不過馬上就有一隻小手從下面伸過來，差點就把發姆搶走。

「……喂喂喂。」

年輕人一邊笑著，一邊把發姆拿遠。

「也有妳的份，別急。」

凡恩也笑了。他先給孩子一片還沒烤過的發姆。大概是肚子餓了吧，只見這小鬼津津有味地啃著。

「這孩子精神眞好。」

年輕人看著那孩子，不禁揚起眉。

「聲音也大。」

凡恩苦笑著。剛剛那陣發自丹田的洪亮哭聲，聽起來完全不像女孩子。

三個人在這場傾盆大雨中肩並著肩，吃著火烤發姆和乾酪，還在烤得又軟又香的豬肉上撒了鹽吃。從鹽礦帶出來的乾酪是牛奶做的，並不難吃，但對凡恩來說，滋味稍嫌不夠濃郁。

「……你剛剛說飛鹿不好養。」

凡恩突然開口。接著又問：

「牠擠得出奶嗎？」

年輕人驚訝地看著凡恩。

「飛鹿的奶能喝嗎？」

「當然可以。」

凡恩看著火焰回答。

「馴鹿奶比牛奶來得濃郁好喝，不過飛鹿奶更濃更香。飛鹿奶做的乾酪眞的很好吃呢。」

打在防水布上的雨聲不曾停歇，在雨聲的間隙中，還可以聽到從森林深處傳來的「咻喔」聲。

年輕人一驚，停下動作，望向雨中的森林。

「那是什麼？不會是大鹿的叫聲吧？」

阿卡法的森林裡，有比人高出許多、極巨大的鹿。在秋天這個時期，壯年公鹿會頂著一頭華麗的角，母鹿則會奮力發出類似濕潤號角的尖銳聲音，呼喚公鹿。

不過年輕人說得沒錯，剛剛聽到的並不是大鹿的聲音。

凡恩兀自微笑著——這聲音讓他無比懷念。

「你的飛鹿……」

凡恩輕聲開口。

「叫什麼名字？」

年輕人停下伸向豬肉串的手，不解地看著凡恩。

「啊？喔，叫野丫頭。是我爸取的名字，因爲牠是頭脾氣很大的母鹿。」

「是嗎？」

凡恩撫著下巴。

「野丫頭會不會用鼻子抵著你的背？」

年輕人越來越覺得莫名其妙。

「我的背？嗯，偶爾會啊。有時會突然從後面推我，害我差點跌倒，眞是頭痛。牠以前不會這樣的啊，老是學一些壞習慣。」

凡恩噗嗤一笑。然後安靜了一陣子，才緩緩開口：

「如果我把你的飛鹿找回來，能不能介紹我認識卡山的毛皮批發商？」

「啊？這……」

年輕人訝異地看著凡恩。

「卡山的毛皮批發商？替你介紹？你是獵人嗎？」

凡恩瞄了瞄因爲怕淋濕而放在貨車下的弓箭。

「靠打獵爲生的技術是有的，不過因爲種種原因，我現在回不了故鄉，正想去卡山找工作餬口。毛皮批發商對附近獵場的權利或規矩應該很熟吧？不過他們對地盤很敏感，突然有個來歷不明的生面孔找上門來，應該沒人會理我。」

「嗯，你這麼說也對啦，可是……」

年輕人躲開凡恩的視線，低下頭，好像在考慮什麼。

他可能是突然想到自己對這個一起躲雨的人幾乎一無所知。對馴鹿遊牧民族來說，毛皮批發商是重要的交易對象。他一定是擔心，萬一隨便介紹來路不明的人給毛皮批發商，之後會帶來麻煩吧。

凡恩看著煩惱的年輕人，不由得泛起微笑——這年輕人不錯，懂得瞻前顧後。

凡恩把吃完的肉串叉進土裡，拍拍膝蓋站了起來。接著他撿起放在貨車下的皮製牽繩。

年輕人訝異地抬起頭，好奇地看著他。

「總之，我先去找飛鹿。能幫我看著這小鬼嗎？」

「咦?可以是可以……」

凡恩清脆地甩了一下牽繩，沉穩地說道：

「毛皮批發商的事，到卡山的路上再慢慢考慮吧。反正我本來就打算去卡山。看你的腳，一個人也回不去，我跟你一起到城門口吧。」

六　戀愛儀式

離開遮雨處，從樹葉上滴落的雨水沒多久就打濕了凡恩全身。雨水很冷，但他並不在意。

飛鹿是種用情至深的動物，遠超乎年輕人的想像。

一旦離開建立起深厚情感的夥伴，牠們也是很容易寂寞孤單的傢伙。用鼻子抵著對方的背是種親密的表現，既然那麼頻繁地做出這種動作，表示野丫頭一定很依賴這年輕人。

飛鹿一旦認定了，就不會忘記自己的朋友。

這裡並不是野丫頭的故鄉，也不是飛鹿平時棲息的森林。即使是母鹿，也無法混入其他飛鹿群中。如果是其他季節，只要等到山犬的氣味消失，就算放著不管，牠應該也會自動回到年輕人在的火堆那裡。

但現在可是鹿的戀愛季節。

飛鹿跟大鹿很像。雄飛鹿的體型比公的大鹿小；不過雌飛鹿長大後，體型卻跟母的大鹿差不多，而且也能生下大鹿的孩子。拿故鄉土迦山地來說，還有人故意讓飛鹿和大鹿交配，生下體格較好的飛鹿。

從剛剛的聲音聽來，野丫頭可能受發情的雄性大鹿氣味吸引，也跟著發情，正在森林裡迷途徘徊吧。

但不管怎麼樣，應該都還沒走遠。只要走到看得見牠的地方，就有辦法帶牠回來。

離開焚火堆，凡恩走到原本繫著飛鹿的樹下，蹲下來盯著濕掉的落葉。

等到視線習慣後，他漸漸看出鹿蹄踏在落葉上的隱約形狀。剛剛站在這裡時，也發現有飛鹿的尿味。飛鹿受到驚嚇時，會一邊撒尿一邊逃跑。而在故鄉時，他也會讓狗透過味道去追鹿。

一想到這裡，凡恩內心深處反而有些小小的不確定感。儘管是發情期，但飛鹿的尿散發出的味道並不會持續這麼長時間。逃走已經是三天前的事，爲什麼味道還這麼明顯？

他也知道，這不是新的味道。不僅如此，觀察蝸牛經過後留下的銀色痕跡，可以明顯感覺到那味道的痕跡斷斷續續地在地面上延續。

鼻腔深處靠近眉頭的地方，好像有堵類似擋牆的東西。

如果這道擋牆完全開啓，讓氣味一口氣衝到腦袋後方，就能在瞬間轉換爲視覺——大概就是這種感覺吧。

因爲現在心裡還有些猶疑，所以鼻腔後方的擋牆還沒有完全打開。如果縫隙再大一些，會變得如何……

灰色森林裡，雨安靜地下著，凡恩呆站了一會兒，試圖緩和漸漸急促的心跳。

自己身上發生了些變化。

他隱約感覺到這些變化始於那天晚上，但他不敢去想這到底代表什麼意思。明明很害怕，身體深處卻有奇妙的快感在鼓動。搔癢般的灼熱感，漸漸在肌膚上擴散。

有種蛻去完整一層皮的感覺。

蛻皮之後，自己會不會像破繭而出的蝴蝶奮力張開濕濡的翅膀那樣，露出閃亮、光鮮的全新面貌？

腦中盤旋著這些念頭時，耳朵深處響起一個尖銳聲音。

——不要放棄自己。

凡恩不禁閉上眼睛，緊握住手上的皮繩。

（不要放棄你自己。）

有個聲音在對他說話。告訴他不能委身於這種奇妙的感覺中。不能完全交出自己。

（可是……）

心底又聽見另一個平靜的聲音。「這已經是你的一部分了。」那聲音說。

凡恩閉上眼，深深吸了一口氣，接著慢慢張開眼睛。

被雨水沾濕的樹木和泥土氣味滲入，緩緩攪散腦中停止流動的那片渾沌。

凡恩嘆了一口氣。

（把飛鹿帶回來。）

追蹤看不見的味道痕跡，把飛鹿帶回來。把眼前的事做好。自然而然，就算不願意，也能漸漸看到嶄新的自己究竟是何種姿態。

大概因爲心情平靜了許多，感覺味道比剛剛更清晰了。

他循著味道往前追去，深入林木之間，就在火堆亮光幾乎完全消失的地方，凡恩看見一灘泛著淡粉紅色的小水窪——那是大鹿公鹿撒尿的痕跡。

周圍的泥濘也印著幾個飛鹿蹄印。

（這騷女孩，完全迷上人家了。）

他感覺相隔不遠的前方樹林裡，似乎有鹿的蹤跡。可以聽見亢奮的呼吸聲和鹿蹄打在草地上的悶鈍聲。

當聲音交雜著味道同時出現，一幅光景清晰地出現在腦中，彷彿近在眼前。

凡恩閉上眼睛，凝視著聲響和味道帶來的畫面。

兩頭大鹿正在對峙。看來是正值壯年的公鹿。牠們將一頭盛放飛揚的扁平角放低，正在用呼吸威嚇對方。兩隻鹿的另一邊還有隻體型較瘦的鹿。是頭母飛鹿。牠的鼻孔大張，正在嗅聞面前公鹿的氣味。

凡恩張開眼睛，躡手躡腳地往前走。

他緩慢前進，從樹蔭後方探出頭來，眼前出現的一切跟剛剛腦中浮現的光景幾乎一模一樣。大鹿巨大的身體激烈地對撞。

透過地面傳來的低沉聲響、角與角的撞擊聲、「嗡嗡」的回音。牠們不斷用角互撞，以龐大的身軀互相推擠。

傳承生命——只因為這個目的，巨大的公鹿們使出渾身解數，奮力衝撞。

其中一頭公鹿的角被對方猛然一壓，身體失去平衡，臉就這麼壓到地面。儘管如此，那頭公鹿依然沒有放棄，拚命奮戰，不過力量相差太大，終究無法取勝。

那頭公鹿拖著腳離開，但勝者並沒有追上前，只是從容地看著落敗者消失。

雨不知何時已經停了，帶著透明感的黃昏光線把草地染成一片金色。

凡恩靜靜看著勝者和飛鹿在這金色光芒中展開的戀愛儀式。

凡恩帶著飛鹿回到焚火堆，年輕人半張著嘴瞪大了眼睛。

「……野丫頭！你、你是怎麼找……」

凡恩輕撫著飛鹿不斷鑽進他腋下磨擦的鼻子，將牠繫在樹下。凡恩打著舌頭，發出「匹奇、匹奇」的聲音，飛鹿也抖著鼻尖，發出類似的聲音。

安頓好飛鹿後，凡恩在火堆邊坐下。

「你知道可以用打舌的聲音來呼喚飛鹿嗎？」

年輕人一臉茫然，搖搖頭。

「不知道，把這傢伙賣給我的奧克巴氏族大叔說，要叫牠名字，所以我向來都叫牠名字。」

「是嗎。叫名字也行，不過最好也學一下打舌的方法。」

凡恩在火堆上暖著冷透的雙手，露出微笑。

「這隻野丫頭，明年就會生下大鹿的孩子了。」

「……啊？」

年輕人的眼睛瞪得更圓了。

「飛鹿能跟大鹿交配嗎？」

「可以。雖然生產的過程很辛苦，但如果順利分娩，就可以生下相當強壯的小鹿。」

年輕人沉默著，呆呆地盯著火堆好一會兒。孩子躺在他懷抱裡，呼吸平穩，睡得很安詳。只剩下飛鹿吃草、柴火燃燒的聲音響遍黃昏的森林。

年輕人終於望向凡恩，臉上的表情像是剛從漫長的睡夢中甦醒一樣。

「聽你講話的語尾，你應該是土迦山地的人吧？」

凡恩點點頭，把事先編好的那一套身世簡單告訴他。

「我是馬蘇族的人，靠放牧和獵飛鹿爲生，因爲迷上來自南方的女人，跟妻子分開了。其實就是因爲這無聊的理由才淪落到這裡的。」

馬蘇是由幾個家族構成的極小氏族，而且又住在地勢險峻的深山，就連東乎瑠帝國也沒有特地派兵統治，完全放任不管。交易毛皮和肉類時，也多半透過鄰近氏族爲仲介，很少親自下山。所以凡恩這個謊應該不太容易被拆穿。

「馬蘇？我還是第一次聽說。原來還有這種氏族。」

「是啊，因為非常小，所以這一帶的人可能沒聽過吧……要是不相信，你可以問問奧克巴氏族那些人，他們應該知道。」

年輕人不置可否地點點頭。

「……那，這孩子呢？」

「南方那女人帶來的孩子。女人生了一場病，很快就死了。」

凡恩簡短回答。年輕人眨了眨眼，沒再繼續追問。

年輕人垂下眼看著火堆，好像在想些什麼。過了許久，他抬起頭，直直看著凡恩。

「真的多虧你替我找回野丫頭。謝謝。」

凡恩點點頭，接受了他的謝意。

年輕人舔了舔嘴唇，說道：

「我是可以把你介紹給毛皮批發商，但如果你想找工作的話，我或許能幫上忙。」

凡恩挑挑眉。年輕人雖然略顯猶豫，仍然接著說：

「當然，最後還是得看我父親怎麼決定啦。就算我帶你回去，要是他不同意的話也沒辦法；不過對我來說，如果你能來，我會很高興……」

年輕人說得口沫橫飛，說完，有點羞澀地笑了。

「對不起。我只要一急，說起話來就語無倫次。總之，我想請你到我家來。我們屬於很小的氏族，也很窮，不過至少夠你和這孩子溫飽。」

年輕人用手指摩挲著漲紅的臉頰。

「不久前，我們那裡流行著很嚴重的傳染病，我哥也染了病，再加上父親的腰原本就不好，所以我才得一個人去批發毛皮和肉……」

年輕人說著說著，似乎也下定了決心，眼裡浮現出堅定的神采。

「如果繳了稅之後，還想留下一點餬口的收入，就必須增加飛鹿的數量；但不知爲什麼，牠們就是不生小鹿。根本不交配。」

年輕人看了野丫頭一眼。

「如果牠眞的懷了小鹿，一定要讓牠健康生下來——但是我們沒有人替飛鹿接生過，而且牠懷的是大鹿的小孩，應該很難生吧？」

凡恩點點頭。

「嗯，對啊。」

「這樣的話，如果有你在的話，我眞的比較放心。」

不知何時，年輕人眼中露出了懇求的目光。

「拜託你。我們不能失去野丫頭——父親那邊我會努力說服他的，你願意來嗎？」

說著，他慌慌張張地伸出手。

「我叫多馬。多馬·悠·歐基（意爲歐基氏族的多馬）。」

凡恩握住那隻伸出的手，把自己的名字告訴了年輕人。

雨停了，幾道夕陽餘暉灑在森林裡。

看著這片光之織錦，凡恩突然想起漂在故鄉溪流上的落葉。

第二章 傳說中的可怕疾病

一 魔神之子

爬上平緩的山丘來到山頂，終於看到在灰色霧雨彼端的鹽礦。無數蠕動的人影看來就像螞蟻一樣。

從鹽礦的平緩下坡往四周延伸，爲了方便搬運岩鹽，周圍都相當開闊，地面也都弄得相當平整，不過現在因爲下著雨，地上有些濕滑。

看到前方王幡侯的次子——與多瑙所騎乘的騮馬打滑了一下，赫薩爾嘴裡喃喃碎念著：

「……連用石灰鋪路這點知識都沒有嗎？」

跟在赫薩爾身旁的馬柯康聽了，只是苦笑。

「不如您回去以後，向王幡侯建言如何？」

赫薩爾轉過頭，瞄了眼前這輕鬆駕馭暴躁黑馬的壯漢一眼，聳聳肩。

赫薩爾從黑色兜帽下露出發青的嘴唇，馬柯康看了直皺眉。

山裡很冷，加上又飄著霧雨。在這種天候下，從天才剛亮就一直策馬前行，對向來體虛的少主人來說，這行程實在太吃力。

是不是應該就此打住……

馬柯康腦中才剛冒出這個念頭，心聲卻彷彿被赫薩爾聽見似的。赫薩爾揚起眉：

「別擔心，我不要緊的。」

他說完繼續向前，還用腳跟踢了踢馬腹，加快速度。馬柯康就這麼冷著臉，追在後面。

赫薩爾是個在各方面都異於常人的年輕人。

他是流有古歐塔瓦爾王國始祖之血的「神聖者」之一，光是這一點就夠特別了；再加上他深受身為知名醫術師的祖父——利姆艾爾薰陶，與生俱來的天賦早在幼年便已開花結果。年僅十五歲，就擔任擁有千年歷史的歐塔瓦爾「深學院」助教，今年二十六歲的他已經是醫學院的中堅，東乎瑠帝國的官員們幾乎無人不知他的大名。

他的名聲之所以為人廣傳，是由於曾擔任祖父的助手，拯救了罹患可怕致死疾病的東乎瑠皇妃。不過在那之前，他早就救治過許多受到瀕死重傷或不治之症的病患。

馬柯康也是他救過的其中一個病人。

當時馬柯康躺在競技場一角的堅硬石板地上，感受著不斷襲來的疼痛，只能等死。就在此時，赫薩爾出現了。

當那纖瘦身影出現在逐漸變暗的視野一角時，馬柯康心想，啊，我終於要命喪於此了——因為競技場裡的大家都知道，那年輕人是「神聖者」之一，獲得皇帝許可，在這裡收集落敗鬥士的遺體。

不過馬柯康沒有死。明明身受重傷，不管誰看了都覺得沒救了，但是在赫薩爾奇蹟般的治療下，他還是保住了一命。

直到現在，馬柯康還記得在赫薩爾宅邸中醒來時的情景。

當時天剛拂曉，赫薩爾坐在窗邊椅子上打著盹，泛藍色的曙光淡淡照著他的側臉。

（這個人就這樣徹夜照護區區一名鬥士嗎……）

赫薩爾醒來，看到馬柯康已睜開雙眼，露出淺淺一笑。

「你活下來了啊。不愧是猶加塔山地的人。果然擁有連馬都會感到訝異的體力。」

赫薩爾語調老成，和那張少年般的纖瘦臉龐完全不搭。

「聽說你系出『侍奧』家族。出身這麼嚴謹的家族，怎麼會成為以賭博為生的鬥士呢？你想說的話，以後再找機會告訴我吧。」

當時馬柯康並沒有因對方知道自己的身世而覺得驚訝，只感到一股苦澀的絕望。

不管墮落到什麼程度、不管逃到天涯海角，都無法切斷與「神聖者」之間的連結。生為他們的臣子，只要還有一口氣在，就無法從主人的眼皮底下逃脫。

赫薩爾或許從馬柯康的表情中讀到了什麼，眼中突然浮現一道冰冷光芒。

「別搞錯了。如果你還是『侍奧』，我大概連看都不會看你一眼。就算你還剩一口氣，我也會裝做沒看到——我最討厭那種縮在陰暗角落的傢伙。」

赫薩爾把臉湊近，輕聲說道：

「我看你每次打鬥都很隨便，卻每次都贏。看你的比賽還挺有趣的——我除了收集遺體，也收集活人。要不要跟著我？」

這人真是奇怪。他具有一種奇特的魅力，卻又教人不寒而慄。

東乎瑠人背地裡都叫赫薩爾「魔神之子」；也有人謠傳他因為與地獄魔神同床共枕，才能救回一腳已踏進棺材的人。這些中傷不僅是出自於對歐塔瓦爾人的厭惡，或許也是針對他身上散發的那股奇特氛圍吧。

有可能是因爲赫薩爾的所作所爲太跳脫常軌，人們要是不這麼猜想，根本無法理解。馬柯康懷疑，這些謠言應該都是東乎瑠的祭司醫們在背後散布的。

祭司醫不但懼怕，也很討厭赫薩爾和他的祖父利姆艾爾。他們原本就視歐塔瓦爾醫術爲異端，當赫薩爾因治療皇妃而一躍成名後，這種厭惡便進一步發展爲明顯的敵意。

現任皇帝那多瑠是個思考柔軟、行事果斷的男人，爲了治療身染罕見疾病的皇妃，他不顧周遭的強烈反對，邀請以施行「奇蹟醫術」而獲得極高名望的歐塔瓦爾醫術師——利姆艾爾和孫子赫薩爾入宮，引起宮廷上下一片譁然。

在東乎瑠有句話，「醫術師是神之指」。

掌管人們生死的醫術必須依照神的教誨進行，而所有醫術師也幾乎都是東乎瑠人所信仰的清心教祭司。

遇到病入膏肓的病人時，宮廷祭司醫的慣例是將一切交付在神的手中，並給予病人能安詳逝去的藥物。

但那多瑠拒絕放棄救治心愛的妃子，當他聽說有人曾治好這種病，便循線找到了利姆艾爾和赫薩爾。

利姆艾爾和赫薩爾成功地拯救了皇帝的愛妃。

皇帝對兩人精湛出色的醫術和知識感到驚愕與折服，希望他們務必能擔任宮廷醫，好將歐塔瓦爾優異的醫術教給宮裡的祭司醫。但宮廷祭司醫知道此事後，大爲震怒，還一度演變成祭司團和皇帝對立的騷動。

最後還是利姆艾爾和赫薩爾向皇帝表示婉謝擔任這項職務，才終於平息這場騷動；但這次事件卻種下另一個複雜問題的根源。

由於當時那場騷動實在太大，整個帝國都知道事情的經過，東乎瑠的權貴們當然也都聽說了歐塔瓦爾醫療的優異。

罹患重病時，與其選擇死亡，更想獲救。這本是人之常情。

如同當初王幡侯請來赫薩爾一樣，在祭司醫宣告無法醫治時，悄悄請來歐塔瓦爾醫術師的權貴開始一個、兩個，慢慢出現。

祭司團當然不樂見這種情況。他們堅定地批判，倘若貴族們無法遵守清心教的教義，國家將紊亂失序。

清心教是統整這個大國的心靈基礎，無論皇帝或貴族都不敢正面違抗這些意見；即使成功治療皇妃將近十年後的現在，歐塔瓦爾人的醫術在公開場合中，依然被視為悖離天道的異端之技。

東乎瑠人心裡原本就對歐塔瓦爾人感到忌憚，這種情緒也加深了問題的複雜性。

古歐塔瓦爾王國是個興盛了數千年的王國。

過去除了有鹽礦的地區，南至猶加塔平原、北到歐基地方，一直到西邊的土迦山地附近，全都在王國的寬鬆統治之下。

歐塔瓦爾人精通醫術、土木技術和工藝。據說過去生長在這個地方的人，無不歌頌著那如夢美好的富足生活。

然而從某個時候開始，貴族之間開始流行一種怪病，年紀輕輕便早逝的也幾乎都是高貴的為政者，導致政治骨幹開始動搖。在約兩百五十年前，疫病流行，王國轉眼間便步入衰退。

有些人說，應該是因為貴族們所駕馭的技術早已超越人類智慧、接近神的領域，才觸怒了神明，不過真相至今仍藏於黑暗之中。

歐塔瓦爾的貴族們認知到王國的衰弱，開始冷靜地處理國家事務；老賢者紛紛退隱，只為了留給年輕人生存的地方。

古歐塔瓦爾王國最後的聖王——塔卡魯哈爾，將王都遷到未受疫病之害的阿卡法地區的商城卡山，並將王國統治權讓渡給阿卡法人的年輕城主，並要城主立誓，承認居住在此地各民族的自治權，採取寬鬆的統治策略。這就是阿卡法王國的肇始。

存活下來的歐塔瓦爾貴族們，在險峻高山環繞的盆地中建造了「歐塔瓦爾聖領」，並搬遷至此，專心在這裡磨練、提升醫術等各項技能。

即使歐塔瓦爾的非貴族階層也一樣，大家自幼就在聖領的「深學院」學習，挑選適合自己的才能並加以發展；不過成人後，很少有人會繼續留在聖領，大多散居各國，活用所學的技術或知識為生。

深學院的正門寫著一句話：「為諸國注入活水，替自己找尋生路。」歐塔瓦爾人選擇了沒有國土的生存之道。

從歐塔瓦爾聖領的學術中樞——深學院所創造出的技術和工藝品廣為各國所知，成為眾人競相購買的商品，也成為阿卡法王國富裕的支柱。

歐塔瓦爾人還有一種稱為「奧」的組織，就像蜘蛛結網築巢般，吐出的絲遍布王國中各民族生活的角落，負責打聽所有大小事。

即使交出統治權後，仍然留下該組織，並將探聽到的所有事情傳達給阿卡法王，在暗中支持著王國——假如阿卡法王國是肢體，「歐塔瓦爾聖領」無疑就是大腦。

東乎瑠帝國攻來時，阿卡法王之所以在經歷幾次小規模戰爭後便爽快投降，據說也是因為歐塔瓦爾聖領讓國王知道東乎瑠帝國強大的軍事力，說服阿卡法王，與其和東乎瑠打仗，不如交涉更來得有利。

歐塔瓦爾聖領的人們很快就向東乎瑠帝國展現順服，同時也以他們令人讚嘆的技術為優勢，巧妙滲入帝國核心。

雖然歐塔瓦爾的醫術遭到冥頑不靈的祭司醫反抗，遲遲沒有廣傳，不過在架橋、挖掘隧道等土木工程和建築方面，歐塔瓦爾的技術人員頗受重用；至於開採礦山、冶金等領域，其出色的技術也成為東乎瑠發展基礎的支柱。

由於這些成就，歐塔瓦爾人雖然遭到統治，但也受到尊敬；雖遭人畏忌，同時也受到重用，立場相當微妙。

當然，不少阿卡法人對歐塔瓦爾人這種某方面來說算是沒有節操的手段感到不悅，但他們也知道，多虧有歐塔瓦爾人巧妙的交涉，阿卡法才得免於戰火，也還保有部分自治權，因此，住在這裡的人儘管心裡對「神聖者」有些許失望，倒也不至於想避開他們。

但是對興起於遙遠東方，如雲霞湧動般迅速擴張版圖的東乎瑠人來說，或許正因為沒有古老歷史，才會覺得歐塔瓦爾人可怕。

來往於這條東西方連絡道的商人，長久以來都稱這個靜靜被險峻山區環抱的盆地——歐塔瓦爾聖領為「魔境」，甚至謠傳住在那裡的人們因為吸食人血，才得以存活千年。

東乎瑠還在和阿卡法進行交涉的時候，就已知道這些傳聞不過只是空穴來風，不過直到現在，東乎瑠人心中仍對歐塔瓦爾人有著毫無來由的深刻恐懼。

話雖如此，他們也深知歐塔瓦爾人擁有如同魔術般的高度技術，因此除了忌憚，也相當依賴他們。

儘管受到祭司團的責難，那多瑠依然堅持立場，相當禮遇利姆艾爾，並保持緊密交流，王幡侯也繼續重用赫薩爾，因為他們很清楚，萬一生病，誰才是能救自己一命的人。

過去赫薩爾救了王幡侯時，他曾經對赫薩爾說：

「此時此刻，你身在此處……這難道不是神的安排嗎……」

如果其他臣子看到他當時的表情，一定會懷疑自己的眼睛。向來傲慢、貪婪的王幡侯，臉上竟然浮現出卑躬屈膝、膽怯的笑容。

快看到鹽礦坑口時，大概是風向變了，煙味突然變濃。

聞到味道後，赫薩爾的表情變得緊繃。他策馬趨前，靠近正和前來門口迎接的兵長談話的與多瑠，從後頭喚了一聲：

「與多瑠大人。」

與多瑠轉過頭來。赫薩爾正用單手按住落在額上的亂髮。

「請您戴上遮口布。還有，能不能暫時停止火葬？」

與多瑠發現焚燒屍體的灰正隨風漫舞，連忙從懷中取出遮口布，在後腦打了個結，接著壓低了聲音問：

「為什麼要停止火葬？要是不快點燒掉，疾病會繼續蔓延的。」

赫薩爾也跟著繫上遮口布，點點頭說：

「火葬是不要緊。如您所說，這樣的確可以預防疾病蔓延。但我特地到這裡來，就是為了看看焚燒前的遺體。」

聽到這些話，出來迎接領主之子的兵長不覺蹙眉。

與多瑠發現兵長的表情，臉色立刻大變：

「你這傢伙，這是什麼臉！這位可是我父親的救命恩人赫薩爾大人唷！」

與多瑠高聲怒吼，兵長一驚，表情僵硬，連忙鞠了個躬道歉，隨即轉身，大步往冒出濃濃煙霧的大型紅磚建築物走去。

「喂！先停止火葬！」

聽到兵長的聲音，那些推著堆滿屍體的推車的農奴們一一停下腳步。

赫薩爾走近，負責監視農奴工作的士兵們發現是他，先是瞪大了眼睛，然後又馬上害怕地別過目光。

看到其中一個人悄悄彎起中指、做出驅魔手印，赫薩爾眼裡閃過一抹諷刺的笑。

赫薩爾先是將手指抵在唇上，然後像是丟了什麼東西似的，用手指指向那名士兵。

被指著的士兵頓時面色鐵青，開始顫抖。

「……少主。」

馬柯康輕聲提醒，赫薩爾的喉嚨發出貓咪般的咕嚕聲，接著表情放鬆，笑了笑。

但那笑容很快便消失。赫薩爾下馬，將牽繩交給馬柯康，走向堆著屍體的推車。

馬柯康也下了馬，拉著兩匹馬跟在赫薩爾身後。

站得遠遠的士兵們在一旁竊竊私語的聲音傳來。雖然聽不到內容，反正多半是交換親眼看到「魔神之子」的感想吧。

馬柯康從懷中掏出布遮住口鼻，環顧四周。

被找來做這些汙穢工作的罪人們，頸上都圈著鐵環，臉上寫滿恐懼，從各處一一將屍體放上推車。

在遠方監視的士兵們也顯得很浮躁。

赫薩爾走近隨意排放在推車旁的屍體，停下腳步仔細觀察。

馬柯康沒辦法像少主那樣凝視屍體，只能環視周圍一圈。

鹽礦位於四周皆被高山和丘陵包圍的盆狀山谷中，北部和西部有一片綿延到山頂的蓊鬱森林。

在進入森林前的地方設置了一道看起來很重的鐵柵。以鐵柵防禦瞭望臺看不見的死角。相較之下，樹木較稀疏、視界開闊的東南邊，除了鋪有道路的地方外，多半是崎嶇難以步行的岩場，就算有人襲擊，也很難在武裝狀態下迅速從上面奔下來。

（所以那條通道維持泥濘，也是因為這個原因。）

或許不是因為無知，而是為了防禦敵人來襲。仔細看看，這裡採取了不少出色的防禦手段。

（畢竟這裡可以挖出白色黃金啊。）

若是疏於管理，負責統治這個地方的王幡侯就會受到皇帝嚴厲斥責。

（可是……）

即使有如此嚴密的防禦手段，仍對這次發生的慘事毫無幫助。

馬柯康將視線拉回少主身上，看著他的側臉。

赫薩爾凝視著屍體。似乎對屍臭和悽慘的死狀一點也不在意。

那表情實在太過平靜，馬柯康倏然感到一股寒氣。

「赫薩爾大人？」

彷彿因為這聲叫喚而從深沉的冥想中喚醒般，赫薩爾眨了眨眼。

「……你看。」

赫薩爾指著屍體的腳踝附近。那裡已經發黑，清楚留下被狗啃咬的痕跡。

「每具屍體上都有被咬過的傷口。還有全身發疹的痕跡。」

說著，赫薩爾輕輕嘆了一口氣，伸手擦擦額頭。

看到他這個動作，馬柯康這才發現少主流了滿身大汗。在這麼寒冷的天氣裡，赫薩爾雪白的額頭卻滿布著細小的汗珠。

看到這些汗水的瞬間，馬柯康頓時有股頭皮發麻的恐懼感。

當他聽說在鹽礦工作的人全都死了的消息時，雖然覺得驚訝，但不覺得太害怕。原本只以爲大概是廚師在餐點中誤用了什麼毒草或毒菇吧。

但這些遺體都有被啃咬的痕跡。這不是食物中毒。他們是被某種動物咬死的。

（到底是什麼病，能讓這個人如此動搖……）

似乎發生了極不尋常的狀況。

而自己正身處於這異常狀況的中心。這個想法突然湧上胸口，讓馬柯康的心跳越來越急促。

赫薩爾從懷中掏出手套戴上，也催促馬柯康戴上手套。接著要馬柯康從行李中拿出殺蟲礦粉，對眼前這五具遺體噴霧。

等到噴出的白煙充分覆蓋住遺體，並漸漸消失後，赫薩爾這才點點頭表示滿意。

「把遺體的衣服脫掉。天這麼冷，再加上已經噴了這麼厚的礦粉，我想應該沒有關係；不過衣服內側可能還藏著跳蚤或蜱蟎，小心別被叮到。」

遺體並沒有屍僵的狀況，只是既冷又重。

「……看來已經超過三天以上了。」

馬柯康低聲說著，想掩飾心裡的害怕，赫薩爾也點點頭。

「從事重度勞動的人，屍僵的情況也發生得早；不過這些屍體完全沒有死後僵硬的現象，看來已經死亡四天以上。」

赫薩爾脫掉他們破爛襤褸的衣服，闔眼片刻，接著睜開眼睛，一寸不漏地觀察著遺體。

他一邊仔細觀察五具遺體全身，嘴裡還一邊念念有詞，然後站起來伸了個懶腰，深深嘆了口氣。

面露不安、茫然站在後方的與多瑠開口：

「看出來是什麼病了嗎？」

赫薩爾轉過頭，沉默地看著與多瑠一會兒，然後又嘆了一口氣，說道：

「要等到更仔細地檢查遺體後，才能知道正確病名。」

與多瑠看著赫薩爾。

「不過你心裡應該已經大概有數了吧？」

「……」

與多瑠又走近赫薩爾一步，低聲說：

「請告訴我，那是什麼病？」

赫薩爾低頭看著遺體。

「這只是根據初步判斷和眼前狀況來推測……我想可能是黑狼熱。」

聽到這句話，馬柯康下意識地往後跳了一步，遠離遺體。

他覺得遺體身上似乎有種眼睛看不到的東西會纏上自己，甚至因此不敢呼吸。

赫薩爾眼角流露出一絲苦笑，搖搖頭。

「別這麼害怕。這麼大個人了，眞沒用。不要緊的。如果眞的是黑狼熱，至少不會從這具遺體傳染開來。」

與多瑠沉默地聽著兩人的對話，接著皺起眉看著赫薩爾：

「恕我見識淺薄，我沒聽過黑狼熱這種病。這種病很危險嗎？是會傳染、蔓延的疫病嗎？」

赫薩爾收起臉上的笑，看著與多瑠，點了頭。

「沒錯。雖然我剛剛開了馬柯康玩笑，不過這確實是一種足以讓人懼怕的可怕疾病。您果斷下令火葬是正確的決定。再說……」

赫薩爾望向被冰雨打濕的推車。

「遇到這麼冷的天氣算我們幸運。我猜這幾天應該冷到下了霜吧！而自從這裡的人死了之後，也沒有生過火吧？」

與多瑠聽了一頭霧水，只是點點頭。

「對，我想應該是的。聽說有些遺體的衣服上還結了薄冰呢。」

「那就不用擔心了。現在在這裡的遺體，不會把病傳出去的。」

「……爲什麼？」

「因爲沒看到蟲子聚集。黑狼熱是被黑狼或山犬咬傷後罹患的疾病；更可怕的是，那些叮過病人和病獸的跳蚤或蜱蟎，會把病傳播出去。」

與多瑠鐵青著臉，甩了甩衣袖。

「別擔心。在這種降了霜的寒冷天氣裡，跳蚤幾乎無法活動。不過如果是狗的身體或生火處等溫暖的地方，即使冬天也能活下去，生命力很強韌。」

赫薩爾望著這片籠罩在濛濛冰雨下的蕭瑟風景。

「能在這樣的溫度下隔離四天以上，實在太幸運了……」

他輕輕嘆了口氣，對與多瑠說。

「不過所有接觸、靠近過遺體的人，最好都燒掉身上穿的衣服，徹底清洗身體和頭髮，換穿其他衣服後再離開。」

與多瑠睜大了眼。

「需要……需要做到這種地步嗎？」

赫薩爾點點頭。

「要。」

赫薩爾眼裡浮現奇妙的光芒，馬柯康沒作聲，只是靜靜看著。他似乎知道赫薩爾接下來要說的是什麼。

赫薩爾平靜地開口：

「這種病過去曾經奪走過六千條人命——把我的祖國古歐塔瓦爾王國推向滅亡的，就是這種病。」

與多瑠的臉頓時慘白如蠟。

「……藥呢？」

與多瑠低語著，但赫薩爾搖搖頭。

「現在還沒找到有效的藥。」

與多瑠只覺得雙腿一陣無力，連站都快站不穩。他繼續問道：

「那得病的人……一定會死嗎？」

赫薩爾低頭看著遺體，回答：

「不能說一定。有些人身體裡有『病素』，即使被黑狼咬過也能保住一命。但是古文書中記載，一旦發病，十人中有八人會喪命。是種威力相當強大的疫病。」

雖然臉色比平常更蒼白，但赫薩爾的聲音已經恢復鎮定。

與多瑠深深吸了一口氣，力持鎮靜，低聲詢問：

「……你說的黑狼熱，跟狂犬病不一樣嗎？」

「不一樣。根據記載，狂犬病雖然也是被野獸咬傷後發作的一種病，也同樣沒有治療方法，一旦發作就會送命，不過狂犬病不會死得這麼快。另外，跟被咬的地方也有關係。如果是接近頭部的地方被咬，大約要過十四天左右，身體才會出現異狀。在那之前，患者幾乎不會發現自己已經生病。

「可是黑狼熱在被咬到幾天之內，症狀就會迅速惡化致死。從這一點也可以判斷，這些人可能死於這種病。」

「……原來如此。」

「最近有接獲狂犬病蔓延的消息嗎？」赫薩爾問。

與多瑠歪著頭：

「至少在定期報告時都沒聽說。」

赫薩爾看著推車上接連送來的屍體，突然開始滔滔不絕地說明：

「其實狂犬病不會由人傳染給人。就算是會人傳人的疾病，在這麼短的時間內，有如此大量的人同時死去，也是相當異常的情況。

「可能是因爲某些理由，讓生病的老鼠進入礦區，導致疫病擴散。但從那五具遺體看來，齒痕並不是老鼠留下的；還有，我剛剛也說過，這麼冷的天氣裡，跳蚤或蜱蟎的活動性並不高。

「在這種天候、如此嚴苛的環境下，也有可能是流感造成的，但很難把流感和這麼大量的死亡人數聯想在一起。

「一口氣讓這麼多人死亡，首先最應該考慮的是毒殺或食物中毒，不過看起來並沒有腹瀉的跡象，也沒有毒殺特有的症狀。只是關於這一點，因爲已經過了一段時間，所以現在無法確定。畢竟有些毒藥會讓人看起來確實很像病死。

「所有屍體上都有咬傷的痕跡，也有發疹的跡象……看來是黑狼熱的可能性相當高。我想應該從毒殺和黑狼熱這兩方面來著手因應。」

與多瑠皺著眉頭，輕聲開口：

「有沒有可能是黑死病？我聽說那是一種由老鼠傳來的病……」

赫薩爾搖搖頭。

「我想應該可以排除這個可能。如果是黑死病，腋下、耳下，還有鼠蹊等部位都會出現嚴重腫脹，也會有多處潰瘍跟壞死的地方，但是這裡的遺體沒有這些症狀，其他還有幾個症狀和黑死病不同的部分。再說，所有遺體普遍出現的發疹形狀和顏色，也跟紀錄中黑狼熱的特徵十分類似。」

與多瑠皺皺鼻子，大概是有些冷。

「您剛剛說，也有可能由跳蚤傳染，那會不會由遺體的腐敗臭氣傳染呢？我們這樣站在屍體旁邊說話，眞的不會傳染到我們身上嗎？」

赫薩爾忍不住笑了。

「應該不會有事的。如果眞的染上，那確實沒救；但就算沒有染上，我們終究還是難免一死，這是所有生物的命運。」

與多瑠眨了眨眼，不知聽了這番話該不該安心。

馬柯康乾咳了幾聲，赫薩爾收起笑容，看著與多瑠。

「總之，有件事要請您盡快處理。」赫薩爾說。

「什麼事？」

「請您將這裡的遺體——包括結了薄冰的遺體，大約三十具左右，裝棺送到我位在卡山的醫院……您能幫忙嗎？」

這句話同時也意有所指地在詢問對方，是否能取得王幡侯的主治醫師，也就是祭司醫的許可。與多瑠聽了，不以為意地點點頭。

「沒問題。」

說完，他又稍稍壓低了聲音，故意不讓士兵們聽到：

「謝謝您費心。不過呂那師應該不會做出妨礙您行動的事。還請放心。」

王幡領的祭司醫長呂那，過去曾誤判王幡侯的病情，使王幡侯陷入病危。當時多虧赫薩爾在千鈞一髮救了王幡侯，但為了顧全呂那的立場，赫薩爾並沒有將呂那誤診一事告訴王幡侯。

然而，等到呂那確認了自己誤診的事實，立刻抱著人頭落地的覺悟去見王幡侯，為學藝不精導致王幡侯性命垂危而謝罪。

呂那就是這樣的男人。

這個男人向來沉默寡言，令人捉摸不透，不過他跟大多數祭司醫不同，比起維護自己的權威，他似乎只關心如何眞摯面對神的教誨而活。

王幡侯相當賞識他不受宮廷祭司醫團意見左右的人品，慰留他繼續擔任祭司醫。呂那幾經長考，最後決定留任。

由於有這番來龍去脈，呂那對於王幡侯事事依賴赫薩爾，並對他另眼相看這件事從無異議，也從沒仔細向宮廷祭司醫團報告過，不露痕跡地保護著赫薩爾。

也是多虧了呂那，赫薩爾才能在王幡領自由自在地發揮他的醫術。

「但這麼重要的事，他不往上報告不行吧？」

赫薩爾也壓低了聲音。與多瑠輕輕點點頭。

「那是當然。不過別擔心，我相信呂那師的爲人；我們也一樣，已經習慣跟上面的人打交道了。您想做什麼，就儘管放手去做吧。」

赫薩爾的表情放鬆了幾分。

「眞是太感謝了……啊，對了，請吩咐他們，務必要仔細在遺體上噴灑殺蟲礦粉。」

「知道了。」

與多瑠點點頭，回頭看著兵長，要他交代部下準備馬車和棺材，準備遺體運送的事。

兵長行了一禮，正要前去指示部下，赫薩爾突然叫住他。

「希望能趁著屍體還冰冷的時候，在腐敗前搬運。萬一腐敗的話，不但不容易確認病因，也很難開發藥物……已經過了幾天，或許執行上不太容易，但還是請你們盡量。」

兵長回答「是」並行完禮後，隨即快跑離開。赫薩爾轉向馬柯康：

「給我紙筆。還有，你的背借我一用。」

馬柯康嘆口氣，依言照辦，從行李中取出紙筆和墨壺，並且彎下腰，方便赫薩爾在他背上寫字。

「喔，還眞寬闊。就是稍微軟了點。」

從這些玩笑話裡，馬柯康充分感覺到赫薩爾亢奮的情緒。

別看他平常輕浮的樣子，其實赫薩爾很少打從心裡感到興奮。這樣的赫薩爾，現在正處於體內有把火焰熊熊燃燒的狀態。

赫薩爾寫好給常駐在醫院研究館的助手們的信，備好馬車和棺材的兵長也帶著士兵們回來了。

赫薩爾將寫好的信交給與多瑠。

「請將這封信跟遺體一起交給我的助手。」

說完後，赫薩爾看向兵長。

「對了，最先發現這裡慘狀的，是你嗎？」

兵長僵著臉，搖搖頭。

「不是我。昨天清晨來這裡輪班監視的士兵們發現後，跟我報告的。」

「這樣嗎。我能跟他們談談嗎？」

兵長敬了一禮。

「是。馬上帶他們過來。」

被帶來的士兵們個個表情僵硬地列隊站在赫薩爾面前。

其中也有剛剛赫薩爾用手指指著的士兵，但赫薩爾現在已經沒心情捉弄人，他平靜地看著士兵們。

「我有些事想問你們。再小的細節都無所謂。想到什麼都請告訴我。」

說著，赫薩爾先從每幾天輪班一次、鹽礦和外部的往來狀況等較容易回答的問題開始，等到士兵們不那麼緊張了，再問到發現屍體那天早晨的狀況。

從與士兵們的問答中，赫薩爾漸漸了解，至少在十四天前，鹽礦並沒有傳出異常報告；但昨天清晨到達這裡的時候，完全沒有任何還活著、會動的東西，當時也沒看到野獸的蹤影。

「……沒留一個活口，全都死了是嗎？包括被鎖在鹽礦中的奴隸？」

赫薩爾再次確認時，其中一位年輕士兵的眼神略顯閃爍。

赫薩爾眼尖地發現他的不尋常，盯著他看。

「難道還有人活著？」赫薩爾問。

年輕士兵舔濕了嘴唇，瞥了兵長一眼。兵長乾咳了一聲，開口說道：

「我正想向您報告，可能有個奴隸逃走了。」

與多瑠聽了，臉色大變：

「你說什麼？」

兵長連忙接口：

「目前還只是有這個可能性而已。我們沒還核對完人數，本來打算等到確認完，再向您報告。」

與多瑠低聲沉吟：

「你說『可能』是什麼意思？」

「在第三層岩房有一個地方，固定奴隸腳鐐的鐵鏈壞了。您也知道，晚上會用鐵鏈把奴隸鎖在鹽礦裡，但有條鐵鏈被扯斷了。

「不過那裡原本有沒有鎖著奴隸還不清楚。這東西，就算幾個人一起拉也不見得扯得斷；只是已經用了很長一段時間，說不定那裡本來就不堪用，根本沒鎖著奴隸。」

說著說著，大概比較鎮定了，兵長粗聲又加了一句：

「奴隸頭子們也死了，如果不核對紀錄來確認，一切還很難說，現在我正命人調查中。」

與多瑠盯著兵長：

「鐵鏈上應該刻有編號才對。」

兵長的眼神開始游移。在這混亂局面下，他應該懶得為了查證一個奴隸的編號而下坑道吧。

只見他眼眶開始泛紅。

「是，您說得沒錯，不過那些紀錄本的內容很多都是亂寫的，也有很多編號缺漏……」

大概連他自己也覺得牽強吧，兵長說著說著，便將剩下的話都吞了進去，深深低下頭。

「非常抱歉。總之，我會帶著紀錄本下去，盡速核對。」

赫薩爾一邊思考，一邊聽著兩人的對話，等到兵長說完，他看著與多瑠，說：

「……我想看看鐵鏈被扯斷的地方，能帶我去嗎？」

二　進入鹽礦

赫薩爾和馬柯康被帶進鹽礦，是午餐後的事了。

由於現在情況非比尋常，鹽礦管理者全都死了，必須找來能引路的人，因此赫薩爾向與多瑠提議，不如先邊吃午餐，邊討論善後方法。

士兵們帶來的領路人是個滿頭白髮的男人。看起來應該已經年過六十，不過步履穩健，看起來還很硬朗。

一看到他的模樣，馬柯康一驚。

（是阿卡法人？）

他很意外與多瑠會找阿卡法人來領路，所以偷偷看了赫薩爾一眼；不過也不知赫薩爾在想什麼，表情沒有任何變化，只是楞楞地看著那老人。

老人被帶到與多瑠面前，先屈膝行禮。

「啊，我記得你。你是祖父稱為『阿卡法的活字典』的男人。你叫多力姆，對吧？」

被喚做多力姆的男人抬起頭，粗聲回答：

「是。在下正是多力姆。上次見到與多瑠大人，應該是您十二、三歲的時候，沒想到您還記得。這是我的榮幸。」

與多瑠微笑道：

「對了。那時我還沒行成人禮。雖然的確是很遙遠的記憶，但我記得你當頭領的時候，這裡比現在有秩序多了。」

多力姆眼睛深處閃動著一絲複雜的光芒。

與多瑠雖然看見了，依然面不改色。

阿卡法鹽礦是由原本住在此地的阿卡法人發現的，數百年來都在此產鹽，也是阿卡法王國財政的基礎。

阿卡法人按照古老規矩經營的鹽礦，到了與多瑠父親那一代，強勢地改用東乎瑠的方法——戰俘用過即丟——導致當地居民產生微妙的抗拒。與多瑠明知道這一點，卻一派平靜，視若無睹。

（沒想到這個男人還挺聰明的。）

馬柯康對與多瑠另眼相看。

阿卡法位於東乎瑠帝國西端、領土擴張最前線，這位領主家的男子看來有些過於纖細，原來他處事不憑高壓，而靠懷柔。

不，或許只是外表看起來柔軟，其實很有膽識。

（與多瑠隻身去見阿卡法王，恪盡禮數後，終於娶到阿卡法王侄女的傳說，說不定眞的是事實呢。）

聽說這些傳聞時，馬柯康原本以爲，這是王幡侯爲了表現自己並非殘酷的征服者，而是帶著敬意對待宣誓順服的阿卡法王、是位良善的統治者，才故意誇張宣揚的故事，看來或許有幾分眞實性。

事實上，昨天晚上馬柯康在與多瑠的宅邸中看見他的妻兒，表情安適滿足；宅邸的建築雖是東乎瑠風格，但是和王幡侯的居城不同，帶有阿卡法特色，通風良好，感覺相當宜人。

另外，與多瑠並未過度誇示身爲帝位候選人（選帝侯）次子的威嚴，對赫薩爾說話總是客氣有禮。

看著與多瑠端正的側臉，馬柯康在心中暗想。

（這個男人我們得好好珍惜。）

這個人或許可以巧妙地駕馭與父親一樣傲慢又強勢的兄長——迂多瑠。假如眞是如此，與多瑠也許能成爲連結兩個民族的重要關鍵。

仔細想想，在通知祭司醫之前，先請赫薩爾來看鹽礦的異常狀況，從這一點也可以看出這男人務實的思考彈性和大膽魄力。

阿卡法人大概也看到了這一點。多力姆不帶酸意地平靜道謝：

「多謝您的讚美。我的管理多有疏漏，您能有這樣的印象，我深感光榮。」

與多瑠點點頭，轉向赫薩爾：

「你見過多力姆嗎？」

赫薩爾微笑說道：

「當然見過。就算像我這種一頭栽在醫術世界裡的歐塔瓦爾化外之民，小時候也經常來阿卡法。」

聽到這些話，與多瑠一樣不形於色，只是點點頭。

「是嗎？」

聽著兩人的對答，馬柯康表情一沉。

（原來只有我一個人不認識他。）

赫薩爾敏銳察覺到馬柯康表情的變化，咧嘴一笑，對他說：

「你是第一次見到吧。這位多力姆從前在這鹽礦擔任頭領，對這裡瞭若指掌，是名副其實的活字典呢。要請人領路的話，沒有比他更好的人選了。」

多力姆苦笑著，躬身行了一禮。

「久疏問候了，赫薩爾大人。感謝您抬愛。能帶領您進入『阿卡法之寶』，是我的光榮。」

赫薩爾彎起嘴角。

「……謝謝。那就勞煩你了。」

＊

一踏進黑暗的坑道，馬柯康立刻為鹽礦規模之大而震懾。

泛著黑光的岩石坑頂在極高的位置，前方則有寬敞的坑道，一直延伸到遠方的黑暗深處。

有條看似雨水管的管子從坑道內延伸出來，水一滴一滴地落入管子前端的大桶中。

多力姆看了沾滿鹽的木桶一眼，回頭對與多瑠說：

「請恕我多事，在狀況穩定前，就讓我來管理鹽水吧。」

與多瑠點點頭。

「我正想拜託你。一時之間也無法找到奴隸；更嚴重的是，懂得製鹽的技術人員一個也沒留下。如果你願意幫忙安排，父親和兄長那裡就由我去打點，也會給你該有的津貼。」

多力姆低下頭。

「我知道了。那就這麼辦吧。」

赫薩爾對兩人的對話顯然沒什麼興趣，認真環視著坑道。

鹽礦內部美得令人不禁看得入迷。

雖然在必要之處設置了粗木架以支撐坑道，不過多半都是裸露的岩壁，用火把照亮黑色岩壁時，有如塗上玻璃釉藥般的白色條紋就會浮現眼前。

「……鹽眞是不可思議的東西。」

多力姆的聲音迴盪在空曠的坑道裡。

「有些地方看起來就像這樣，宛如玻璃般平滑；也有些地方像開花似的，到處長出顆粒狀結晶；在更深的底層，還有簡直跟水晶一樣的巨大鹽柱。鹽啊，可是以各種令人驚豔的姿態沉睡在地底下的呢。」

多力姆手上拿的不是火把，而是一只葫蘆狀的大型玻璃提燈，穩定的火光透過玻璃照亮四周。

「這提燈眞不錯。是鹽礦專用的提燈嗎？」赫薩爾問。

多力姆微笑著，點點頭說：

「是的。」

多力姆看了赫薩爾一眼，又補充：

「加了燈油後，可以持續點亮六環（約六小時）——以前規定，岩鹽採掘士只能待在地底六環。在黑暗的地底，採掘士只要看到燈油減少的情況，就知道還有多久必須完成工作。」

多力姆並沒有回頭看向身後的與多瑠。如果回頭，這些話就不是說明，而成了批判。大概是不希望把場面弄僵吧，多力姆心裡的憤怒化爲無言的聲響，從他的背影散發出來。

終於，他們看到開鑿在岩床上那偌大的洞孔。

「這是天通坑。是爲了用滑車把下層挖到的岩鹽和鹽水拉上來所挖的洞。」

才剛把手放上柵欄往下看，馬柯康就覺得腮邊起了一陣雞皮疙瘩。

深不見底。

只有一座梯子垂直通往那遙遠的黑暗深處。

坑頂有座滑車，一條粗繩穿過滑車垂下，繩子在若有似無的風中微微搖擺，一樣看不見另一端。

「……該不會要靠那座梯子下去吧？」

聽到馬柯康低聲耳語，赫薩爾笑了。

「看你聲音都啞了。害怕了嗎？」

馬柯康盯著少主。

「有誰不怕的嗎？」

赫薩爾揚起眉。

「我就不怎麼怕呀。」

他的口氣實在太平靜，就連其他人也微微皺眉，看向赫薩爾。

「……我也沒那麼樂意進去。」

與多瑠說完，轉頭看向兵長：

「應該有安全繩吧？」

「有的。」

兵長點點頭，取下掛在柵欄上、附有金屬零件的皮帶，一一交給人家。

「要下到第三層對吧？」

多力姆向兵長確認、再檢查安全繩的長度後，熟練地將皮帶繫在腰上，將帶子的扣環扣在安全繩前端的零件上。

「那麼我先下去。請跟著我從梯子爬下去。梯子上沾了鹽，很滑，請小心。」

說著，多力姆看向馬柯康。

「木材在鹽礦中很耐久。金屬就不行了。」

多力姆輕鬆地攀下梯子，簡直就像年輕人。

馬柯康嘆了口氣，小心地跟在他後面；不過赫薩爾好像眞的不覺得害怕，冷靜地爬下梯子。

從洞穴下方吹來一陣冷風。

風裡有潮水的味道。海底大概也是這種味道吧。其中還混著有些嗆鼻的穢物氣味，和另一種熟悉的味道。

（……馬？）

爲什麼這裡有馬的味道？赫薩爾蹙著眉，正覺得奇怪，下方傳來了多力姆的聲音。

「兵長，馬還綁在那裡吧？」

上方傳回兵長的回答。

「還綁著。」

來到第二層時，眞的看見了一匹馬。牠不安地搖著頭，看著這裡。

「這是負責拉動滑車的馬——可憐的傢伙，一輩子都見不到日光。」

洞口邊緣閃過一個白色身影。動作很敏捷。

「那是貓。馬一旦進了坑道，就會引來想偷吃飼料的老鼠。」

多力姆竊笑。

「那些貓倒是能自由來去坑道裡和外面。在這裡工作的時候，多虧牠們，排解了不少工作上的勞累。」

一聽到有老鼠，馬柯康忍不住抬頭看著赫薩爾。

「……嗯，不用擔心。」

赫薩爾冷靜的聲音飄了下來。

「這裡離城鎮和聚落有好一段距離。但是確實該小心驅除，避免老鼠混在行李中移動。」

多力姆和與多瑠都沒有打斷赫薩爾的話，只是默默爬下梯子。

終於聽到多力姆的聲音了。

「快到了，還有一小段。」

接著，多力姆的身影突然消失。

馬柯康的腳小心地從梯子上往外探，當腳底踏上第三層岩床時，這才安心地放開梯子。

直到這時候，馬柯康從脖子到背脊才不斷冒出冷汗。

（原來「腳踏實地」的感覺這麼好。）

至於要回到地面時，還得再爬一次梯子這回事，現在的他還不願去想。

背後傳來赫薩爾等人陸續踏上岩床的腳步聲。

從回音判斷，這一層的空間應該很寬廣，不過四周一片漆黑，只看得見拿著提燈的多力姆和他的周圍。

「有火嗎？」

聽到聲音，多力姆回過頭來。

「牆上有火把架，請等一等。」

點亮火把前，多力姆拿起一根靠在岩壁上的細長棒子。

（是掃煤棒嗎？）

那根長度彷彿可達坑頂的棒子前端，沾附著看似柔軟的東西。多力姆在棒子上點了火，舉起棒子，彷彿用火撫摸般，在坑頂附近來回揮舞。

這時候，棒子前端的火瞬間變亮。就像這樣，多力姆用火棒掃過坑頂各處，然後低聲說道：

「……應該可以了吧。」

他這才放下棒子、捻熄火光。

「是為了消除燃氣嗎？」

聽到赫薩爾的聲音，多力姆轉過頭去。

「沒錯。這附近的岩層啊，如果疏忽消除燃氣這道手續，可是不得了的事。我父親那時候，坑道還曾因此燒了好幾天呢。」

赫薩爾抬頭看著昏暗的坑頂。

「看來好像沒有累積太多燃氣。」

「是啊。看這樣子，應該四、五天前已經消除過一次了吧。」

馬柯康瞇起眼。

（士兵也說過，直到十四天前，都沒有接獲異常的消息。）

看來確實是在這段時間內發生了異狀。

多力姆點亮掛在岩壁上的火把，坑道泛起昏暗的亮光。

眼前浮現的光景，讓與多瑠不禁發出低吟。

黑暗的岩房中，處處躺著死屍。放眼望去都是屍體。

「這麼多屍體，卻沒什麼屍臭味。」

赫薩爾自言自語似的說著。

「大概是因為鹽礦深處的空氣中鹽分濃度很高吧。」他又說。

赫薩爾看著岩房，不知道在想些什麼；但是才看了一下子，便轉向多力姆：

「燈能借我一下嗎？」

多力姆將燈交給他，赫薩爾走進岩房，蹲在最前方的遺體前開始觀察。

「……真的是黑狼熱嗎？」與多瑠問。

赫薩爾點點頭：

「大概是。當然現在還不能斷定，但至少症狀跟剛剛在上面看過的屍體很相似。」

赫薩爾站起來，回頭看著兵長。

「那麼，就請你帶我到出問題的地方吧。」

兵長點點頭，小心避開屍體，走向岩房深處。

一具，又一具，所有躺在地上的遺體腳踝上都繫著腳鐐，再用粗實的鐵鏈鎖在嵌進岩壁的鐵樁上。

被野獸襲擊卻無法逃脫，只能乖乖被咬。

一想到這種絕望感，胸口便一陣無名火起，馬柯康不自覺捏緊了拳頭。

「……就是這裡。」

確實，兵長帶他們所到的地方就像缺了顆牙似的，屍體和屍體之間多出一塊空白。

而且，從嵌入岩盤的鐵樁延伸出的鐵鏈還從中被扯斷。

看到這景象，多力姆問：

「這東西靠人力扯得斷嗎？」

赫薩爾抬頭看著馬柯康，笑著說：

「你來試試看嘛。連馬頭都能折斷的你，說不定能扯得斷呢。」

馬柯康向赫薩爾借來燈火，蹲下來仔細地觀察那鐵鏈。

構成鐵鏈的其中一只鐵環被拉長、拉出缺口。雖然因爲鹽分的侵蝕而長了鏽，但是試著一拉，發現它既沉重又結實。

馬柯康擺好姿勢，將鐵鏈纏在手腕上，用全身力量使勁用力拉，不過鐵鏈一點動靜也沒有。

「……連你的力氣也拉不動嗎？」

馬柯康點點頭。

「不可能。如果由馬來拉或許還有可能。」

馬柯康一邊回答，一邊單膝跪地，用提燈仔細照亮附近的岩床。

光是看到四處散落的骯髒草蓆，就知道這裡是什麼人睡的地方。

他看了兵長一眼，對方也一臉不服氣地回瞪。

兵長剛剛不過是在替自己辦事效率差辯解——任誰都能一眼看出，這裡確實曾經鎖著奴隸；但與多瑠並沒有當場斥責他，只是表情凝重地盯著扯斷的鐵鏈。

「既然不可能靠一人之力扯斷，那麼有可能是誰幫了他。」

聽到與多瑠這麼說，馬柯康也點點頭。

「很有可能。」

雖然到底發生了什麼事不得而知，不過那奴隸似乎受了傷。岩床上有一處血跡。他正要報告這個發現，一抬起頭，卻正好對上赫薩爾的視線。

什麼也別說。少主的眼神這麼告訴他。眞是個目光銳利的人。要不是已經習慣搜索，應該很難注意到落在黑色岩床上的些微血跡；不過看來少主早就發現了。

剛才看過的咬傷痕跡都很淺，不到滴血的程度。如果這個奴隸也被野獸咬傷，那他應該是自己把血從傷口擠出的吧。

（可是……）

既然也被咬了，爲什麼那傢伙沒死？

馬柯康看了赫薩爾一眼，少主的表情很奇怪。眼神有如失神般空洞——他正極度專注地思考。那光滑的額頭底下，現在到底有什麼想法，馬柯康眞想一窺究竟。

兵長從懷中取出一疊紙，開始核對寫有奴隸來歷的一覽表和鐵鏈上的編號。大概是昏暗中看不清楚吧，他先確認過隔壁奴隸鐵鏈上的編號，想了很久，在表上游移的手指才終於停下來。

「……應該是甘薩氏族的人，名叫凡恩。」

一旁的與多瑠身子一震。

「你說是甘薩氏族的凡恩？」

與多瑠的聲音和語氣讓兵長訝異地抬起頭來。

「是。」

與多瑠指著兵長手上的資料。

「後面應該有備註吧。有沒有寫是在哪裡擄獲的？」

兵長連忙就著燈光查找，接著，瞇著眼睛念出名字後面的文字。

「於庫許納河畔之亂中擄獲。」

與多瑠把資料表拿過來，親眼確認後，低頭看著那被扯斷的鐵鏈，啐了一聲。

「……怎麼偏偏是他？」

兵長一臉狐疑。與多瑠低聲開口：

「你剛從南方戰隊到這裡，可能不太清楚西邊的戰事，不過應該至少聽過『獨角』這個名號吧？」

兵長眼中頓時浮現懼色。

「聽過……甘薩氏族，就是那瘋狂戰士所屬的氏族嗎？」

與多瑠點點頭。

「如果是在庫許納河畔被俘虜，那就不會有錯。關在這裡的就是『獨角』的首領——『缺角凡恩』。」

與多瑠大概是發現對方覺得很困惑、摸不著頭腦，於是看向赫薩爾和馬柯康。

「土迦山地有個善於操縱飛鹿的棘手氏族。這氏族雖小，卻花了我不少功夫才終於平定。您聽過『獨角』這個名字嗎？」

赫薩爾回答：

「聽過。聽說是支騎乘飛鹿、神出鬼沒的戰隊。」

與多瑠露出一絲苦笑。

「如果是在他們熟到閉著眼睛也能走的土迦山地作戰，展現出那樣的戰術，其實不算太稀奇；不過『獨角』簡直就像狐狸一樣狡猾。

「他們甚至敢遠征到我軍散落在平地森林和草原的碉堡。那些大膽狂人，真的很難對付。」

與多瑠又看了那鐵鏈一眼。

「率領『獨角』的就是那傢伙。我曾經聽士兵抱怨過，他總是戴著一頂左邊缺角的頭盔，明明相當醒目，也總是衝在最前面，奇怪的是，箭就是射不中他。」

赫薩爾瞇起眼，聽著與多瑠說起往事。接著，赫薩爾靜靜開口：

「你對這男人的事很清楚嘛。土迦山地小氏族的戰士頭目，對你來說應該只是小指上的一根小刺吧。」

與多瑠眼底浮現一絲苦澀，但瞬間便又消失。

「……我的兩名優秀將領全都死在他手下。這傢伙運氣很好，在庫許納河畔之亂，『獨角』雖然全軍覆沒，卻只有這個男人活了下來。

「屍橫遍野中，他就像一棵枯木般靜靜站在那裡。」

與多瑠的聲音在坑道中迴響著。男人們沉默了半晌，在冰冷與黑暗中，盯著沒有半個人的地面。

終於，赫薩爾嘴角微微一勾：

「……然後，在這裡也一樣；在這堆屍體中，他獨自一人活了下來。」

說著，赫薩爾馬上又換了個語氣問：

「他個頭很大嗎？大到能扯斷這鐵鏈？」

與多瑠搖搖頭。

「不，士兵們說，他的身材算不上高大，倒還比較像隻狼，很剽悍。」

喔。赫薩爾應了一聲，沒再開口。

男人們又沉默了一會兒，站在這到處都是屍首的陰暗坑道中，沉浸於各自的思緒裡。

突然，赫薩爾嘴角浮現淺笑，抬起頭看著馬柯康，問：

「你追得到這個奴隸嗎？」

馬柯康皺起眉。

「不可能。」

「但追蹤是你的拿手絕活吧？」

馬柯康嘆了口氣：

「我父親確實曾傳授給我追蹤的技巧，但我實際上進行追蹤已經是二十多年前的事了，而且經驗也不夠……更何況，」

馬柯康看了周圍一眼，接著說：

「已經過了一段時間。我父親常說，『追蹤』是有生命的，而且痕跡會隨著時間變淡。要追上幾天前就逃走的奴隸談何容易。我看讓士兵們去找還比較快。」

馬柯康回答著，胸口也跟著湧上一股難以釋懷的感覺。這種事少主早就知道，又何必特地再問……

看到馬柯康閉上嘴巴，與多瑠微笑著說：

「不用了。這件事不用勞煩您。這種時候，我們向來雙管齊下。」

「雙管齊下？」赫薩爾問。

與多瑠點點頭：

「對。我們會在聚落和城裡發出布告，讓士兵們去找；至於從逃跑的地方開始追查的工作，就交給精通此道的人吧。」

與多瑠臉上掛著微笑，看著赫薩爾和多力姆。

「多虧有阿卡法優秀的追蹤獵人，幫了我們很大的忙。」

多力姆緊抿住嘴，聽著與多瑠的話，表情陰沉。

三　疾病的來歷

與多瑠的宅邸位於阿卡法舊王都——卡山的城郊。

這座宅邸是白牆黑瓦的東乎瑠風格，中庭是由阿卡法園藝師所打造的花園，因此面對那裡的窗總是敞開著，讓傍晚的微風送來陣陣花香。

從悠然橫跨草原的大河——馬哈魯所引來的小溪發出潺潺輕響，滋潤整座庭園。

馬柯康坐在窗邊的椅子上，出神地望著被黃昏染成一片淡紫色的庭院。

他聽見赫薩爾平靜的呼吸聲。剛剛赫薩爾還勉強睜著眼睛，現在早已窩在椅子裡沉沉睡去。

（……這也難怪。）

昨天凌晨出發去鹽礦，卻婉拒了與多瑠邀請他們留在宅邸休息的好意，回到位於領都卡山的醫院後，便開始檢查遺體。

到達醫院時，遺體已經送來。長年擔任赫薩爾助手、晚上也跟他同床共枕的米拉兒，正在幾位幫手的協助下進行初步處理。

「小人物的巢居」，赫薩爾的醫院有個很不像醫院的名字。這是在王幡侯的特別准許下建造的設施，共有治療院和三幢研究館，還有赫薩爾和助手們的居處。來到這個地方時，赫薩爾幾乎天天都窩在裡頭。

赫薩爾一到醫院，馬上前往放置遺體的研究館，只見前來迎接的米拉兒抓住他的手肘，不由分說地把他拉進餐廳。

助手們已經吃過晚餐，餐廳裡空蕩無人。米拉兒點起暖爐，把鍋子放在爐灰旁，好維持晚餐——燉牛肉和洋蔥的溫度。

赫薩爾一邊飲用加蜜的茶，一邊咀嚼燉得極軟嫩、入口即化的肉，臉上終於漸漸恢復血色。看到這樣的他，馬柯康深深覺得，赫薩爾身邊的確不能沒有米拉兒這個女人。比赫薩爾長三歲的米拉兒身形嬌小圓潤，雖算不上美女，卻能像姊姊一樣，既輕鬆又極具耐性地應付脾氣偶爾有些彆扭的赫薩爾。

米拉兒雖然是歐塔瓦爾人，但只是一介平民，跟「神聖者」赫薩爾的身分可說是天差地別；儘管如此，只要她認為這麼做對赫薩爾不好，一樣會毫不客氣地責備他、表達意見。可能正因為這樣，反而讓人覺得輕鬆吧。只要和米拉兒在一起，赫薩爾就彷彿卸下面具般自在。

但昨晚這兩人可沒那個閒功夫放鬆。

赫薩爾知道必須盡快採取行動才行，滿心焦急；米拉兒也不像平時的模樣，整個人亢奮不已，就連把燉菜送進口中的時候，也一直說個不停。

兩人你一言，我一語，但這些話語實在太艱深，馬柯康完全跟不上。聽起來，兩人與其擔心黑狼熱再次蔓延，更像是期待已久、終於等到這個機會一樣，這讓馬柯康覺得很不可思議。他明知道會被兩人取笑，還是試著問他們為何這麼興奮。

果然，嘴巴不饒人的赫薩爾只丟下一句「說了你也不懂」。一旁的米拉兒幫赫薩爾斟滿茶後說：

「其實你說不定更能了解。」

她繼續說明。

「人會怕鬼，是因為鬼難以捉摸吧？如果鬼有身體、又能抓得到，一定沒人覺得害怕。疾病也一樣。只要能掌握全貌，就能找出對應的方法。」

米拉兒眼中閃著燦爛的光芒。

「經過兩百五十年這麼漫長的時間，終於能取得感染黑狼熱的人類遺體，這當然值得興奮啊！啊，我等不及了！眞想快點跟深學院創藥部門的人一起擬定計畫，開始創藥工作。」

「創藥……可以從屍體提煉出藥嗎？」

米拉兒企圖回答，卻面露難色。

「要跟你說明這一點確實有點困難……不過沒有錯。簡單來說，這些遺體是有可能製作出三種藥的寶物呢！」

「什麼！三種，這麼多？」

「沒有錯。從這些感染黑狼熱而過世的遺體中，說不定能找到黑狼熱的病素；如果能找到病素，或許就能減弱或殺死這些病素，製作出『弱毒藥』。要是能做出『弱毒藥』就太好了。因爲這麼一來，就可以預防這種病的發作。

「再來，如果手中有黑狼熱的病素，就能尋找具有抑制或殺死這些病素藥效的材料，做出『抗病素藥』。

「不只如此。那些感染了黑狼熱的人，體內有可能爲了抵抗黑狼熱的病素而製造出特殊的東西，我們稱它爲『抗病素體』。如果能順利採取這些成分，說不定可以製造出具備抵抗黑狼熱病素能力的『血漿體藥』。」

馬柯康皺起眉頭。

「可是……那些人就是輸給黑狼熱才會死的吧？也就是說，這些人身上的『抗病素體』根本沒發揮作用啊！」

米拉兒像是受到驚嚇般，瞪大了雙眼。

「喔？眞是出乎我意料，問得好！」

她一邊說著，一邊笑了出來。

「抱歉抱歉，我不該那樣說話的。不好意思。」

「……無所謂啦。」

「不過你眞的問到重點了。製藥的時候，比起對病人來說有沒有用，更重要的問題是，這是由別人的身體所產生的東西。總之，用別人的『抗病素體』所製作的藥，效果很有限。就算一定程度上有預防發作、抑制症狀的功能——比方說，如果施打過這種藥劑而存活下來的人再度被咬，能不能完全避免發病？老實說，我並沒有十足的把握；只能說有一定的效果吧。」

米拉兒的眼睛裡泛著大海般的光芒。

「如果用曾罹患黑狼熱，但沒有死，而且順利康復的人的血來製造『血漿體藥』，治療效果絕對比用這些遺體製造的『血漿體藥』更高。但就算這樣，治療效果或效果的持續時間還是有限的。」

原來如此，所以那時候赫薩爾才會問能不能追到「獨角」的首領啊。馬柯康一邊回想，一邊打量著眼前流露出少女般夢幻表情的米拉兒。

「……但是不管藥能不能做成，妳接觸的對手可是黑狼熱啊。不覺得可怕嗎？」

米拉兒開朗地笑了。

「當然怕啊。但是我終於可以見到傳說中的大敵；而且不是聽別人說，是眞的能親手接觸到身體的大敵耶。眞是太興奮了！」

赫薩爾努努嘴，揚起眉。

「聽到了嗎，馬柯康。『眞正的勇者』所說的就是這種人。有時候我覺得她比我還像個男子漢呢。」

米拉兒只輕哼一聲，沒搭理赫薩爾的玩笑話。好了，吃飽了就開始吧。米拉兒這麼說著，再度抓住赫薩爾的手肘，但這回則是把他拖往研究館的方向。

之後的工作狀況如何，馬柯康就不清楚了，但看來赫薩爾整夜沒睡。

接到與多瑠傳來的口信，要赫薩爾今天下午去宅邸一趟時，他一臉麻煩地對馬柯康說「不如你去看看就好」。馬柯康好不容易才說服少主，把他帶了過來。現在想想，應該隨便找個身體不適之類的裡由搪塞與多瑠，讓赫薩爾好好休息才對。

旁邊的大圓桌上放著切得厚厚的大塊糕點，還擺好了香氣馥郁的茶。

馬柯康吃得乾乾淨淨，但赫薩爾只啜了幾口茶，沒碰那些糕點。

從剛剛就一直聽見「咻」的尖銳鳥叫聲，現在那聲音漸漸接近，終於來到窗戶下方。

赫薩爾身體一抖，睜開眼睛，眨了眨眼。發現那叫醒自己的鳥叫聲後，他揉著眼睛苦笑。

赫薩爾和馬柯康探出身子，往窗下看。

一名大約十歲左右的少年，手裡拎著大鳥籠走著。那是與多瑠的次子。

「緒利武少爺?」

赫薩爾打了招呼，少年一驚，抬起頭來看著赫薩爾兩人，臉色倏然漲紅。

這孩子身上流著東乎瑠和阿卡法兩個民族的血，大概因爲是黑髮的關係，昨晚匆匆一瞥間，覺得東乎瑠的基因較強勢；不過現在近距離看他，從那遺傳自母親的眼睛和高挺鼻梁，很明顯可以看出有阿卡法王族的血統。

赫薩爾對緒利武露出微笑。

「那是什麼鳥？」赫薩爾問道。

少年紅著臉回答：

「是敏納耳。」

喔。馬柯康忍不住探出身子。

敏納耳是種只要經過巧妙訓練，就能唱出美妙歌聲的鳥，在阿卡法經常舉辦這種鳥的歌唱比賽。想起父親努力教敏納耳唱歌的樣子，馬柯康不覺露出笑容。

「眞是隻不錯的敏納耳。不過要教牠唱歌不容易吧。」

少年依然紅著臉，點點頭。大概是被客人叫住而感到緊張吧，一看就知道他很想快點離開這裡。馬柯康有點不忍心。

「眞抱歉耽誤你時間了。快帶牠回鳥舍吧。」

說完之後，緒利武好像鬆了一口氣，輕輕點頭行禮，快步離開。

「……這感覺眞奇妙。」

馬柯康低聲說著。

「他長得和與多瑠大人一模一樣，但是耳朵和鼻子又有阿卡法王的影子……」

赫薩爾撇撇嘴。

「對你來說，感覺應該很複雜吧。」

赫薩爾的語氣讓馬柯康很不舒服，他看向少主，反問：

「那您又怎麼樣呢？」

赫薩爾打著呵欠。

「如果要把我的想法說給你聽，大概得說到天亮了吧。」

馬柯康正想回嘴，突然聽到敲門聲。

赫薩爾應聲後，房門打開，與多瑠走了進來。

跟在他背後的傭人手裡捧著放了酒壺和酒杯的托盤，把斟滿酒的酒杯放在餐桌後，便行了一禮離開房間。

與多瑠在赫薩爾對面坐下，拿起酒杯，也邀兩人拿起酒杯。

三人舉杯乾了酒，與多瑠認眞地看著赫薩爾的臉。

「……還好嗎？您的臉色看來很糟。」

赫薩爾苦笑著。

「不要緊。只是睡眠不足而已。並沒有因爲接觸遺體而罹患黑狼熱，還請放心。」

與多瑠微微一笑，但很快又板起臉來。

「怎麼樣？目前調查有什麼進展嗎？」

「沒有沒有。還早呢。」

赫薩爾搖搖手。

「昨天一時失言，說能夠鎖定病名，不過目前可見的紀錄畢竟只有那古文書，現在得先排除其他疾病的可能性才行。」

「原來如此……在您工作時特地請您來一趟，眞是十分抱歉。其實，昨天晚上我派快馬送給父親和兄長的信有了回音。」

與多瑠說，幸好前往遙遠王都參加御前會議的王幡侯和兄長迂多瑠還在卡山的下一個驛站。

「父親和兄長也都了解事態相當嚴重。我孤陋寡聞，什麼都不知情，但看來父親和兄長都知道黑狼熱的可怕。他們說，要是一步走偏，就可能鑄成大錯，要我跟赫薩爾好好商量，務必謹愼處理。」

赫薩爾點點頭。

「只要我辦得到的事，自當盡力而爲。如果令尊允許，我想將發病消息送到聖領，採取最適當的因應方式；但在此之前，我想先了解王幡侯的意願，因此目前還沒有通知。」

一旦發生疫病的消息傳出去，可能會導致民心動搖，也會成爲引發敵軍侵略的要因。這類消息的處理務必愼重。不過聽了赫薩爾的話，與多瑠微笑著說：

「站在我的立場，我願意全面協助歐塔瓦爾。畢竟這對我們來說，是種未知的疾病。呂那師的想法也跟我一樣，他說，關於黑狼熱的大小事，都請先詢問過赫薩爾大人的看法。」

赫薩爾眨了眨眼。

「是嗎？那眞是太感激了。」

「我已經問過父親的意思。事關重大，的確不能不告知宮廷祭司醫團，除了那邊，父親他們也會去刺探皇帝的想法。父親要我依照赫薩爾大人的意思行動，向歐塔瓦爾深學院的賢者們求教。接下來就請您多多指教了。」

赫薩爾的臉上慢慢浮現笑容。

「是嗎？不虧是王幡侯，行事果斷。」

與多瑠苦笑：

「是啊。父親這些方面一點也不顯老。我也該好好向他學習。」

說著，與多瑠收起笑容。

「不過，爲什麼疫病會突然開始蔓延？父親和兄長也都覺得很不可思議。父親在信上說，過去兩百多年從沒聽過黑狼熱發生，這是怎麼回事？」

赫薩爾點點頭。

「令尊說得沒錯。正確來說，最近一次有紀錄的大流行是兩百四十七年前那次，自此便沒有流行的記載。在那之後，或許也有人罹患過，但至少沒有一次死掉數十人的案例。」

與多瑙皺著眉頭。

「……既然這樣，那為什麼呢？」

赫薩爾用細瘦的手指慢慢撫著下巴。

「還不清楚。如果繼續調查的話，可能會找到原因……但疫病這種東西原本就存在許多不可思議的因素。可能在某個時期突然大流行、造成大量死亡，然後又突然消退。」

赫薩爾臉上掛著苦笑。

「畢竟這是故國滅亡的原因，我們的祖先也曾經費心研究過，但至今仍有許多未解之謎。」

與多瑙看著赫薩爾。

「能不能告訴我現在已知的狀況呢？越詳細越好。」

赫薩爾往後靠在椅背上。

「要說詳細嘛，其實也沒有太多能告訴您的事，讓我想想該從何說起……對了，您聽過〈歐塔瓦爾滅亡之歌〉嗎？」

「沒有。」

「是嗎——白峰山下，黑影幢幢……那首歌很長，開頭是這幾句話，歌裡說的『黑影』就是指狼，而且還是只能在古歐塔瓦爾王國王都附近才看得到、毛髮間泛著黑光的狼。嗜好打獵的貴族們在土迦山地發現狼，並將牠們帶回來。據說這就是最早的起源。

「最早的黑狼並沒有病。牠們美麗的毛皮和聰敏的模樣深得歐塔瓦爾貴族喜愛，大家競相想擁有黑狼。

「聽到這件事，王國中的獸商和獵人便開始捕捉黑狼，再賣給歐塔瓦爾的貴族；同時也試著讓黑狼和狗交配。根據史書記載，當時王都甚至還出現『黑狼商』這種專門販售黑狼的商人，呈現一陣狂熱風潮。」

赫薩爾拿起餐桌上的酒杯，喝了一口。

「不過從某年春天起，開始傳出奇怪的謠言：黑狼商之間流行起一種熱病。而且那種病相當可怕，被黑狼咬了之後，會發高燒、雙手雙腳僵直痙攣如木板、皮膚發疹，只要一天便會送命。

「當時的歐塔瓦爾聖王聽說這件事之後，便開始禁止買賣黑狼。

「禁令公布後，那奇怪的熱病暫時平息，不過夏天到來時，熱病再次開始蔓延——這次連沒被黑狼咬過的人都出現同樣的症狀，一個接一個地死了。」

與多瑠始終鎮定地聽著。

「聽說那年夏天相當悶熱。疫病從聚集了最貧窮人民的地區開始，漸漸往外蔓延，最後終於擴及整個王都。

「深學院的醫術師們認爲，可能是跳蚤和蜱蟎吸了生病黑狼的血，再把病傳到老鼠身上，才逐漸擴散開來，因此開始在王都進行殺蟲和驅鼠工作，但這時候已經有數千人死於這種病了。」

「……後來呢？」

與多瑠輕聲詢問。

「後來怎麼了？病是怎麼平息的？」

赫薩爾盯著與多瑠，說：

「拋棄王都。」

「什麼……啊，那所謂的《棄都大號令》，說的就是這時候的事？」

「沒錯，就是當時的故事。歐塔瓦爾最後的國王——塔卡魯哈爾，拋棄了興盛千年的王都。

「我想您也知道，當時歐塔瓦爾的王都和周邊的主要城市，都位在漂浮於廣大內海中的三座島上。這種地理環境相當有利於抵禦外敵，但另一方面，疫病會帶來如此致命影響，也是因爲小島封閉的環境所致。

「不過封閉的環境，對於封鎖疫病而言，也確實有效。

「塔卡魯哈爾王把罹病和拒絕離開的人留下，再毀掉連接王都與對岸之間的長橋，拋棄了自己的子民——爲了拯救那些還沒有罹病的人。」

與多瑠表情僵硬地看著赫薩爾。

「根據古文書中的記載，當時的情景就像諷刺漫畫一樣。脫掉衣服、剃去所有體毛，赤身裸體的歐塔瓦爾人排成一列，邊哭邊過橋……但是對留在王都裡的人來說，這可不是畫成漫畫就能解決的，應該是場殘酷的生命終結。」

赫薩爾平靜地往下說：

「塔卡魯哈爾或許認爲拋棄子民的人不配繼續當王吧，他將王都移到王國中簡直就像奇蹟般並未出現疫病災情的西方，也就是這裡——阿卡法地方的商城卡山，把王位讓給卡山的年輕城主。

「也就是說，阿卡法王國是爲了讓逃過黑狼熱的人們能繼續存活而建立的國家。」

赫薩爾一停下來，便能聽見晚風吹動窗簾、摩擦牆壁的聲音。

「……唯一不幸中的大幸，」

赫薩爾接著說。

「就是這種疾病不會人傳人；還有，一旦被染病的蟲獸咬過，無論人獸都會在極短時間內發作。」

與多瑠瞇起眼。

「……原來如此。如果不是這樣的話，不知道自己染病的人到處走動的結果，就是讓疫病更加擴散。」

說著，與多瑠突然把頭偏向一邊，表示不解。

「但是，明明得了這麼可怕的病，為什麼黑狼沒有死在被帶來的途中呢？」

赫薩爾眼睛一亮。

「太厲害了。」

他忍不住脫口而出，隨即又苦笑著為自己的失禮道歉。

「您真是敏銳。沒錯，有些野獸即使帶有這種病，卻不會發病；其實人也一樣。同樣一種病，有些人會得病，有人不會；生病之後，有人會馬上死亡，也有人能保住一命。我認為這其中藏著疾病這種東西的重要本質。」

原來如此。與多瑠輕聲附和，接著，又突然想起一事。

「說到保住一命，關於上次那個逃亡的奴隸，您說過，這種病不會人傳人，這不會有錯吧？有沒有可能由那逃走的傢伙身上再把病傳出去呢？」

赫薩爾揚起眉。

「我想應該不會。當然，這世上本來就沒有任何絕對的事。畢竟現在就連這種病是否真的就是黑狼熱，都還無法確定。

「但是至少看目前的狀況，我認為不會由人來傳染。」

赫薩爾用手指搔搔臉頰。

「觀察遺體的狀況後，可以說幾乎所有人都同時在極短時間內感染、發病、死亡。看起來不像是有人先感染，然後一個再一個地傳染下去。假如是那種發病方式，那麼活著的人至少還有點時間可以通知疫病發生。」

與多瑠緩緩點頭。

「有道理。」

「再加上這種病的攻勢非常猛烈。看鹽礦的狀況，奴隸們感染後，在極短時間內就發作，而且幾乎所有人都死了。奴隸的身體原本就虛弱，或許體力不足以承受病痛，但連奴隸頭子也感染了。不過前天下午在那裡工作的士兵中，並沒有人發病，這就表示應該沒有藉由跳蚤或蜱蟎感染的現象。至於透過風來傳染？這個嘛，看那狀況，也不像吧？」

與多瑠再次點點頭。

「也就是說，現階段只有被野獸咬過的人才會發病。既然如此，要阻止這種病擴散，最好的方法就是抓到散播這種病的野獸嗎？」

「確實如此。還有，得驅除老鼠。」

「啊，對。這可棘手了。」

說著，與多瑠輕撫下巴。

「最近經常有人來訴苦，說羊隻不知道遭到狼還是山犬的襲擊……如果跟這種病有關，那可得早日採取對策。」

赫薩爾搖搖頭。

「獵捕狼或山犬或許會有些效果，但這種不夠聚焦的方法是無法防堵這種病的。」

與多瑠皺起眉。

「為什麼呢？」

「假如襲擊羊群的狼或山犬是疾病的來源，那麼應該也會傳來牧人被狗咬傷後死去的消息才是，但目前沒有這類消息吧？」

啊。與多瑠睜大了眼睛。

「原來是這樣。與其漫無目的地去獵捕山犬，還不如分辨出帶來疾病的野獸，再加以驅除，不然一樣沒有意義，是嗎？」

「沒錯。」

與多瑠沉著臉，像是自言自語般喃喃說道：

「這麼說來，除了讓麻盧吉去追蹤『缺角凡恩』，還得同時找出野獸、加以驅逐。」

「麻盧吉？」

聽到赫薩爾反問，與多瑠抬起頭看著他。

「您聽過嗎？這是阿卡法奴隸獵人的名字。有幾個獵人身手不錯，叫做『麻盧吉』的人則是獵人首領，技巧特別高超。」

「我知道。」

赫薩爾露出開朗的笑容。

「麻盧吉啊……真是懷念。如果要派多力姆去，請務必也讓我同行。」

少主的興之所至著實嚇了馬柯康一跳，他忍不住驚呼了一聲。

「遺體調查都結束了嗎？」馬柯康問。

赫薩爾滿不在乎地回答：

「現在的調查結果還要幾天才會出來；再說鹽礦裡的遺體腐敗速度較慢，反正要把遺體從地下搬到地上，也不是一天兩天就能完成的工作。」

「但是您都沒怎麼睡啊。」

「我今天晚上會好好睡一覺的。」

「但天氣越來越冷，獵人居住的地方都在山區吧？」

赫薩爾拍了拍馬柯康的肩膀。

「你是我的隨從，又不是我母親。別老是擔那些無謂的心。」

接著，赫薩爾將視線拉回與多瑠身上，露出認眞的表情。

「我剛剛說過，患病之後，有人生、有人死；但現在還沒有辦法預測誰會生、誰會死。疾病跟國家無關。我是個醫術師，是個立誓要從疾病中拯救人命的人。」

這話來得唐突，但與多瑠很清楚赫薩爾想說什麼，他緩緩點頭。

「那就請您跟多力姆同行吧。我相信，如果有人能從這種疫病手中拯救這片土地，那一定是您。其他的事就不用煩心了，請專心對付這種病吧。」

四 伏流

阿卡法位於古歐塔瓦爾王國的西北方。

這裡冬長夏短，又多處於寒冷地帶，是不利於栽種農作物的土地。但由於有「阿卡法之寶」美譽的鹽礦所產出的鹽，還有棲息於深山叢林的野獸的優質毛皮，仍有許多商人受到這片土地的吸引而來。

雖說天候酷寒，但南部猶加塔平原有廣袤草原，在培育良馬這方面素有美名。在此地飼養的馬有著火一般的鮮紅毛髮，而且脾氣暴烈，體型雖小，但耐力相當優異。

阿卡法騎兵團剽悍如狼，一向令人聞風喪膽，而兵團的骨幹就是「阿卡法火馬」。但是在阿卡法王國被東乎瑠征服後，「阿卡法火馬」的種馬被東乎瑠接收，連放牧地也遭到沒收。

現在南部的草原地帶，成為千里迢迢由東乎瑠移居來的牧民放養羊群的牧地。與多瑠說苦於山犬之害的，就是移居到南部草原的牧民。

原本住在南部猶加塔平原的「火馬之民」中，有些流浪到馬柯康出身的氏族——猶加塔山地人所擁有的土地；有些人則成為商隊的養馬人。但也有許多人因為不喜歡都市生活，流浪到西北高地，靜悄悄地在陌生的土地上生活。

但這些火馬之民中，卻很少有人搬到北邊的歐基地方。

阿卡法北部的歐基地方原本就是在各地流浪的遊牧民聚集之處，這些人會跟馴鹿一起移動，一起生活；至於同時擁有山地和森林的地區，則有既飼養馴鹿也進行狩獵的半牧半獵民。

歐基地方的人並不討厭同樣靠放牧馴鹿為生的東乎瑠移住民，混交的情況也已經很普遍。但對於始終憎恨東乎瑠人的「火馬之民」而言，歐基地方大概不能算是個宜人的住處。

再說，也不是只有北邊的歐基地方在飼養馴鹿。比起歐基，略往東南方的地區同樣有人靠放牧馴鹿和狩獵採集爲生。

與多瑠口中的「阿卡法奴隸獵人」就是指他們，要前往這些人的聚落，必須走過一條貫穿森林的小路。

多力姆靜靜策馬前行，等到穿越森林，來到視野寬廣的大草原，他瞥了赫薩爾一眼。

「最近麻盧吉有沒有去拜訪聖領？」多力姆問。

馬柯康一驚，看著少主和多力姆。

（……怎麼回事？）

接下來要去見的獵人首領，是個會頻頻造訪歐塔瓦爾聖領的人嗎？

赫薩爾無視於馬柯康的困惑，回答多力姆：

「我聽說他最近都交給兒子了。他自己幾乎都不來了吧。至少我上次見到他是三年前左右的事了。」

接著，赫薩爾看了馬柯康一眼，挑挑眉：

「你明明是『侍奧』家的人，聽了昨天那些話還不懂嗎？阿卡法的追蹤獵人，當然就是『墨爾法』了啊。」

一聽到墨爾法，馬柯康心裡頓時一驚。

「……原來如此，那些獵人就是『阿卡法王之網』嗎？」

當阿卡法還在阿卡法王統治下時，有個世世代代負責追捕山賊和敵人間諜的氏族。這件事馬柯康當然知道。

他們憑藉驚人的追蹤技術，簡直就像在全國布下天羅地網；而這些神出鬼沒、行蹤飄忽的獵人，也令人無不聞風喪膽。

多力姆嘆了一口氣。

「『阿卡法王之網』，這稱號聽來眞令人懷念啊。」

他輕聲說道，抬頭看著馬柯康。

「在他們面前可別提起這個名字。」

爲什麼？馬柯康正要反問，一旁的赫薩爾先插了嘴。

「自從歐塔瓦爾和阿卡法臣服於東乎瑠以來，墨爾法就只能負責追捕逃亡的奴隸。要是從你口中聽到過去的稱號，他們一定會冒火的。」

赫薩爾的眼睛裡浮現幾分嘲諷。

「過去的他們除了是阿卡法王信賴的獵人，同時也是以精湛技能在歐塔瓦爾底下工作的獵人。你拒絕事奉的腐敗聖領『奧』中，也有許多墨爾法在那裡工作。與多瑠是個精明的傢伙，他明知道我們之間這層關係，還是若無其事地答應讓我跟著來。」

馬柯康滿臉沮喪。

（原來昨天那些對話是這個意思啊。）

現在才發現這一點，他對自己的遲鈍感到相當難爲情。

「現在還跟他們有接觸嗎？」馬柯康又問。

赫薩爾笑了。

「那當然。尤其是麻盧吉，他的大兒子從小便患有重病，是祖父直接替他治療、保住那孩子一命。所以我們一直維持很密切的來往。」

一股涼意逐漸在心裡擴散。

歐塔瓦爾聖領的「神聖者」和過去統治的阿卡法王國獵人之間，現在還私下有來往。

（也就是說……）

古老的統治關係，直到現在仍綿延不絕。

即使被東乎瑠帝國征服，依舊如地下水脈一樣，生生不息；掀開地面這張薄皮之後，底下的風景和上面所見完全不同。直到現在，古老王國之間的連結仍不斷蔓生。

而與多瑠也知道這一點。儘管心知肚明，但還是讓墨爾法和歐塔瓦爾人爲東乎瑠所用。謹愼懷疑，謹愼相信。

（簡直像蜘蛛網上又有別的蜘蛛結網一樣。）

馬柯康腦中浮現這樣的光景，覺得有些不舒服。

赫薩爾和多力姆絲毫不在意馬柯康的沮喪，只是平靜地聊著墨爾法氏族的近況。

「痲盧吉還是獵人首領嗎？妻子死後，他一下子老態畢露，不過還是很硬朗。你也知道他的個性，影響力並沒有因此衰退。」

「是嗎……也對，畢竟已經年過七十。他有培養其他堪用的獵人嗎？」

「痲盧吉的大兒子就像我剛剛說的，身體虛弱；二兒子如果還在的話，或許可以繼承父親衣缽，但是不幸早死了。小兒子還算能幹，當然，其他還有幾個不錯的幫手。」

多力姆望著遠方，靜靜開口：

「我覺得莎耶最優秀。」

赫薩爾眨了眨眼。

「莎耶？女的？」

「對。是麻盧吉的女兒。已經三十二、三歲了吧。之前結過一次婚，後來又回來了。」
多力姆眼角浮現淺笑。
「她是個性格穩重的女人，外表或許看不出來，不過講到追蹤的技巧，說不定還勝過全盛時期的麻盧吉呢。」
「喔……」
赫薩爾感興趣似的睜亮了眼。
「我竟然不知道有這麼一個女人。」
多力姆苦笑著說：
「墨爾法的男人也很愛面子，就算實際上立功的是莎耶，也不會對外公開。不過……」
多力姆輕撫著下巴。
「以前我曾拜託莎耶追蹤。親眼看到她的技術後，確實讓我嘖嘖稱奇。」
多力姆停頓了一下，然後盯著赫薩爾。
「那個奴隸你不想交給東乎瑠，想留在自己手邊，對吧？」
赫薩爾微微抬眉。
「……你為什麼這麼想？」
多力姆毫不猶豫地回答。
「因為你沒告訴與多瑠，奴隸睡的草蓆上有血。」
赫薩爾板起臉。沉默了一會兒，突然露出微笑。
「不愧是阿卡法王的心腹。」
多力姆只是默默地接受這些話，但馬柯康心裡卻覺得恍然大悟。看來這個初老男子遠比表面上更有分量，可說是檯面下的掌權者。

赫薩爾嘆了長長一口氣，嘴角浮上淺笑。

「那個奴隸應該也跟其他奴隸一樣被野獸咬傷。明明被咬過，卻還能活著……沒錯，對我來說，他是比任何寶石都有價值的奴隸。」

多力姆帶著嚴肅的表情說：

「並不是在任何人手中都能成爲寶石。正是在你手中，才能成爲發光的原石。」

他嘆了口氣，望著氤氳的淡藍色遠山。

「話說回來，有時候神明還眞愛捉弄人。明明是『獨角』，但『缺角凡恩』卻總是被死神放過一馬，不得不活下去……」

聽到多力姆的低語，赫薩爾扯扯嘴角。

「說得也是，『獨角』原本就是一群可悲的求死戰隊。」

多力姆聳聳肩。

「是啊。雖然是生長在深山的蠻族，但也會感到絕望。比起生，更熱切渴望死，確實是一支悲壯的敢死隊。」

他看看赫薩爾，臉上微微浮現苦笑。

「你知道『缺角凡恩』還有別的名號嗎？」

「不知道。」

多力姆的笑容裡更添了幾分深意。

「他也叫『獵頭凡恩』。」

赫薩爾揚起眉。

「他會獵人頭嗎？」

「不是不是。是老鷹狩獵的時候。」

「喔喔……」

精通狩獵的老鷹會先壓制住獵物的頭。如果只壓住背或臀部，獵物可能會反抗或脫逃，但只要壓住頭，獵物就逃不了了。

「『缺角凡恩』對戰時，會先攻下敵方的將領。就算將領藏在數百名士兵背後，他也能巧妙地迂迴繞道，絕對有辦法殺了將領。他的戰術就是擒賊先擒王。」

赫薩爾的眼中浮現光采。

「喔，這傢伙還眞有意思。」

多力姆點點頭。

「與其說他的戰術並不花俏，不如說『老派』更符合。但我經常聽說，他是一個能讓其他人折服的男人。

「周邊的氏族每次看到他把東乎瑠軍玩弄在股掌間，總會送上喝采；但也因爲這樣，才讓他更受到東乎瑠的厭惡和憎恨——所以當他在庫許納河畔之戰生還時，才沒有當場處刑，故意讓他當奴隸，把他關在鹽礦中吧。」

多力姆瞇起眼，搖搖頭說：

「如果逃走的眞的是他，應該沒那麼容易抓到吧。」

「也對。再說，我也不希望他對我帶有敵意。只是那麼精明的男人反而不好處理。我可不希望讓差勁的獵人去追他，還把局面弄擰。」

赫薩爾一臉苦澀。

「說得是……這樣的話，還是讓莎耶去做比較適合。她心思靈巧，這方面應該有辦法做得不露痕跡。」

赫薩爾抬眼看著多力姆，眼裡浮現淺淺笑意。大概是想到這麼老奸巨猾的男人竟然對一介女流如此盛讚，感到很有趣吧。

「是嗎。那我就相信你——請去找那個女人談談吧。」

五 墨爾法的故鄉

夏季時分還低懸在地平線上、遲遲不肯落下的太陽，現在很快便西沉了。

走進由淺紅轉成絳紫色的山地裡，開始可以零星看到吃草的馴鹿群。夏日，牠們聚集在青草茂密的山腰，等到白雪冰封的嚴冬，再下到低地。

對草木來說，北方大地是個嚴苛的生存環境。馴鹿喜愛的地衣類一旦吃光，要等上很長一段時間才會再長出來。因此這個地方的人不得不過著一邊慢慢讓馴鹿群遷徙，一邊討生活的日子。

這個地方不容易栽種作物，要活下來並不簡單。所以自古以來，住在這裡的人賴以為生的技能都不只一種，他們總是會準備好幾條安全繩，當其中一種行不通，還可以靠其他方法活下去。

墨爾法氏族的孩子在剛會走路時，就會由大家稱為「暮者」的老獵人們帶到山裡，學習在山中存活的技能。透過團體行動，前輩也會判斷這些孩子適合當獵人還是牧人。

判定適合當獵人的孩子，會成為「山地墨爾法」；適合當牧人的孩子則成為「草原墨爾法」。這種分配法雖然不問男女，但女孩到了適婚年齡時，因為嫁給另一種墨爾法，而從「山地」改到「草原」居住的人也很多。

這時候的「草原墨爾法」已經從夏季牧地往下移到冬季牧地。一走進為了防風而用石頭砌成的圍牆，那些發現多力姆的人紛紛露出敬愛的表情，對他低頭致意，並上前問候。

看到赫薩爾和馬柯康這兩位稀客，孩子們都瞪圓了眼睛，張大著嘴抬頭看著他們；大人們臉上也寫滿好奇和警戒，擔心是不是發生了什麼事。大概是好奇他們要讓「山地墨爾法」去追蹤什麼獵物吧。

經過他們的聚落，進入山地，周圍的景色迴然一變。

爲了迎接秋天的到來，樹木葉片換上細緻的金色，黃昏的光芒淡淡照耀著森林。森林深處偶爾傳出鹿「噗歐！噗歐！」的叫聲。

馬匹走在幾乎不能稱爲「路」的狹窄小徑上，馬蹄踩得落葉沙沙作響。

多力姆一邊前進，一邊仔細地觀察沿路的樹木——好像發現了什麼。來到某處時，他突然勒住馬，稍微探出身子，細看落葉松的細枝。

接著他轉過頭，要另外兩人下馬。

「他們今年好像在這裡。」

馬柯康一邊翻身下馬，一邊問多力姆：

「有什麼記號嗎？」

多力姆轉過來，點了點頭。

「對。看樹枝的折法，就可以知道那一年聚落的位置。不過得先記住無數個聚落候補地的位置，否則光看記號也沒有意義。」

說著，多力姆拿下馬轡。

「從這裡開始就是小路，請盡量不要讓馬或身體傷到草叢。墨爾法不喜歡在草叢留下痕跡。」

馬柯康皺起眉。

「那騎在馬上不是比較好嗎？這樣比較好控制馬啊！」

多力姆臉上閃過一絲苦笑。

「樹枝上的印記表示前方有陷阱。前面一定有某個地方，在騎馬者胸口以上的高度拉了細線，一碰到就會瞬間沒命，請小心一點。」

馬柯康閉上嘴，乖乖牽著馬往前走。

在這條獸道般的小路上走了一陣子之後，聞到一股煙的味道。還有幾聲尖銳的狗叫聲一波波傳來。

多力姆拉出胸口的小笛子，吹出「嗶——」的聲音，狗叫聲便漸漸安靜，最後完全聽不見了。

「……眞厲害。」

聽到馬柯康輕聲讚嘆，多力姆微笑著說：

「墨爾法的獵犬都教得很好。」

草叢的生長方向剛好成爲巧妙的掩護，看來漫無邊際的草叢，才走了幾步，眼前突然一片開闊。

馬柯康跟在多力姆和赫薩爾身後走出草叢，忍不住停下腳步，凝視著開展在眼前的風景。

前方有幾頂帳篷，是帳篷爲深褐色的緣故嗎？還是配置太巧妙的結果？看上去很自然地融入森林當中，一點也不覺得眼前景致中有異物存在。

畫面裡有獵犬、有人，煙從帳篷冉冉上升。不知爲什麼，儘管看到這些，仍不覺得這裡有聚落。

多力姆一往前走，馬上有名老婦慢慢走近。

她臉上掛著開朗的笑，微微屈身，向多力姆低頭行禮。

「您今日可安好，多力姆大人。」

馬柯康嚇了一跳，看了那老婦一眼——她說得一口純正的歐塔瓦爾語。

大概是看到馬柯康這麼吃驚很有趣吧，老婦對他微笑了一下，接著再對赫薩爾深深鞠了個躬。

「歡迎您大駕光臨，聖地的少主大人。」

赫薩爾點點頭，微笑對老婦說：

「好久不見了，慕琉。眞高興看到妳精神這麼好。」

「謝謝您。託您的福，牙幾乎都還在。」

說著，這位名喚慕琉的老婦收起笑容，視線回到多力姆身上。

「您來找兄長嗎？」

「是啊。有些急事。現在能見他嗎？」

慕琉臉略略一沉。

「眞不巧啊。兄長現在跟男丁們一起去獵秋熊了。」

「是嗎……什麼時候出門的？」

「三天前，快的話今晚可能會回來，但實在說不準。」

「那當然，得看打獵的狀況而定嘛。沒辦法，只好在這裡等了。」

看到多力姆撫著下巴思考，慕琉問：

「還有幾位『暮者』留著，他們幫不上您的忙嗎？」

多力姆眨眨眼。

「嗯。這件事得直接跟麻盧吉談……對了，莎耶也跟麻盧吉一起出去了嗎？」

「莎耶？」

慕琉挑挑眉，笑著說：

「莎耶在啊。好歹是個女人家嘛。」

多力姆一驚，露出苦笑：

「對啊！麻盧吉是去獵熊呢。我眞是老了。」

馬柯康聽著兩人的對話，心想：也對，不管技術再怎麼好，女人還是獵不了熊啊。大概是他的心思全都寫在臉上吧，慕琉抬頭看著馬柯康，微笑著說：

「女人不可獵熊。不是不能獵，而是不可獵。」

「……因爲熊屬土。」

赫薩爾嘴裡喃喃說著，慕琉也跟著深深點頭。

馬柯康依然不明就裡。赫薩爾簡短地解釋：

「墨爾法把事物分成屬土跟屬風兩種。熊和女人都屬土，所以女人不可以獵熊。鹿和野兔屬風，所以男人不能獵——對吧，慕琉？」

「是的，您說得沒錯。」

（……還眞麻煩。）

馬柯康有些無奈地聽著兩人的對話。

每個地方都會有特殊的習慣，但是在這種嚴峻的環境下，麻煩的規定不是反而讓效率低落嗎？

慕琉抬頭看著馬柯康。

「聽起來很奇怪嗎？」

「啊、是、是有一點……」

馬柯康搔著鬍鬚答道。

「如果這是你們的做法，當然輪不到我插嘴，但這樣不是會白白錯過很多獵物嗎？」

慕琉的笑意更深了。

「我們經常是夫妻或兄弟姊妹一起去打獵，只要有人獵到就行了。」

「啊……」

馬柯康一陣苦笑。

「也對，因爲我從沒想過女人也會打獵，才沒想到還有這個方法。」

「不過就算是這樣，如果有些對象不能獵，就會遇到不得不放過的獵物吧？假如沒有限制，收穫也會增加不是嗎？」

慕琉點點頭。

「這麼說沒錯……所以諸神才會教我們要守護領地吧——小時候，『暮者』的婆婆經常這樣對我們說喔。我們放過一些獵物，山才能永遠存活。」

看到馬柯康一語不發地沉默著，身旁的赫薩爾故意笑出聲來。

馬柯康不悅地看著少主，但赫薩爾只是一副事不關己的樣子。

接著，赫薩爾正色看著慕琉。

「對了，慕琉，我有事想找您的侄女，是不是要先稟告過麻盧吉才行？」

慕琉想了想，然後搖搖頭。

「既然是急事，我想不要緊的。不過如果您吩咐那孩子什麼任務的話，等兄長回來後，還請向兄長報告。」

「那是當然。」

「那麼，這邊請。莎耶在那頂帳篷後面。我讓人去叫她，各位請到我的帳篷等候。我去泡茶，請裡面坐。」

「謝謝。不過，我想不用差人去請。不如我們去帶莎耶到您的帳篷吧。」

赫薩爾提議，慕琉也點頭表示同意。

慕琉微微舉起手，向站在遠處看著這裡的年輕人打了個暗號。接著年輕人們一溜煙地上前，接過三人的馬。

什麼聲音都沒有，光靠一個暗號就有如此敏捷的行動，宛如訓練有素的獵犬。

朝著慕琉所指的那頂帳篷後方走去，便聽到孩子們正在熱烈討論的聲音。

赫薩爾什麼都沒說，多力姆和馬柯康也沒再前進。他的腳步停在帳篷暗處，另外兩人也靜靜站在旁邊。

帳篷後方是一片草地，潺潺小溪剛好蜿蜒流過草地和森林的分界。

溪畔有一群孩子。

孩子們圍著一棵大樹，巧妙地用那棵樹結實的樹枝吊起一隻偌大的鹿。長著角的頭還留著，不過脖子以下的皮已經剝得乾乾淨淨，赤裸裸地露出白色脂肪和紅肉。應該是捕到之後就馬上挖出內臟吧，可以看見空無一物的鮮紅色體腔。

「姨，我抱到了！」

一個年約十歲的男孩抱著鹿腿附近，興奮地高聲叫著。

聲音聽起來挺威風的，但腳卻站得不太穩，看起來像他姊姊的女孩和其他夥伴們在一旁給他打氣：穩住！腳要用力！要不要我幫忙？

那個被喚做「姨」的嬌小女子在孩子們的騷動中鎮定地卸著鹿肉。

她一邊教著興致勃勃盯著她動作的高個女孩，一邊迅速將獵刀沿著腰骨割下，對著抱住腿的男孩喊了一聲後，一鼓作氣切斷關節處的肌腱。

沉重的鹿腿漂亮地從鹿身卸下，男孩滿臉通紅地使勁抱住，不敢讓鹿腿落地。其他孩子立刻奔上前去幫忙，把鹿腿放在鋪在草地上的舊獸皮上。

（……真厲害。）

馬柯康暗暗讚嘆。

他看過不少次鹿的解體。沿著腰骨入刀、切斷關節的肌腱，確實可以簡單卸下鹿腿；話雖如此，過去從沒看過有人手腳這麼快。

從這裡也可以清楚看到她的手部動作何等靈巧。那把獵刀毫無阻滯地滑入鹿身，整隻鹿身彷彿就像一塊柔軟脂肪。

女子發現有人在看，稍稍瞥了這裡一眼，不過發現三人只是觀看、無意上前打擾後，便微笑點頭致意，再次將注意力拉回眼前的工作。

孩子們就不一樣了，他們不斷使眼色、交頭接耳、好奇地打量三人。她偶爾喚孩子來幫忙，淡定地繼續工作。

看到鹿身所有部分都被切開，一一排在舊獸皮上，赫薩爾這才走上前。

「……莎耶。」

跟赫薩爾一起走近的多力姆先開口招呼。莎耶將獵刀交給身邊那位高個女孩，接著轉向這邊。

「您今日可安好，多力姆大人。」

她兩手放在膝前、低頭行禮，聲音相當沉穩。

（這個人看起來很溫柔。）

對方直直注視著他，讓馬柯康有些不自在。她應該三十多歲了吧，但是有一對明亮的褐色眼珠，看起來比實際年齡年輕很多。

除了綁在後頸的髮束上有簡單裝飾外，她臉上脂粉未施，感覺從容大度——再怎麼看都不像個狩獵能手。

赫薩爾站在她正面，開口問道：

「妳就是莎耶吧？我是赫薩爾．悠格拉爾。今天來是有事想拜託妳。」

莎耶的眼神微微閃爍。

「原來是悠格拉爾家的少主人。得見尊顏萬分榮幸……有什麼事要吩咐在下？」

聽了之後，赫薩爾臉上綻放笑容。

「好，眞不錯。一點也不拖泥帶水。不愧是多力姆如此信賴的人選。」

聽到這番褒獎，莎耶淺淺一笑，但是她的眼中還留著不安。

她嘴角的小梨渦看來有種莫名的哀愁，馬柯康緊抿著唇，注視眼前這位嬌小的女獵人。

六　追蹤

莎耶幾乎什麼也沒帶，就來到阿卡法鹽礦。

接下來，這趟追蹤逃亡者的漫長旅程不知會持續多久，但她只斜背著一口小皮袋，還帶著一隻狗同行。

看到她這身裝備，馬柯康想起阿卡法人經常掛在嘴邊的「輕裝如獵者」這句俗話。

下了與多力姆共乘的馬，莎耶對前來迎接的與多瑠深深鞠躬一禮。

與多瑠看著眼前的女獵人，顯得很感興趣。

「我已經聽使者快馬回報了。妳是麻盧吉的女兒？」

莎耶抬起頭來，輕輕點了點。

「是的。父親受您關照了。」

與多瑠露出微笑。

「受關照的是我啊——麻盧吉已經去獵山犬了嗎？」

「是的。父親跟男丁們進了這附近的森林。」

馬柯康聽著，想起那個叫麻盧吉的獵人首領滿臉不高興的表情。赫薩爾說話時，那個老獵人一直板著臉，一個字也不說。即使赫薩爾說完後，也只是點點頭。

可能是因為剛結束一趟吃力的狩獵之旅吧。但總覺得除此之外，他臉上還有幾分鬱悶。

麻盧吉喚來男丁，平靜地說天亮之後要出門遠行，仍然一臉疲憊的男丁們什麼也沒問，連頭也沒點；直等到首領示意可以離開後，才沉默地走出帳篷。

那些男人現在就在這附近的森林中。

馬柯康彷彿可以看見他們在昏暗草叢間如獵犬般無聲前進的身影。

「父親說，三天後會親自向與多瑠大人報告追蹤的情況。」

與多瑠聽了，點點頭，看了莎耶身邊的狗一眼。

「很漂亮的狗。是妳的嗎？」

莎耶露出微笑，低頭看著那隻豎直耳朵乖乖坐好的狗。大概知道有人講到自己吧，那狗也抬頭看著主人。

不知道是不是混有狼的血統，這隻狗體型龐大，給人剽悍的感覺。

「是。已經跟我很久了，是我的好幫手。」

「是嗎——不過鼻子再靈的狗，要追蹤味道還是很不容易吧。畢竟那奴隸已經逃走七天了。」

「是的。再加上又下了雨……雖然還說不準，但還是可能留有一些線索。這件事就請您交給我吧。」

與多瑠的表情有些意外。

與多瑠也是個聰明人。他似乎從眼前這名嬌小女子冷靜的表情背後，感受到出乎意料的堅定決心。

「就交給妳了。需要什麼儘管說。」

「謝謝您。」

莎耶低下頭，望向鹽礦的坑道入口。

「對了，有人清楚奴隸在這裡的生活嗎？我想先了解狀況。」

「有的。我已經找了原本在這裡擔任巡邏兵的人來，這傢伙還算機伶。讓他帶妳過去。」

在稍遠處聽著兩人對話的赫薩爾抬頭看向馬柯康。

「你也去幫忙。」

「啊？」

馬柯康驚訝地叫出聲。

赫薩爾若無其事地說：

「直到找到奴隸之前，你都跟著莎耶。把所見所聞全部向我報告。」

馬柯康眨了眨眼。

「但我是您的隨從，怎麼能離開您身邊？」

赫薩爾笑了。

「我可不需要保母。你老實照我的話去做，不要妨礙莎耶工作。」

馬柯康一臉不高興，但內心也暗自覺得，說不定這是個好差事。因爲他實在很好奇，莎耶這女人能有多大本事。

「還有……」

赫薩爾突然又想起什麼，又吩咐了一句：

「不准對那女人出手。」

本來以爲是赫薩爾慣常的玩笑話，但他的表情卻很認眞。

看馬柯康沒回應，赫薩爾小聲說：

「她是個很寂寞的女人——對你這種傢伙來說，這種女人會變成讓你不可自拔的陷阱。」

馬柯康沒有回話，只是悶悶地看著莎耶和被叫來的中年士兵談話。

莎耶仔細詢問士兵各種大小事。

關於那個在鹽礦工作的奴隸，她問了許多聽來幾乎沒有必要的細節，接著把狗留在入口，進入那條深長的坑道。

昏暗的礦山裡，還躺著無數屍體。

莎耶看到這些遺體，臉色一沉，安靜地合掌祝禱；馬柯康則面色凝重地盯著她合掌時那細細顫動的指尖。

終於，她抬起頭來，走向那逃亡奴隸休息的地方。她佇立許久，一直凝視著那個空間。

莎耶只是不斷注視著，時間長到連站在後面、負責領路的士兵都無聊得受不了，忍不住把身體的重心從這隻腳換到另一隻腳。接著，她蹲下身子，雙膝雙手觸地，把臉頰貼在岩床上，從低處觀察地面。

她又站起身，小心注意腳下所踩的地方；再走到後方的岩壁旁，盯著被扯斷的鐵鏈。

她碰觸鐵鏈、看看附近的地板，最後臉色一沉。

「怎麼了？」

馬柯康問。莎耶抬起頭，欲言又止，又馬上搖搖頭，小聲地說「沒什麼」。

她背對岩壁站著。目光雖然朝向眾人，但視線並未聚焦在馬柯康等人身上。

（她沒在看我們。）

馬柯康心中暗想。這個人眼中正在看著現在並不存在的東西。
仔細一看，發現她的視線正在細碎地移動著。
她的眼裡是不是看到了奴隸逃走時的行動——怎麼可能？儘管馬柯康這麼告訴自己，但他還是忍不住這麼想。
莎耶調整了一下呼吸，蹲下，從草蓆中挑了一束草，夾進腰帶裡。
「……久等了。我們回去吧。」
莎耶走出坑道後，在原處等待的狗開心地站起來搖尾巴。
狗一接近，莎耶便抽出夾在衣帶裡的草蓆，讓狗聞那味道。
下個瞬間，狗的樣子變得不同：從鼻尖到脖頸繃緊，尾巴保持水平，直直往外伸。
牠先將鼻尖靠近地面，然後又高高抬起，開始不斷嗅著味道。不過可能是找不到清楚的味道吧，又發出困惑的低吼聲。
「……讓狗追蹤果然不太可能。之前下過雨，這裡又有很多人來來去去。」
馬柯康才說完，莎耶便回頭看著他。
「是啊。要是能找到沒被雨淋濕的地方就好了。」
莎耶對獵犬使了個要牠跟上的暗號，一起走向排列在礦山旁的建築物。
（……原來如此，如果是房子裡，味道有可能還沒被沖刷掉。）
但已經過了許多天。為了搬出遺體，這裡來了大批人馬，怎麼可能找到痕跡？
莎耶突然止步，轉過身問中年士兵：
「那扇門是士兵們打破的嗎？」

中年士兵搖搖頭。

「不，來的時候就已經壞了。我們拿了根棒子抵著，讓門保持開啓。」

「是嗎？」

莎耶問清每幢建築物的用途後，低頭向中年士兵道謝，告訴他可以了，請回去工作吧。

目送中年士兵離開後，馬柯康走近莎耶，小聲問道：

「剛剛妳在鐵鏈那裡發現什麼了嗎？。」

莎耶眼神閃爍，好像在猶豫該不該說。最後還是輕輕嘆了口氣：

「我說了您可能覺得不高興，不過我想那條鐵鏈確實是『缺角凡恩』一個人扯斷的。」

「……」

莎耶抬頭看著馬柯康，苦笑了一下。

「至少從留在那裡的痕跡，我只能這樣判斷。」

馬柯康皺起眉頭。

「那裡有什麼痕跡？」

莎耶平靜地回答：

「我想他應該是一時忘記自己被腳鐐鎖住，急著想逃跑。也就是說，他的右腳被鐵鏈拉住，像這樣……」

莎耶的右腳往後，做出兩手往前撲的動作。

「他往前一撲、跌倒在地，可以看出他兩手碰到地面的痕跡。還有……」

莎耶轉過頭，腰部一沉，雙手擺出拉扯鐵鏈的樣子。

「草蓆上也留有像這樣用腳奮力抵住地面、因腳底摩擦而導致變形的痕跡。如果當時有其他人幫忙一起扯斷鐵鏈，那這附近……」

莎耶後退幾步，以表示位置。

「應該會看到其他人的腳踩亂草蓆的痕跡，但那裡並沒有這類痕跡。留下的是像這樣……」

莎耶又擺出跌坐在地的姿勢，接著，她很快以雙手雙膝爲支點站起來。

「只有一個人跌坐後，慌張起身跑走的痕跡。」

馬柯康忍不住瞠目結舌地看著莎耶。

哪裡看得到那些痕跡？他雖然也看到草蓆紊亂的樣子，但眞能從那紊亂的樣子裡看出那些活動的痕跡嗎？

莎耶低頭輕摸著狗的耳朵。

「在我看起來是這樣的，當然也可能有錯——等找到他本人，你再問清楚吧。」

說著，莎耶轉過身，走向那有好幾根煙囪並排的廚房門。

一靠近門，獵犬的表情就變了。牠不斷嗅著那片壞掉的厚門板。

「好像留著凡恩的味道。」

馬柯康說。

莎耶直盯著門，點了點頭。

「他應該用身體撞了這裡好幾次吧……」

她輕輕推開獵犬的鼻子，拔起勾在門板木屑上的某個東西。

「衣服被勾破，線頭卡在這上面。」

莎耶把線交給馬柯康，走進廚房裡。

這裡面沒有遺體。長型調理檯被斜推到一側，大概是農奴或士兵爲了堆放遺體而移動的吧。

和剛剛在鹽礦裡一樣，莎耶先站著原地靜靜觀察整體，然後臉幾乎貼地從低處觀察。重複幾次之後，她停在調理檯旁，抬頭看著吊在天花板上的香腸圈；然後慢慢走到後方，從後門出去。

馬柯康跟在她身後走出去，眼前便出現另一幢看似廚房的建築物。

「這應該是奴隸用的廚房吧——這扇門沒破呢。」

「是啊。」

莎耶點點頭。

她繞到被夕陽輕輕拂過的建築物側面，好像發現了什麼。她蹲了下來，從低處仔細看著地面；接著站起來，走到氣窗下，盯著那裡的地面。

不知道她想到了什麼，又突然站起來，回到剛剛的廚房。過了一會兒，拎了把小椅子回來。

莎耶單手拿著椅子，指向地面。

「這裡有用手掃過、抹平地面的痕跡。應該是把椅子放在這裡，爬上去從窗子進去的吧。」

說著，她把椅子反過來給馬柯康看，椅腳上確實沾著土。

「他把椅腳的痕跡弄掉，再把椅子放回去。」莎耶接著又說。

馬柯康皺起眉。

他再怎麼仔細看，也看不出地面有用手順過的痕跡。

「你站在這裡，像這樣，好像要看穿它似的仔細看。」

他依言，從莎耶眼睛的高度往下看，那塊地面的樣子好像確實跟其他地方不太一樣。但也得要先有人說「有」，才勉強看得出來，痕跡相當不明顯。

莎耶抬頭看著氣窗說：

「如果沒下雨，或許就看不見這些痕跡；因爲雨水打濕地面，才留下些許手掌的痕跡。」

接著莎耶把手抬到馬柯康額頭附近。

「從留在鹽礦裡的痕跡判斷，那個人的個子差不多這麼高。是個力氣大、身手輕盈的人。」

莎耶從夾在衣帶的草蓆束中抽出幾根細髮，拿給馬柯康看。

「髮色是接近黑色的褐色。看這長度，他被帶到這裡的日子並不算太久。髮質不算太粗糙，跟倒在隔壁的遺體頭髮比起來，他的較粗也較硬。」

莎耶的眼神略顯黯淡。

「如果是長時間遭受酷刑的奴隸，頭髮不但會變得更細、更脆弱，顏色也會變淡。」

馬柯康靜靜地聽著她低沉的聲音。

他現在可以理解，爲什麼連多力姆都佩服這個女人、打從心底相信她。這種追蹤的技能簡直就是神技。

（可是……）

這女人不適合這份工作——他心裡開始有這個念頭。

莎耶輕嘆一口氣，把頭髮放在馬柯康手裡，轉過身，走進奴隸用的廚房。

奴隸用的廚房空蕩寬敞，在斜射進來的日光照耀下，塵埃漫天飛舞。

地上有幾個腳印，大概是整理遺體的士兵們留下來的吧。莎耶開始一一仔細觀察。

獵犬也亢奮地嗅著味道。看來凡恩確實待過這裡。

秋陽斜倚，廚房裡開始飄散黃昏氛圍的時候，莎耶探看著其中一口灶，就這樣許久不動。

「裡面有什麼嗎？」

馬柯康問道。

莎耶默默轉身站起。

在淡藍色的昏暗光線中，她的五官漸漸模糊，身影看來好似亡靈。

「看來他在這裡過了一晚。」

莎耶輕聲說著，低頭看著灶前的地板。

「好像也洗了澡。地上有臉盆的痕跡。當然也有可能是在這裡工作的女人們洗過澡的痕跡，可是其他灶前沒有這種臉盆的痕跡。我想女人們應該是在別處洗澡才對。如果是這樣，他離開這裡之前曾經清洗身體……」

她話還沒說完，外面便傳來叫聲。

「好像是在叫我們。」

聽馬柯康這麼說，莎耶也點點頭，往門口走去。

空氣裡還留有一點太陽殘留的亮光，但外頭已完全換上夜色。拿著火把的士兵領著一位高個男子走來。

那男人是墨爾法。

彷彿在地上滑行般，那男人完全沒發出腳步聲。他走近莎耶，連招呼都沒打，劈頭就說：

「首領請您過去……在森林裡發現了痕跡。」

七 消失雪中

來自下方深山、蜿蜒悠然的水聲，乘著風攀上山崖。

右側是陡峭懸崖，左邊是與廣大盆地底部相連的陡坡，乘著馴鹿走在這條僅容一輛馬車勉強通行的狹窄崖道上，馬柯康已經不知道嘆了幾次氣。

「……沒想到得來這種鬼地方。」

這個地方的冬天來得早。

初雪雖然還沒下，不過一旦下了雪，這條崖道就會完全冰封、無法通行。

不過現在已經開始降霜，霜融後的路面泥濘不堪，相當容易打滑。他現在明白莎耶當初說別騎馬、帶馴鹿去的意思了。

阿卡法的大馴鹿體格精實，即使是身材高大的馬柯康，也能穩穩乘坐在上面。

再加上馴鹿不愧是活在酷寒地區的野獸，鹿蹄跟馬完全不同。體重下壓時會往外張開，可以在柔軟的雪上行走；蹄緣尖銳，在冰上行走也不會打滑。如果不是阿卡法的馴鹿，根本不可能在這種季節走在這種路上。

不過就算馴鹿再怎麼適應惡劣路況，在不斷有刺骨寒風從底下吹來的崖道走上這麼長一段時間，總感覺隨時有可能失足掉下山谷。

聽到馬柯康的牢騷，莎耶轉過頭，給他一個笑容。

「快到了。日落之前應該可以下到盆地，應該也能找到聚落。」

「希望如此。我看今天晚上應該會下雪。」

莎耶看著天，點點頭。

廣大山谷的另一邊，所見之處盡是低緩的連綿山地。

冠雪的山稜峰峰相連，宛如淺黃色腰帶的天空在群山背後閃著淡淡光輝；至於頭上，則是一片廣闊的灰色天穹。

灰色天空後面彷彿隱著白光，看起來微微膨脹。

「……看來誤判了。早知道這麼遠，應該等到春天的。」馬柯康說。

他本以爲可以在下雪前回來，所以才贊成出發；但是在這種路上，就算找到逃亡的奴隸，也無路可回了。

望著廣大無邊的壯闊風景，莎耶說：

「下雪了一樣可以露宿。」

馬柯康蹙眉。

「開什麼玩笑。在雪中露宿，我可不幹——我們回頭吧。」

莎耶轉過來笑著看他。

「請別那麼孩子氣。您也知道，就算現在折返，一樣得在雪中露宿。不要緊的。只要找到聚落，應該會有人收留我們住到春天。」

誰要在這種偏僻的地方過冬？馬柯康很想回嘴，但他沒開口。

尋找聚落完全要靠運氣。如果等到春天，情況或許會有些變化。贊成莎耶的提議、決定馬上去尋找歐基山谷的自己也有責任——當然，他並不知道莎耶打算在這裡過冬。

（所以我才討厭獵人和遊牧民。）

馬柯康暗自在心中嘆息。

那些早把遷徙視為理所當然的傢伙，根本不在意在哪裡過夜。

（可惡，眞想泡個熱水澡。）

慢慢泡個熱水澡、吃頓美味的飯、在厚實的牆壁和屋頂保護下，窩在家裡柔軟的床鋪上入睡——這才是人該過的生活吧。

迎面而來的風裡有雪的味道，馬柯康嗅聞著，深深嘆了一口氣。

查出逃亡奴隸可能逃往歐基地方的是多力姆，當然，也多虧了莎耶找到的線索。

莎耶從父親率領的獵人在森林找到的焚火痕跡推測，逃亡的奴隸可能與某個有貨車的人相遇。

這是莎耶的獵犬立下的功勞。儘管過了這麼多天，牠還是從焚火旁的地面發現了味道，告訴主人那奴隸確實在這裡停留過。

仔細調查過焚火周邊痕跡後，莎耶說，奴隸遇見的那個男人應該受了傷，無法走路。雨水打濕的地面上留有用力踩踏地面、把人抱上貨車的腳印痕跡。

莎耶還從留下的馬蹄痕跡看出，拖著貨車的不是馬或馴鹿，而是飛鹿。

說到飼養飛鹿的民族，馬上會聯想到西邊土迦山地附近的人，但最近由於東乎瑠帝國的邊境政策，這附近也開始盛行養飛鹿。

不過飛鹿不容易駕馭，一般農民或商人不太可能用飛鹿來代替馬或馴鹿。比較合理的推論，是北方遊牧民到城裡賣毛皮的途中，在這裡生過火堆。

莎耶追著貨車輪跡，發現他們前往卡山。但卡山是這附近最大的商城，就算再有辦法，也不可能在每天有數百輛載貨馬車往來的大街上追蹤到目標。於是她將城中的探索交給多力姆。

把狀況告訴多力姆後，不到三天，多力姆便掌握到逃亡奴隸的去向，這讓馬柯康不禁感到不寒而慄。

聽說多力姆向卡山城中的商會打了招呼，請他們從駕著飛鹿貨車來賣毛皮的人之中，尋找受傷的男人。這道命令在這個有各種民族居住的巨大城市中瞬間傳開，馬上蒐集到幾條有用的資訊。

這驚人的速度在在顯示，阿卡法的顯貴依然滴水不漏地掌控著過去的祖國子民。

駕著飛鹿貨車來賣毛皮的男人有幾個，不過其中受傷到無法行走的，只有多馬這個年輕人。

多力姆從毛皮商那裡聽說，是一個體格結實的男人攙著多馬來的，他馬上判斷那個男人應該就是逃亡奴隸，迅速通知莎耶。

「那男人的年紀大約四十上下，髮色是近黑的褐色。容貌和狀況都跟妳的判斷相符。聽說那男人來打過招呼，說是今後會在多馬家裡工作，要毛皮商多多關照。」

多力姆微笑說著，接著，表情蒙上一層淡淡陰霾。

「不過，目前並不知道多馬這個人故鄉的正確位置。多馬是個常見的名字，聽說是歐基地方的人，不過這整個廣大的盆地、低山地和山谷全都稱為歐基。那裡可有無數個遊牧民聚落呢。」

多力姆建議，還是等到春天再找吧。莎耶聽了搖搖頭。要找就要趁早，她說。

從灰色雲層裡隱約發光的太陽像個小小的白點，不知不覺中，已從雲層底下現身。好幾道金色光芒灑在寬廣的盆地上。

現在太陽還高高掛著，不過暮色一沉，太陽就會瞬間消失在山的那端。在這之後，便是漆黑濃重的夜。

所幸崖道已經進入下坡，慢慢接近盆地。

河邊的草原上零星可見追趕著成群家畜前進的男人，這幅光景讓人心情稍微開朗了些。

（會先找到聚落，還是先日落？眞是分秒必爭啊。）

馬柯康腦中轉著這些念頭。

走在前面的莎耶好像發現了什麼，突然止步、拉住馴鹿。

「怎麼了？」

才開口，馬柯康也發現了——好像有什麼。面對山壁的右側皮膚不自覺地起了雞皮疙瘩。

抬頭看看山上，有個東西在動。

一張黑色的臉從茂密草叢間探出頭來。

（是山犬嗎？）

不，以狗來說太大隻了。可能是狼。

發現一隻後，馬上看到好幾隻黑色野獸躲在草叢後，正低頭看著這裡。那些黃色的眼珠子直盯著他們不放。

一股帶著涼意的恐懼貫穿胸口。

馬柯康迅速把手放在腰際的劍柄上、另一隻手的大姆指在劍耳上一推，再拔出劍來。

這動作好比暗號般，幾道黑影同時跳起，以令人難以置信的身手躍下山崖，直衝過來。

嘰！其中一頭野獸發出一聲慘叫，彈了起來。

馬柯康一驚，莎耶不知道什麼時候已經從馴鹿背上下來，拉起短弓開始射箭。

驚人的連射。

從箭筒抽出箭的手才剛讓箭頭碰到弓弦，黑獸便已「咚」地一聲被箭貫穿，彈了起來。箭一枝枝射去，野獸也應聲彈起，撞上崖道、跌落谷底。

沒時間慢慢看了。

腥臭味撲近眼前時，馬柯康持劍由下往上一揮，把野獸砍飛出去。還沒時間等那沉重的感覺從手臂上消失、看著牠們呈弧線落至谷底，另一頭野獸就逼上來了。

如果用刺的，刺穿後還得花時間拔劍。於是馬柯康就像撥開飛來的石頭般，不斷左右揮劍，砍殺那群野獸。

汗水滲進眼睛。跨坐著的馴鹿嚇得不停晃動、重心不穩。

那瞬間，馬柯康的注意力沒能集中……野獸看準了時機，朝著他脖子便逼了過來。他來不及揮劍，只好帶著被咬的覺悟，伸手護住喉嚨。沒想到在下一個瞬間，野獸發出一聲哀叫，被彈飛到一旁。

莎耶的弓正朝向這裡——是她出手相救。然而就在此時，野獸竟撲向臉朝著他、露出破綻的莎耶身上。

被野獸壓制住的莎耶掙扎著，一個不小心，踩空摔出崖道。

「莎耶！」

馬柯康大叫，跳下馴鹿，伸手想抓住莎耶，但已經來不及了。

莎耶在枯草叢上翻滾，冒起陣陣煙塵，就這樣滾落山谷。途中還隱約可見野獸從莎耶身上被彈開。

遠處濺起一陣水花，有個白點般的東西一瞬間冒出水面，又馬上被水流吞噬。

「莎耶！」

馬柯康從崖道邊探出身子，大聲嘶吼。

當他的聲音消散在風中後，周圍只剩下一片徹底的寂靜。襲擊莎耶的大概是獸群中的最後一隻吧。現在已經看不到其他還活著的野獸。

馬柯康粗喘著氣，滿頭大汗地環顧四周，再望向崖下。這時，一片如白色棉花般的東西落在眼皮上。

（雪……）

如無聲嘆息般靜靜落下的雪，就這樣從灰色天空中翩然而降。

馬柯康呆呆望著谷底。過了一會兒，站起來，甩甩麻痺的腦袋，終於回神。

（沒時間發呆了。）

崖道上躺著一隻隻被箭貫穿的野獸。有的還在痛苦掙扎著。

他看著這些比狗大、又比狼略小的野獸，再看看因爲牽繩被草叢絆住沒能逃走的馴鹿。嚇壞了的馴鹿全身抖個不停。

莎耶的馴鹿大概已經跑走了，不見蹤影。

馬柯康一邊出聲安撫，一邊走近自己騎乘的馴鹿，握住牽繩。那握慣了的皮革觸感，讓他稍稍拾回平常的感覺。

馬柯康用衣角擦拭劍、把劍收回鞘中，再把它斜掛在肩上。接著跨上馴鹿，用力往牠下腹一踢，馴鹿很不情願地邁步走下崖道的陡坡。

他知道這麼做很危險。在這種地方，要是失去馴鹿，一樣會沒命。他對自己的駕馭技術很有自信，與其用拉的，還不如坐在上面操控。

開始下坡後，馴鹿也仔細確認腳下狀況，再穩穩踏出步伐。這段漫長又可怕的下坡路，幸虧崖道高度已經比一開始來得低，坡度也比較和緩，總算平安來到河岸邊。

雪在身後不斷飄落。

「莎耶！」

馬柯康臉上寫滿不安，扯著喉嚨大叫。他邊讓馴鹿沿著河走，邊尋找莎耶的蹤影，但紛飛雪花阻擋了視線，讓他無法尋找莎耶。

下游好像傳來狗「汪！汪！」的叫聲，但看得再怎麼仔細，也只看到漫天飛舞的雪花。太陽仍未落下，但視野所及，全都籠罩在泛著微光的白幕之下。

風吹過這片荒涼大地，發出「呼呼」迴響。

第三章　馴鹿的故鄉

一　過冬

中午過後，天氣都還不錯，但太陽一西斜，風勢馬上變強，直朝著臉吹來的雪不斷打在身上。

憋住氣，接著，終於登上山頂。眼前是一片平緩、令人爲之屏息的藍色大地。

在深藍色的黑暗中，閃著點點燈火，宛如墜落的星光。

凡恩呼出一口氣，停下腳步，把雪橇拖繩從肩上卸下。

對凡恩來說，多馬哥哥的舊馴鹿皮外套有點小，不過穿起來一樣很暖和。再加上長靴和手套都縫得很密實，沾到雪也不會滲濕。不過長時間待在這種極寒之地，難免有種連骨髓都凍透了的感覺。

看著這些住家的燈火，凡恩不斷搓著雙手，想讓血液循環變好一些。

悠娜不知道有沒有乖乖聽話。

好像有些五音不全的曼椏婆婆總是邊做手工邊哼歌，最近小鬼心情一好，就會用一樣的奇怪調子哼著那首歌。拜小鬼之賜，那旋律總是不絕於耳。

回到帳篷，那小鬼應該會堆起滿臉笑容，用她還蹣跚不穩的腳步搖搖擺擺地飛奔過來，叫著

「歐蹌！」撲上來吧。

這個取名悠娜（意指「香魚」）的孩子，就像沙地吸收雨水一樣，很快就學會許多字，但不知爲什麼，叫凡恩的時候，她不叫「翁蹌」（父親），老是叫成「歐蹌」。那聲「歐蹌」聽起來挺有趣，凡恩也就由著她去。

放在雪橇上的山豬已經凍得堅硬。

還好剛剛趁著有太陽時，先剝了皮、把肉處理了一下。捕到山豬的陷阱很遠，找到時也已是下午了，所以只掏出內臟簡單洗洗。本來打算先帶回來再說，不過他在風裡聞到了點雪的味道，才決定當場先處理。

雖然回來晚了，不過既然肉已經處理過了，只要在爐邊的石頭擺上一會兒，馬上就能下刀切開。今天的晚餐就決定做暖胃的山豬肉鍋吧。

在多馬的故鄉——歐基的生活，很快就過了兩個多月。

凡恩跟著在鹽礦森林認識的多馬一起到商城卡山，賣了毛皮、買到糧食和生活必需品時，已是秋天的尾聲。他用從鹽礦偷來的錢買了能拖貨車的馴鹿，跟多馬一起旅行；而來到這個地方時，差不多是快開始下雪的季節了。

多馬的目的地是阿卡法最北邊、歐基地方的盆地。不過多馬說，這裡是冬天的居所，夏天他們會移動到山的另一邊，也就是更靠海邊的草原或山地。

前來這裡的路上，多馬告訴凡恩，這附近是河流沿岸的平緩山谷，比盆地底部稍微暖和一點；而這條河便是穿過盆地的河流。由於有山擋住雪雲，積雪也比較少。儘管是嚴寒季節，馴鹿們只要稍微用蹄在雪地裡一挖，就能挖出牠們最愛的馴鹿苔，所以每年下雪前，大家都會趕著馴鹿群到這裡來。

馴鹿愛吃的地衣——馴鹿苔生長得很慢。要是全吃光的話，得花上好幾年才能再長回來。所以附近的人每年冬天都會變換居所。下次再回到今年暫居的地方，會是好幾年後的事。

凡恩聽著這些話，心想：原來飼養馴鹿也有一番不爲人知的辛苦。

飛鹿也一樣，如果讓牠們長時間停留在某個地方，牠們也會吃光附近的草葉，所以每季都要變換放牧地點。不過飛鹿喜歡的樹木嫩芽和草生長得很快，不至於像養馴鹿的人這樣，年年都得換住處。

只懂得放牧馬和牛的東乎瑠人，或許覺得飛鹿跟馴鹿沒什麼兩樣，但實際上這是兩種完全不同的動物，養馴鹿的人不可能輕鬆學會如何養飛鹿。也因此，凡恩很了解多馬爲什麼希望自己能幫忙。

只不過，還是得考慮一下旁人的觀感。尤其是已和東乎瑠移住民結親的人，會更在意別人的眼光，絕對不想惹事上身。

把一個來歷不明的外地人帶回家，多馬一定很擔心父親和叔叔會說什麼吧，回程路上，多馬再三強調，能不能接納凡恩都要看父親決定。但凡恩早有心理準備。

等到多馬父親拒絕後，再做打算吧。

就算對方拒絕長期收留，也不至於冷血到把帶著孩子的人趕進嚴冬中的荒野。在漫長旅途中，凡恩心想，至少這個冬天先請對方收留，以後的事，等春天來臨前再從長計議。

終於抵達冬天的居所。防風石牆內側只有三頂帳篷，是個很小的居住地。

多馬的父母和祖母出來迎接，但看到突然來訪的健壯客人，似乎很訝異的樣子，連歡迎的話都說不出來，楞楞站了一會兒。

一如凡恩所猜想，多馬的母親雖是東乎瑠人，但由於嫁過來已經很久，早就完全融入北方放牧民的生活，完全感覺不到突兀。

多馬的父親奧馬年紀很大。大概是第一任妻子過世後，再續弦娶了多馬的母親。

雖然奧馬一開始繃著臉盯著凡恩，但兒子解釋來龍去脈時，他始終沒打斷，專注靜聽；等兒子說完始末，他緩緩點點頭，向凡恩伸出了手。

奧馬客氣地道謝，感謝凡恩救了兒子，並且告訴他，能不能將凡恩視爲「移入者」（非出自該氏族，但承認爲夥伴的人），要看氏族長的判斷；但如果凡恩願意住下來、替這家人工作的話，反正帳篷暫時不缺食物，就儘管安心待下來吧。

奧馬說話的方式很木訥，但來自那雙滿是皺紋、厚實乾燥的手中的力量，卻深深打動凡恩。

凡恩很快就明白，爲什麼一個可疑的外人突然造訪，對方卻沒有多加猜疑，還大表歡迎——多馬這一家只有兩房兄弟，而且僅靠十五頭馴鹿爲生，日子相當清貧。

依照這附近的生活方式，一個家族要想生活下去，至少需要二十頭馴鹿。但這兩家人只有十五頭，日子根本過不下去。再加上正值壯年的男丁只有多馬的叔叔尤稽，年輕人也只有多馬一個。

多馬的父親平靜地說，家裡以前也是有男丁和小孩子的，不過在四年前的一場可怕災難中，雪崩壓垮了兩家的帳篷，再加上前年的流行病，尤稽的兒子和多馬的哥哥都病死了。

尤稽的女兒已經嫁出去，也生了外孫，不過夫家在很遠的西北森林彼端，那家人也很窮，少有機會見面。

如果眞的撐不下去，還有一條路可走，那就是在氏族集會時坦承窘境，要求加入其他家族。有困難時應該互相扶持。雖然屆時可能有個近親家族願意欣然接納，但不免要小心翼翼看人臉色；而女人們不但身處陌生的家族中，還得照顧對方的長者。奧馬說，如果可以，當然希望跟自家人一起生活。

奧馬刻意不提，不過妻子是東乎瑠移住民，可能也是他不想依靠其他家族的理由之一。

多馬的母親季耶是從東乎瑠邊境移居過來的移住民。

她早在少女時期就來到這裡，在陌生的土地上，眼看家人一一因傷病送命，正走投無路時，被奧馬的家人所救。她的家族原本在東乎瑠北部以放養馴鹿爲生，同爲放牧民，在互相協助下，也漸漸產生好感，季耶和奧馬就這樣自然而然地在一起了。

季耶的家人就住在附近，直到現在，彼此還是會互相幫忙；但對方也一樣，過得並不寬裕。

即使在這種拮据的生活中，還是得依馴鹿的數量繳稅。雖然有移住民血統的人稅賦較輕，但只有多馬和季耶可以獲得減免，光是這樣並沒有太大幫助。

所以奧馬才痛下決心，咬牙把馴鹿賣了，飼養能減稅的飛鹿。但他還不習慣，因此飛鹿的放牧進行得不太順利。現在的他們正面臨生死交關的危機，不得不做出痛苦的抉擇。

當他們看到貨車上堆著多馬用賣毛皮的錢買回的穀物、乾果、芋頭和豆類的袋子時，不禁用顫抖的手輕撫著這些貨物，撲簌簌流下淚來——對他們來說，這些都是救命的糧食。

而一位熟悉飛鹿、正值壯年，身體又結實的幫手到來，讓他們以後也許有機會不再需要依賴其他族人，就能繼續維持一家人的生活。一抹微小的希望之光，就這樣在他們心裡點亮。

看到他們凝視自己這個外來者時，眼中浮現的光芒，凡恩忍不住被打動。

凡恩心裡湧起一股暖意，覺得如果對方需要，他也想努力回應。冬天的腳步近了，想讓老人和小孩平安過冬的話，可沒時間再拖延了。

多馬的扭傷還沒好，還不能外出工作，所以凡恩先讓他幫忙磨獵刀和製作陷阱，自己則開始準備薪柴。

要從森林裡砍下足夠過一整個冬天的薪柴，並堆起來等候乾燥，是相當辛苦的工作，尤稽他們很早以前就開始準備，不過分量完全不夠。

柴火準備好之後，凡恩幫忙奧馬和多馬的叔叔尤稽，修好馴鹿和飛鹿的冬籬。

這邊的人平常並不會替馴鹿裝圍籬。

只要綁好小鹿，父母親就不會離開，再加上馴鹿是群居動物，只要母鹿不離開聚落，就算沒有圍籬，鹿群也不會跑遠。

但冬天不同。這個時期，森林裡的狼全都餓著肚子，馴鹿是他們絕佳的獵物。想要過冬，就不能沒有一個堅固、狼跳不進去的冬籬。

看到凡恩他們在修圍籬，脖子上掛著木塊的獵犬似乎有些不高興，直盯著不走。

奧馬告訴凡恩，這些擁有大耳朵和敏捷四肢的獵犬，是追捕獵物時最棒的夥伴；但牠們畢竟是被訓練來狩獵的，也有可能攻擊還幼小的馴鹿。

所以獵犬在帳篷附近時，會在牠們的脖子綁上木塊，這麼一來就算圍籬的門打開，也會因爲木塊擋住而讓牠們進不去。

奧馬擦乾不斷冒出的汗水，削尖圍籬用的木樁讓他疲累不堪。他大聲地說：

「喂，誰去森林裡跑一趟，給那些黑兄弟（狼）的脖子上也掛塊木頭吧。」

這似乎是大家已經聽膩的笑話，連在一邊幫忙的妻子都只是淺淺地苦笑。

過冬的準備不只有修圍籬，還得進山裡布置陷阱，獵捕豬、鹿、山鳥等等，另外還要捕魚，製作煙燻食品和香腸，儲備過冬用的糧食。

這一帶的人都是出色獵手，不過凡恩也是個天生的獵人。

儘管是不熟悉的森林，凡恩仍幾乎每天都能帶些獵物回來。奧馬第一次看到凡恩帶回的獵物時，臉上露出了溫和的笑容。

「你是個不錯的獵手呢。」

凡恩打獵時，不會讓獵物受無謂的痛苦——奧馬懂得欣賞凡恩這分心意和技術。

有了多馬買回的糧食，再加上凡恩來了之後大幅增加的獵物，看來要度過這個冬天應該不成問題，大家的表情都明顯地開朗了起來。

但就算過了這個冬天，問題還在後頭。

支撐這一帶生計的是馴鹿，但是多馬家的馴鹿數量實在太少，明明已經過得捉襟見肘，一到春天，徵稅人又會上門。假如能讓徵稅人看到飛鹿成功繁殖，就能減免稅賦。

女人們大概是擔心往後的生活吧，偶爾會嘆氣，但是從清晨到日落，大家還是不停地做家事，把當季能採收的果實曬成果乾、製作燻肉，揮汗工作準備過冬。

一起生活、一起勞動，漸漸就能培養起默契。

這裡的每個人都知道凡恩有段不為人知的過去，但奧馬、尤稽和女人們都沒有多問；也可能是怕一問之下，凡恩會離開吧。

總之，凡恩很感謝他們願意溫暖地接納自己。

他不認為東乎瑠會花大把力氣和金錢去追查一個逃亡奴隸，但這依然不改他是個逃亡奴隸的事實。正因為不知道他會因為什麼理由、在什麼時候離開這裡，所以待在這裡的時候，更希望盡量報答多馬他們。

（我最能幫上忙的……）

果然還是飼養飛鹿了。一想到這裡，胸口一陣溫熱，凡恩忍不住苦笑。

不管在任何狀況下，只要想到能接觸飛鹿，血液就會沸騰。這時候他領悟到，自己天生就是個飛鹿騎士。

二　墨荷蒺

過冬準備告一段落後，凡恩開始照顧飛鹿。

第一次看到這裡的飛鹿時，那慘狀讓凡恩當場呆站在那裡，半天說不出話來——柵欄裡竟打了幾根木樁，將飛鹿一頭一頭繫在樁上。

就連一路上開開心心拖著貨車回來的野丫頭也是，尤稽一拿起牽繩，牠就鬧脾氣；綁在木樁上時，牠也顯得很不高興，不斷用身體撞木樁。

「誰叫這傢伙跳那麼高呢？」

看到凡恩的表情，嚼著煙草的尤稽說著，對著地上啐了一口。

「不管架多高的柵欄，牠們都會跳過去，只好像這樣綁著。既然綁住，就得餵牠們飼料，而且這些傢伙吃得又多，實在很麻煩。」

凡恩依然皺著眉頭，問尤稽：

「賣飛鹿給你的人沒教你們用墨荷蒺嗎？」

尤稽蹙起眉。

「墨荷蒺？那是什麼？對方從來沒提過啊！」

聽到這句話，凡恩心中一陣哀傷。

來賣飛鹿的那些奧克巴人，不可能不知道墨荷蒺。

墨荷蒺是一種長在老樹上的地衣。不知為什麼，飛鹿非常討厭這種東西。只要將採來的墨荷蒺撚成繩狀、綁在柵欄四周，飛鹿就絕對不會靠近柵欄。

因爲有墨荷蒺，才能圈住飛鹿。

如果沒有這東西，飛鹿就會從柵欄裡跳出去；而且要是被關在太高的柵欄裡，脾氣暴烈、生性討厭受到束縛的飛鹿，可能會因爲鬱悶而生病。

飛鹿原本就是種放牧的動物，不適合圈養。

這點跟養馴鹿的方法很像，只有在狼害較頻繁的時節晚上趕進圍籬，其他時候都讓牠們自由在森林裡生活。

飛鹿跟其他鹿的習性不同。

雖然也成群活動，但是除了母子之外，喜歡各自散開的習性讓人幾乎看不出哪些鹿才是同一群的。

牠們是種獨立不羈、個性強悍的鹿；卻也是種很怕寂寞、忠誠心強到令人難以想像的鹿。如果趁還小的時候培養感情，牠們一輩子都不會忘記主人，只要吹個口哨，就能召喚到身邊。

飛鹿每個季節都會移動，但牠們習慣走固定路徑，所以只要在森林要道上種植墨荷蒺，就可以有效管理鹿群。

氏族的孩子們從小就跟著父母進森林，晨昏都在飛鹿的陪伴中長大。大人們會從那年剛出生的年輕小鹿中挑選適合的鹿，讓牠們跟孩子培養感情，孩子們就能自然地觀察如何分辨、馴養飛鹿。

住在土迦山地的人，從很久以前就開始這樣與飛鹿共生共存。

假如來賣飛鹿的奧克巴氏族故意不教他們飼養飛鹿必備的墨荷蒺，那一定只是表面上遵從東乎瑠的命令，內心其實希望繁殖失敗。

凡恩可以了解奧克巴氏族的想法。

雖然懂，但會因為這些小動作吃苦頭的，不是東乎瑠的軍人，而是砸了大錢卻繁殖失敗、背負重稅和負債的歐基人。對東乎瑠的軍人來說，繁殖飛鹿只是一種可能的副業，萬一成功，就能多賺點錢罷了。

但對於已經減少馴鹿數量，將未來寄託於繁殖飛鹿的歐基人來說，一旦失敗，就得落入貧苦深淵。

（但如果成功的話……）

腦中一浮現起東乎瑠士兵跨坐在飛鹿上的身影，凡恩就一陣反胃，表情變得苦澀。

他實在無法容忍這種狀況。

（真是左右為難啊。）

凡恩嘆了一口氣。

既然不管哪一邊都會帶來痛苦，那也只能選擇痛苦較少的一邊。奧克巴氏族大概也是這麼想，所以才會對歐基人的苦難視而不見吧。

但是痛苦的不只是歐基人。

看到飛鹿這可憐的樣子，難道那些奧克巴人都無動於衷嗎？奧克巴的男人們，過去也跟凡恩所屬的氏族一樣，是馳名四方的飛鹿騎士。

他們不可能無動於衷，心裡一定也很痛苦。

凡恩閉上眼睛。

眼皮底下浮現飛鹿的身影。高揚著角，如風疾馳的飛鹿，那自由不羈的姿態……

睜開眼，看著垂頭喪氣的飛鹿，凡恩告訴自己：

（我不能拋棄飛鹿。）

從前父親說過。不管話說得再好聽，我們終究是爲了自己而利用飛鹿。這一點絕對不能忘記。在人前唱著勇壯的歌曲自我鼓舞，但背過身，心裡卻滿懷對飛鹿的歉意——這就是飛鹿騎士的不堪。

父親嗜酒，但是個好人。他總是不斷在思考「對自己說謊」的意義。

（飛鹿一直受人利用。）

既然如此，該讓步的不是牠們，而是人類。

（不希望看到東乎瑠兵跨坐在你們身上，那只是我個人的痛苦。我是出於自己的意志離開故鄉，但你們卻是被強拉來這裡的。）

戰爭、服從、重稅、痛苦的人民、壓榨的國家。這些都是人類的問題。這些現象實在太複雜了，光是犧牲飛鹿，也不可能帶來絲毫變化。

想到這裡，凡恩搖擺不定的心漸漸變得踏實。

（如果有什麼是我能做的……）

那就是減輕眼前這每一種苦難——不管是飛鹿的，或者是這些居民的。

過冬準備大致結束的某一天，凡恩在長棍前端加上刀刃，做了一把長柄鎌刀，背上竹籠，進森林裡去找墨荷蕨。

南邊日照良好的森林裡有許多落葉樹，這些樹木已經痛快地把葉子甩得一乾二淨，林子裡看來開闊明亮。

在這片乾爽明亮當中，凡恩踩著落葉往前走，突然，幼年時的不安浮上心頭。

當時跟朋友一起進森林採墨荷蕨，一回神才發現，不小心跟朋友走散了，那種打從心底發涼的感覺……

如果大聲呼喊，應該會有誰聽到吧；可是又爲自己的膽小難爲情，所以硬要逞強——現在，心裡莫名湧上這種感覺。

可能是因爲身在陌生森林裡吧。

這座森林跟自己瞭若指掌的故鄉森林，有著不同的面貌。

儘管如此，透過搖曳的葉片不經意灑在臉上的細碎陽光，還有從落葉上竄出的塵埃氣味，全都一點一滴地滲進肌膚，提醒凡恩：我現在還活著。

是鳥兒的叫聲。拖著紅色尾巴的小鳥，尖細地高唱著秋天的歌。

眼前浮現妻子的身影。沐浴在細碎灑下的金色燦爛陽光裡，輕撫著筆直的白色樹幹，專心聽著小鳥輕囀、當時還很年輕的妻子，凡恩停下腳步，靜聽著那寂寞的歌聲。

那一天，妻子的臉頰帶著溫和而明亮的顏色。她還不知道自己的肚子裡已有新生命，也不知道將來有什麼樣的生活在等待，心中充滿開朗喜悅。

凡恩忘我地閉上眼，靜靜站在白光中。

那些人和日子，都已經成爲過去，留也留不住。

秋日的明亮光線，彷彿要把人曬成一片雪白。

草叢中突然傳來窸窣聲，凡恩立刻睜開眼。

那瞬間，正好跟鹿四目相對。

那頭鹿還很年輕。好奇地打量著這個侵入者，對上眼神後，牠又慌張地轉身跑走。聽著那踏在草叢間的聲響，凡恩不禁苦笑。

年輕的鹿眞是靜不下來——那股躁動眞令人羨慕。

凡恩重新背好肩上的竹籠，再度往前走。太陽下山就不容易找到墨荷蒺了，現在可沒時間發呆。

儘管是不熟悉的森林，只要能掌握日照的方向和森林的生長方式，大概就能判斷草木生長的地方。

墨荷蒺會依附著老樹、吸納雲霧，據說可以存活千年。看來還得再往北邊森林深處走。

凡恩順從著直覺繼續向前，鼻腔深處感覺到一種熟悉的味道，於是抬起頭來。

潮濕氤氳的樹林間，在重疊的樹枝後，隱約可以看到白色巨木的樹梢。那很有可能就是附生著墨荷蒺的老樹。

但距離那棵樹還有一段不小的距離。爲什麼在這裡就能感覺到墨荷蒺的味道呢？

（又來了……）

最近漸漸淡忘的感覺，好像又在鼻腔深處蠢蠢欲動，凡恩皺著眉頭。

不知道從什麼時候開始，一遇到刺激，就會喚醒那種極敏銳的嗅覺。

墨荷蒺熟悉的腥臭格外嗆鼻。

以前從沒有過這種感覺，但現在光是從這裡聞到那味道，就覺得心神不寧，這感覺很奇妙。

一方面覺得那味道極臭，一方面又很受吸引。就好像身體裡有兩種完全不同的生物在互相拉扯，叫人靜不下心來。

一想到接下來得走近老樹、割下墨荷蒺、放進籠中帶回家，凡恩就感到全身發毛，但又不得不做。

凡恩只好用右手摀住口鼻，用左手摩擦著起雞皮疙瘩的手臂，慢慢走近有墨荷蒺附生的老樹。

高聳老樹的樹枝垂下幾重淡黃色如毛髮般的東西。就像一位沒落衰老的貴族，身上襤褸破碎的薄衣就這樣從細瘦的手臂滑落。

過去從沒在意過的姿態，現在看來竟如此詭異。

想上前觸摸的衝動，和「開什麼玩笑，千萬別碰，現在趕快轉身離開這裡！」的衝動同時湧上心頭，他感覺腹部肌肉緊繃，雙腿開始顫抖。

對於這控制著他的莫名衝動，凡恩只感到強烈的違和感。他用力閉上眼睛，試圖調勻呼吸。他的心勉強壓制住混亂、波動的身體，想要它冷靜下來。等到衝動稍微平息後，一個想法突然如閃電般掠過腦中。

（就是這種感覺嗎？這就是飛鹿想避開墨荷蒺的感覺？）

就算如此，但他並不是飛鹿。

爲什麼不是飛鹿的自己會有這種感覺呢？

（我的身體，變成我不認識的東西了……）

一股恐懼從內心深處往外衝，凡恩只能緊咬牙關，從齒縫間深吸一口氣，靠意志力勉強將恐懼——我不認識的我——壓下。他睜開眼睛，彷彿故意挑釁般，直直盯著樹上的墨荷蒺。

（……我，就是我！）

對飛鹿騎士來說，眼前這些掛在樹上的墨荷蒺是有用的東西。家裡的人都等著他把它們割下、帶回去。

（站好！）

他痛斥自己一聲，就像嚥下一塊又硬又大的東西，讓恐懼和衝動慢慢撐開狹窄的喉嚨、往下掉……突然間，心情變得輕鬆了。

身體那股壓力消失後，冷汗瞬時冒出。凡恩深吸一口氣，重新拿好長柄鎌刀，開始割下墨荷蒺。

從小到大，這種差事不知做過多少次了，就算不動腦，手也會自然而然動起來。他埋頭揮刀，平常的他又回到身體裡——但是，體內還藏著另一個自己、不斷等待甦醒時刻來臨的那種感覺，卻遲遲沒有消失。

回到聚落時，太陽已經開始下山。凡恩還沒來得及喘息，便馬上開始著手改良飛鹿的柵欄。雖然墨荷蒺必須曬乾後，再撚成繩狀使用，但就連這道手續都讓凡恩覺得浪費時間——他想盡快讓飛鹿脫離束縛。一看到牠們被綁在木樁上，就覺得難以忍受、心浮氣躁。

奧馬他們沒有幫忙，只站在遠處靜觀著凡恩工作。

把墨荷蒺纏在柵欄的重要位置後，凡恩走進柵欄，左手拿著砍好的短木柴、右手拿著斧頭，朝著不斷揮舞著角威嚇的大公鹿走去，盯著牠們不安的表情。

凡恩用舌頭發出短促的聲音，斧頭一揮，砍斷繫在木樁上的繩子，飛鹿隨即跳起，用後腳站立、上半身抬得高高的，看起來就像想用鹿角一口氣砸向凡恩似的。

在一旁觀看的奧馬等人忍不住倒抽一口氣。就在這個瞬間，凡恩拿起短木柴，像是用根棒子撐住，「砰」地一聲由下往上抵住飛鹿下顎。

這時候，飛鹿伸長了身子，就像線突然繃斷一樣，轟然倒地。

奧馬等人還搞不清楚發生了什麼事。一陣騷動中，只見飛鹿抖了抖身體、腳在空中踩了幾下，便站了起來，甩甩頭。

接著，飛鹿好像突然發現自己自由了，開始奔跑，不過並沒有接近柵欄附近，只是在柵欄裡一圈又一圈地跑著。

直到公鹿穩定下來為止，凡恩都靜靜在一旁守護著。

等到公鹿不再奔跑，停下來開始吃草，凡恩再走向其他木樁，依相同順序一一解開飛鹿的束縛。

等到其他飛鹿都平靜下來，最後才走向已有身孕的野丫頭身邊，先彈舌安撫情緒高漲的牠，然後再靜靜解開木樁上的繩子。

重獲自由一定相當開心。

野丫頭先是像小鹿一樣上下跳躍，然後輕輕頂了凡恩的背，再用鼻尖摩擦他的腰際，接著才走向長有牠愛吃的青草之處。

草地上拉得老長的影子，已經覆上一層暗影。

凡恩走出柵欄，擦掉額上滴落的汗水。奧馬走過來對他說：

「還好吧？」

凡恩一邊擦汗，一邊點頭。

老實說，他已經累到全身筋骨都快散了，但與其說是工作本身的緣故，不如說是因為墨荷蒺的味道和接收飛鹿的不耐情緒。離開柵欄，一遠離飛鹿們，凡恩頓時放鬆下來，汗水不斷冒出。

在這只能模糊看見五官的昏暗光線下，凡恩卻能清楚看見奧馬眼底浮現的強烈情感。

「……奧司馬利，阿拿馬諾。」

感謝眾神。

奧馬口中說的是古老的感謝。雖然抑揚頓挫不盡相同，但是凡恩故鄉的人也有一樣感謝神明的話語。

他們打從心裡高興凡恩和悠娜能來到這裡。

凡恩感到一股宛如被溫暖毛毯裹住肩頭的安穩。

三　悠娜

凡恩帶來的孩子很快就融入這個家族。

家裡已經很久有沒有這麼小的孩子了，女人們都開心地幫忙照顧。

幸好這孩子個性不怕生，才沒過多久，已經能在多馬的母親季耶膝上玩耍，好像生來就習慣如此。

當多馬的祖母曼椏問起這孩子叫什麼名字時，凡恩不假思索地回答「悠娜」（香魚）。剛開始聽到別人叫自己的名字時，那孩子也只是傻楞楞的，不會應聲，一度還覺得這下可糟了；但漸漸的，她已經懂得用還不靈巧的舌頭叫自己悠娜。

因爲奇妙的因緣，凡恩救了這孩子；但每當這孩子看著他、露出滿臉笑容時，卻也讓他感受到一股平靜而深沉的喜悅。

能夠遇見躲在灶中的這孩子，眞的很幸運。每當晚上坐在爐邊、把悠娜抱在膝上時，他都會這麼想。

清晨開始的漫長狩獵終於結束，在日落後的泛藍天色裡回到帳篷後，全身都包圍在一種舒適的疲憊中。回到位於平緩山腳下的帳篷，漸漸讓他有種安詳的歸屬感。

凡恩在帳篷前停下雪橇、卸下貨車上的山豬肉，再扛上肩，喊了一聲，便掀開帳篷的布簾。正在爐邊玩耍的悠娜表情一亮，立刻站起來。

「歐蹌！歐蹌回來了！」

她正要跑過來，卻被多馬母親季耶鞣過的毛皮絆到腳，還來不及伸出手，便重重跌在地上，下一個瞬間，就是鋪天蓋地的淒厲哭聲。

「唉呀唉呀，你看這孩子。」

季耶連忙把她抱起來哄著，但她還是哭個不停。

凡恩苦笑，把肩上的肉放在帳篷邊緣較冷的地方，再從季耶手中接過悠娜，把她高高舉起。

悠娜瞪圓了眼，每次凡恩伸手把她舉高，她就會發出咯咯笑聲。

「還沒哭完馬上又笑了，還眞是閒不下來呢。」

在爐邊做女紅的曼椏笑著說。在她身邊撚繩的多馬也露出笑意。

「這隻山豬眞大，一定很重吧。」

奧馬拿著剁刀去切肉，帶了兩塊肉回來，坐在爐邊說道。

「大傢伙的足印還不少，但是小山豬的就很少見了。」

凡恩放下悠娜說道。

奧馬也點點頭：

「最近好像是這樣。我也這麼覺得。」

磨著獵刀的多馬抬起頭來。

「以前尤稽叔叔說過，可能是因爲黑兄弟（狼）變多的關係。」

「他說的應該沒錯。不過爲什麼突然增加這麼多呢？現在馴鹿和飛鹿的數量都少，勉強可以關在圍籬裡；不過等春天生了小鹿，可就連晚上睡覺的工夫都沒有了。」

凡恩接過多馬磨好的獵刀，放進爐火裡烤了烤，接著把凍硬的肉切成容易入口的大小。

他一邊切著肉，一邊問道：

「你們有『送別兄弟儀式』嗎？」

奧馬露出驚訝的表情。

「喔，土迦山地也有嗎？」

凡恩點點頭。

狼跟其他野獸不同。追本溯源，人跟狼都是由相同神靈所生，是和夥伴一起以狩獵爲生的野獸。

而且狼比人更親近神靈，是能夠跑到黃泉邊界，悄悄潛入深沉黑暗，令人畏懼的聖獸；所以人們必須敬畏牠們，絕對不能像那些遭天譴的農民一樣，輕率地喊牠們爲「狼」。

從前土迦山上曾有毛色黑亮的美麗黑狼，但後來因爲牠們帶來可怕的疾病而多半遭到撲殺，現在幾乎看不見了。

取而代之的是占地爲王的跋扈山犬。老人家說，土迦山地有種灰背狼，多虧了這種狼的存在，才稍稍抑制了山犬的增加。

當然，狼會襲擊飛鹿。這確實很令人頭痛，儘管如此，仍不能像撲殺獵物般殺害狼。必須用火光，或大聲告訴黑兄弟自己的困境來說服牠們，請牠們放棄。

在這般禮遇下，萬一兄弟過度繁殖、不肯聽勸時，人們才會下定決心，舉行儀式——這就是所謂的「送別兄弟儀式」。

奧馬盯著爐火，輕撫下巴。

「也對。兄弟增加這麼多，說不定該是時候考慮了。如果其他地方也是同樣的狀況，下個月的『氏族大會』上應該會提起這件事吧。」

話題由此轉移到鄰近氏族的大小事上。

等到聊得差不多了，屋裡開始飄出美味的香氣。

圍著爐火插在灰裡的，是切成小塊再刺成串的豬肉串燒，油脂一滴一滴落下，發出陣陣誘人香氣。

每當油脂滴在灰上、發出小小火光時，悠娜就會拍著手開心笑著。

多馬的母親季耶看著，笑說：

「爐神一定很開心。妳看祂呵呵吹著氣呢。」

「祂在說好吃嗎？」

「就是啊。爐神最喜歡山豬的油脂了。」

季耶掀開咕嚕咕嚕燒滾的鍋蓋，立刻冒出蒸氣，滿屋子都是燉得軟嫩的山豬肉和青菜香味。

「青菜也差不多快沒了。好好嘗嘗吧。」

季耶一邊替大家分盛，一邊說道。

這些青菜在冰雪之下成長，味道相當甘甜。季耶曾向住在河畔的農民買過好幾次他們種的青菜。但是接下來，雪會越積越深，農民大概也不會再來賣菜了。

往後只能靠秋天採集的果實，還有埋在雪下經得起久放的根莖類，一點一點省著吃。

豬肉燉得很軟，根本不需要咀嚼，入口即化，濃郁的香甜滿布舌尖。

季耶煮的山豬肉鍋好吃極了，但和凡恩熟悉的味道有些不同。

可能是因爲沒放山蔥吧。

妻子總是會在山豬肉鍋裡放山蔥。山蔥可以生吃，品嘗它辛辣的味道；也可以丟進山豬肉鍋慢慢熬煮，讓它吸滿油脂、變得甘甜。那種甜味和香氣，還有微微的辛辣眞是令人懷念。

還有用麵粉揉成麵糰、烤得香氣四溢的麭（麵包）。用麭沾著剩下的湯汁吃，不知道有多美味……

這邊天氣太冷，應該沒辦法種小麥吧。女人們只能用黑麥粉烤出酸味較強的麴。但奧馬他們還是吃得津津有味。

「以前可吃不到這些呢。」

奧馬百感交集地說。

「第一次看季耶烤麴，我嚇了一跳。怎麼會有這麼好吃的東西？」

季耶臉上掛著淡淡微笑，聽著丈夫說話。

奧馬接著又說：

「不論黑麥還是歐吉豆，在這種寒冷地方還能種得出來，眞的很了不起。我們很感謝東乎瑠的移住民把這些好東西帶來；但聽說南邊草原有很多人不高興。說是他們種這些東西會讓馬發狂，淨找麻煩，還有人會故意攻擊移住民。」

他輕輕嘆了口氣。

凡恩也聽說過這件事。

南邊的猶加塔平原原本住著培育火馬的人，自從受到東乎瑠統治後，這片平原開始有很多人來牧羊、闢地種植豆類和黑麥。

很久以前，曾有火馬吃了黑麥後相繼死亡，「火馬之民」在盛怒下燒光了移住民的村子，甚至發展成必須由東乎瑠軍出兵平定的亂事。

這次事件最後由東乎瑠軍處決動手放火的火馬之民作結，但自此之後，火馬之民就被逐出猶加塔平原，成爲失去故鄉的人。

「……那些養火馬的人，是不是不懂得麥子啊？」

看丈夫沒再說下去，季耶輕聲接口：

「黑麥很容易長毒穗的。」

黑麥確實會長有毒的穗。但「火馬之民」居住的阿卡法大平原也有阿卡法麥這種麥子，他們應該是吃這種麥子過活的

（難道阿卡法麥不會長毒穗嗎？）

或許吧。

都是你們把毒帶來的！火馬之民這麼對移住民怒吼。但是在歐基地方，大家卻很感謝移住民帶來美味的食物。

故鄉土迦的人又是怎麼想的呢？每當凡恩吃著黑色的麭，他都忍不住好奇。

「住的地方不同，生長的植物和野獸種類也都不一樣呢。」

奧馬喝著湯，說道。

「聽說東乎瑠人不喝奶。哪，妳之前說過吧？」

聽到丈夫這麼問，季耶露出溫婉的笑容。

「你本來還不相信呢。」

奧馬瞪大了眼睛。

「那當然啊！這個世界上竟然有不喝奶的人，誰會相信哪！他們養馬又養牛，爲什麼不喝呢？」

季耶苦笑著說明：

「正統東乎瑠人是清心教徒，他們覺得汙穢的東西不能入口。清心教認爲，人應該喝母奶；只要喝了動物的奶，就會變成動物。那些住在城裡的人跟南方的農民都信奉清心教。

「不過我們雖然算是東乎瑠人，其實也只是因爲那些人慢慢擴張領土，我們才會被東乎瑠人

統治。我們本來就不是清心教徒，自古以來就是靠馴鹿的奶長大的，像我們這種人應該還有不少吧。」

聽著他們這麼說，凡恩望向悠娜。對於還不識母親味道就來到這裡的悠娜來說，季耶做的菜，就會成爲她故鄉的味道吧。

悠娜也跟其他大人一樣，自己捧著碗，吃得津津有味，嘴邊油亮油亮的。

沒多久之前，她總是一口氣喝下熱湯，然後又哀叫著好燙好燙，弄得大家人仰馬翻；現在已經知道要先吹涼後，再一點一點喝。

看到悠娜噘起小嘴，呼呼地吹著氣，凡恩不覺笑了。

「不用再吹了，已經涼了吧。」

但悠娜堅定地搖搖頭。

「才咩有，還燙燙。」

最近這孩子常常頂嘴。已經到這年紀了啊。

這孩子現在幾歲了呢？凡恩有時會在心裡暗自計算。

他一邊回想養育自己和親戚們的孩子的事，一邊試著推測，但還是看不出正確的年紀。大概是一歲半，或快要兩歲左右吧。

來到這裡的一路上，她偶爾會因爲想念母親而哭。尤其是晚上，要哄她睡的時候常常會哭。但現在已經不會了，夜裡只要一鑽進凡恩懷裡，她馬上能安詳地睡著。

這孩子記得母親的臉嗎？一想到這裡，他不禁爲那個把孩子藏進灶中、用背護住灶口的年輕母親感到可憐。

等她再大一點、開始懂事後，應該告訴她眞相才是。不過凡恩知道的，其實並不多……

（不管怎麼樣，都一定要告訴妳，妳母親有多愛妳。）

看著認真喝著肉湯的悠娜，凡恩在心裡這樣告訴自己。

四　初夏的森林

漫長陰暗的冬天彷彿永無盡頭。突然之間，發現照在臉上的陽光顏色開始有些許不同，吹雪的間隔也越拉越長。白雪漸融，閃著露珠的枝椏上開始看見堅硬的新芽。

北地的春天就像孩子一樣。

從漫長的忍耐中解脫後，乍然開朗奔放。

被融雪沾濕的黑土上，長滿一整片綠草，五顏六色的鮮花綻放。森林裡的樹木也同時萌發新葉嫩芽、長出花苞。

如果說春天是個孩子，那初夏應該就是羞澀的少女了。

身上帶著清爽淡香的少女，不知不覺中開始散發出讓人心神蕩漾的濃烈嫩葉香。

隨著初夏的造訪，森林裡的野獸也開始在各處生產和育兒。

*

「……真的能找到嗎？」

多馬低聲問。

「可以。」

凡恩微笑著。接著說：

「牠生產的地方大概不會變。」

＊

春天來臨時，凡恩要奧馬他們把飛鹿放回森林。

奧馬對飛鹿還不夠熟悉，他很擔心一旦放走了，會不會再也找不回來；不過凡恩說服他們，把飛鹿放回森林才是最重要的一環。

飛鹿不像牛或馬，並不是適合圈養的動物。

這一點跟馴鹿很像，而且飛鹿比馴鹿更奔放，最討厭受到束縛。

他們不是圈養的家畜，是靠熟悉感建立關係的動物，這就是飼養飛鹿的祕訣。

飛鹿靠著在森林和山中移動而生。

鹿這種生物，在積雪較深的土地上，移動的距離可以遙遠到驚人的程度；不過可能因爲飛鹿吃的東西比其他鹿更雜更多，所以移動範圍並不廣。

在凡恩出生的土迦山地，氏族裡的男人們自幼就跟著父兄尋訪森林和山區，守護自己的飛鹿群，因此對於牠們什麼時候會在哪裡，完全瞭若指掌。

在野生狀態下成熟的飛鹿，跟人並不親近。

但如果一出生就習慣人的味道，並巧妙建立起彼此的關係，那麼這樣的牽絆一輩子都不會消失。

飛鹿跟其他鹿不同，一次會生兩胎。

離開母鹿馴養的，多半是較會吸乳汁、體型較大的小鹿。

直到現在，凡恩還清楚記得，父親在濃烈嗆人的綠葉味道中，一邊看著年輕母鹿生產，一邊如歌般輕柔地說著：

「……柔弱的孩子跟母親，強壯的孩子跟我走。」

不管是公鹿或母鹿，都可以訓練爲騎乘用。不過公鹿一到交配期就很難控制，所以得去勢才行；再加上如果把強壯的孩子全都帶走，下一代就會變弱，所以必須仔細觀察鹿群的狀態，再慎重決定要帶走幾隻小鹿。

公鹿的鹿角到了春天會脫落。但如果騎乘用的飛鹿是公的，一旦去勢後，不知爲什麼，角就不會掉落；同時體型也會有微妙的變化，肌力稍減。也可能不需要把精力花在交配上，所以持久力更佳、更順從，反而更容易騎乘。

凡恩告訴奧馬等人這些騎乘用飛鹿的馴養方式，沒想到他們沮喪地搖搖頭。

「怎麼養起來這麼麻煩呢？」

奧馬嘆了口氣。

「養馴鹿要輕鬆有用多了啊！」

這一點確實沒錯。

馴鹿不管是乳汁、毛皮，還是肉和骨頭都有用處，還可以騎乘旅行，又能拖運貨物。

飛鹿的奶也很好喝；數量太多的話，有時也會吃掉幾隻公鹿，不過對土迦山地的氏族來說，飛鹿不是生活的糧食，而是供騎乘之用的重要夥伴。

土迦山地比這裡更南邊，土壤肥沃，可以在山谷種植和麥子和地瓜。

森林茂密，狩獵時不愁找不到獵物，還能採到許多藥草，許多人都會翻過山頭，到那裡交易。

從意義上來說，歐基地方的人對馴鹿的仰賴，跟土迦山地的人對飛鹿的重視相當不同。

越來越了解後，奧馬他們看待飛鹿的眼光也不一樣了。

「也就是說，」

奧馬看著放出柵欄後、開心消失在森林中的飛鹿，苦笑了一下。

「東乎瑠那些傢伙完全不懂嘛。」

凡恩聽了，也笑著點點頭。

奧馬說得沒錯，東乎瑠高層就這樣抱著極大的誤解，進行繁殖飛鹿的工作。

他們可能覺得跟繁殖軍馬差不多吧，但飛鹿跟軍馬完全不一樣。

公鹿一旦到了繁殖期，就不太受人控制，所以騎乘用的馴化公鹿，必須趁年輕時就選出來去勢。想一邊繁殖一邊培養騎乘用的飛鹿，可得花上漫長的歲月呢。

「……有了你幫忙，要增加飛鹿的數量確實不難，但增加之後，就算把飛鹿交給東乎瑠的武人，他們也不知道如何駕馭啊。」

奧馬的眼中浮現擔憂。

當東乎瑠人發現到這一點之後，應該也會修正繁殖飛鹿可減稅的制度吧。

那一天是什麼時候？一年後，還是兩年後？在他們發現這件事之前，得用繁殖飛鹿省下的錢把馴鹿買回來才行，奧馬心裡開始盤算著。

雖然知道這是正確的判斷，奧馬還是忍不住擔心，到時候無用的飛鹿該怎麼辦？

另外，凡恩還暗地裡擔心一件事——一旦知道飛鹿只服從飼養牠們的人，東乎瑠會不會開始徵募歐基的年輕人做爲飛鹿騎士？

由邊境人民建立起的邊境防衛線，這確實很像東乎瑠軍人會有的想法。

但是凡恩還沒把這層顧慮告訴奧馬——說了只會讓奧馬煩惱。貧困和徵兵，該選擇哪一邊？

他一定會相當痛苦。在繁殖還沒成功的這個階段，他不想讓奧馬背負這種遠憂。應該還有其他方法，可以一邊考量馴鹿和飛鹿數量的比例，一邊維持家計。

（往後的事往後再說，眼前得先想辦法讓飛鹿平安把小鹿生下來。）

他必須讓懷孕的野丫頭在異鄉的森林中平安生下小鹿，今年秋天也得再讓牠和其他母鹿都懷孕才行。

如果成功，奧馬的盤算才能實現。

但是到了接近初夏時，又發現另一個同時飼養馴鹿和飛鹿的困難——讓馴鹿群移動到夏季牧地的時期，剛好跟飛鹿生產的時期重疊。

「去年沒有母鹿懷孕，所以用繩子綁著牠們，硬是牽走。」

奧馬說著。這種不符合飛鹿原本習性的生活，大概也是導致繁殖不順利的原因之一吧。

就算是這樣，在蚊蠅孳生的這個時期，也不能讓馴鹿繼續留在這個牧草稀少的冬季牧地。馴鹿雖然是雜食性動物，老鼠和蟲子都吃，但夏季還是得遷移到能讓海風能幫忙吹走蚊蠅的牧地去。

這幾天大家集思廣益討論的結果，多馬跟鄰近人家合作的提議獲得奧馬大力贊同，決定探詢奧馬的妻子——也就是季耶家的親戚等東乎瑠移住民的意願。

季耶的親戚們也因爲繁殖飛鹿吃了不少苦頭，所以之前聽季耶說有個擅長飼養飛鹿的男人住下時，就一直很想見他一面。

一聽到季耶的提議，不只她弟弟家，連其他親戚都很感興趣。

大家聚集在一起討論的結果，決定今年夏天由季耶的三位年輕侄子、多馬和凡恩一起留下來學習飼養飛鹿，其他人則帶著這兩家的馴鹿群遷移到夏季牧地。

季耶表示願意留下來幫忙照顧悠娜，凡恩聽了相當感謝。從相貌上看來，季耶的侄子們當然都是標準的東乎瑠人。一看到他們那種讀不出表情的平板臉孔，凡恩就會直覺聯想到曾在血腥戰場上對戰的敵兵，胸口忍不住湧現出一股厭惡。

未野、智陀、茂來這三位年輕人面對陌生男子時，好像也遲遲擺脫不了緊張，雖然每天一起進入森林，卻總是默默不說話，從來沒看他們笑過。

改變這尷尬關係的，是悠娜。

一天早上，凡恩正和年輕人們準備外出，悠娜突然衝進帳篷來。一抬頭，季耶的侄子們忍不住噗嗤一笑。

凡恩覺得奇怪，跟著抬起頭來，結果連他也不禁放聲大笑——因爲悠娜的表情實在太有趣了。

她奮力抱著有自己身體一半大的籠子，裡面裝滿了跟季耶一起摘回來的木莓和莫毬這種帶有光澤的紅色小果實。

這也就算了，但這孩子太貪心，一心想搬多一點、吃多一點。

她嘴裡塞滿莫毬，臉頰就像松鼠一樣鼓脹，連嘴巴都闔不起來。而且她連鼻孔也不放過，一邊鼻孔裡也塞了莫毬。

她痛苦得不斷翻白眼，凡恩和年輕人們全都笑得不支倒地，完全沒辦法幫她。

嘴巴閉不起來，當然也無法咀嚼吞下。大家笑著笑著，笑到喘不過氣來，最後是凡恩抓著悠娜的臉，用手指替她把果實掏出來，悠娜這才順暢地吐了口氣。

一吐氣，紅色果實順勢從鼻子裡「砰」地跳出來，凡恩和年輕人們再次笑到人仰馬翻。

「鼻要笑！」

悠娜邊哭邊生氣，但大家已經笑到淚流不止。

後來才回來的季耶，看到這個模樣，微微一笑。

季耶抱起悠娜說好了好了，別生氣了，替她擦掉眼淚，但悠娜還是氣了好一會兒。

不久之後，聽多馬提起：

「未野他們都很驚訝，原來凡恩也會那樣大笑。」

凡恩聽了嚇一跳。

「爲什麼驚訝？」

多馬苦笑道：

「爲什麼？因爲你的外表看起來很嚇人啊。我第一次看到你的時候，也擔心自己是不是會沒命。」

聽了多馬的話，凡恩這才發現：對了！原來未野他們是在怕我。

（我眞是遲鈍。）

因爲害怕，想要虛張聲勢，才會面無表情、沉默不語吧。

一想到這裡，心裡突然浮現以前鍛鍊的那些年輕戰士們的臉。大家不也都故意擺出無所畏懼的表情，安靜地保持沉默嗎？

東乎瑠年輕人的臉，竟然和故鄉年輕人的臉重疊在一起，他覺得很不可思議。時間會改變一切。

或許總有一天，帶著異鄉年輕人一起走在異鄉森林裡的這股異樣，也會漸漸消失吧。

隨著野丫頭的肚子越來越大，到了臨盆的時候，三個年輕人多話的程度開始不輸給多馬，頻頻向凡恩發問。

五　夏之光

「……停。」

聽到凡恩小聲這麼說，多馬立刻停下腳步，跟在背後的年輕人們也停了下來，緊張地看著凡恩。

凡恩微微彎腰，指著高大的魚鱗杉那邊、長滿苔蘚的岩石後方草叢。陽光透過葉隙灑下，在白色光線中，可以看到成群的蚊蠅。

岩石後方，有隻褐色耳朵一抽一抽地抖動，驅趕接近的蚊蟲。

「看到了嗎？」

多馬他們探頭看向草叢，終於訝異地瞪大了眼睛。

「……那是野丫頭？」

「對。應該快生了。」

野丫頭沉不住氣似的，在同一個地方轉圈、聞著地面的味道，一會兒躺，一會兒站。

「好好看著。」

凡恩輕聲說著，讓出位置給年輕人們。

野丫頭的雙腳間，開始露出黑色樹枝般的東西。

「……腳嗎？」

多馬小聲地問。

「是前腳，很快就出來了。」

頭部夾在黑色、潮濕的細瘦雙腳之間，就這樣一骨碌地跑出來……看著看著，滑溜的身體也已離開母體，落在草叢中。

「生了！」

其中一人興奮地發出笑聲。

大概是察覺到有人，野丫頭轉過頭來望向這裡，年輕人們連忙停下動作，凍僵似的。在眾人屏息注目下，野丫頭撐住身體，站起來，跟剛剛一樣開始倉皇轉圈；接著停了下來，又生下一頭小鹿。

牠轉向剛生下來的小鹿，舔舐起牠們潮濕的身體。

被媽媽仔細舔過的小鹿們，開始掙扎著想站起來。雖然才剛生下來，但已經懂得要走到母鹿的乳頭附近。

牠們用那看來隨時會折斷般的細瘦四肢拚命站著，身體搖搖擺擺地尋找乳汁。

「……加油。」

多馬小聲說道。

「加油……加油……再下面一點……」

年輕人們也緊握著拳頭輕聲加油。

先出生的小鹿鼻尖終於找到乳頭，開始吸吮。另一隻遲了幾步，幸好也順利吸到。

小鹿們忘我地吸吮出生以來第一次的奶水，野丫頭也憐愛地舔著牠們的耳朵。

「眞了不起。」

凡恩微笑著說。

「竟然能靠自己生下大鹿的孩子。」

這頭母鹿身體很健壯。如果是這傢伙的話，應該還能生下好幾頭健康的孩子。

看著剛完成生產這項大工程，卻一臉無事地舔著孩子的母鹿，凡恩覺得心底充滿了平靜的充實。

即使像這樣生下孩子，最後仍不免一死。這理所當然的生命循環就像透明的波浪一樣，在身體深處擴散開來。

鳥叫聲傳入耳中。風吹動樹梢，陽光灑在牠們身上，看起來就像舞動著的白色光點。

當陽光漸漸轉為夏天的炙熱，許多鳥兒也開始發出尖銳叫聲，從天際一劃而過。

這些候鳥在溫暖的南邊過冬，在北邊度過夏天。

追蹤著山豬的腳印走在湖畔，突然聽到彷彿輕亮鐘聲的叫聲，凡恩抬起眼。

滑過天際的鳥兒們，陸續降落在湖上。白色羽翼的背後有幾道紅線，拍起翅膀看上去就像火光竄過一樣。

（……是火打鴨嗎？）

在故鄉，那是秋天常見的候鳥。

據說火打鴨數量多的那年，森林裡會長滿飛鹿喜歡的阿蓆彌，所以看到這種鳥，就會莫名覺得心情開朗。

（在這裡，竟然這麼早就來了啊。）

大概是在初夏來到這裡，度過整個夏天，等到察覺到秋天的氣息後，再往南邊走吧。然後在前往南邊過冬的路上，來到凡恩的故鄉土迦山地稍作休息……

（我在這裡好好活著呢。）

他把這句話寄託在那小小的背上，希望能傳回故鄉的山河。

凡恩看著即將飛往故鄉的鳥，在心中暗自說道。

從初夏進入盛夏的森林中，小鹿們順利地成長著。

凡恩每天帶著年輕人們進入森林，一邊狩獵，一邊教他們關於飛鹿生活的點滴。

有一天，凡恩正在設陷阱，去查看飛鹿母子棲身草叢的多馬，竟大驚失色地回來，說小鹿們不見了。

「是不是被狐狸吃掉了？」

接著回來的侄子們也滿臉不安地說，野丫頭跟其他母鹿一起吃草，但到處都看不到小鹿們。

凡恩沒有停下手裡的動作，繼續裝設陷阱，等告一段落後才站起來。

「跟我來。」

他往前走，年輕人們也慌張地跟在後面。

來到飛鹿群向來喜歡聚集的林中草地，發現正如他們所說，野丫頭正吃著草，但小鹿們不在牠身邊。

凡恩觀察著飛鹿們分散的情況，來到不會帶給牠們威脅的下風處，坐在樹蔭下。

「你們也坐下。要等很久。」

年輕人們一臉狐疑地看著凡恩，不過還是乖乖坐下。

凡恩從懷裡拿出防蚊草分給大家。年輕人們也沒作聲，揉絞著草，把帶有草腥味的汁液塗在臉和脖子上。

狩獵和放牧都是需要耐心等待的工作。年輕人們已經習慣等待了。

過了好長一段時間，飛鹿們只是一邊移動，一邊吃草，有時候還會用後腳撐起身體，採食柔軟的嫩葉。不過這時候，野丫頭漸漸離開鹿群。

凡恩見狀，站了起來。

他示意年輕人們悄悄跟上，隔著一段距離，跟在野丫頭後面。

野丫頭穿梭在樹林間，慢慢接近一根倒在地上、長滿青苔的樹幹。

「……」

多馬倒抽了一口氣。

那根樹幹旁出現了小小的身影，正拚命想用蹣跚的步伐走近母鹿。接著，岩石後方又跑出另一隻。

小鹿們開心地鑽到母親肚子下，開始拚命吸著乳汁。

凡恩對茫然望著這副光景的年輕人們說：

「小鹿還不會吃草。但母鹿得吃足夠的草，才能分泌好的乳汁；所以才會像這樣把小鹿藏在樹幹或岩石後面。」

凡恩看了周圍一圈，又微笑著說：

「這個時期啊，到處都躲著小傢伙呢；只是都把氣息藏起來了。」

說著，凡恩收起笑容。

「這兩隻小鹿，你們想養哪一頭？」

多馬和侄子們面面相覷，猶豫了很久，未野終於開了口。

「……我的話，想養先出生的那一頭。」

凡恩看看其他三人。

「大家意見都一樣？」

多馬和茂來也點點頭，只有智陀囁嚅地說：

「我覺得晚出生的那隻應該會長得比較大。」

「為什麼這麼想？」

智陀的臉更紅了。

這個么兒個性內向，總覺得跟著哥哥們走比較輕鬆。脫口說出跟兄長們不同的意見，他自己可能也覺得不知所措吧，遲遲沒再說話。

凡恩安靜地等待。

終於，智陀開口，聲音有些沙啞：

「……因為，牠走得比較快。」

聽到他的回答，凡恩露出微笑。

「你看得很仔細嘛。」

凡恩指著小鹿們說：

「看看牠們張腳的方式。晚出生的那隻，兩腳之間比較窄對吧？這表示牠的腳不必張得太開，也能取得平衡，站得很穩。」

年輕人們盯著小鹿看了一會兒，然後接連點點頭。

「腳步不再搖晃，就是喝下去的奶水都化為身體養分的證據。有些身體發育比較差的傢伙，就算一天到晚巴著母親吸奶，也沒有吸吮到充分的乳汁。」

年輕人們認真地聽著。

「這兩隻小鹿的體格都算不錯。只要不被狐狸或狼盯上，先生下的那一頭也能長得不錯。但是背著大男人還能走得穩當的，是後面出生的那頭。那傢伙會是不錯的飛鹿。」

凡恩對年輕人們微笑著。

「要跟飛鹿建立感情，這個時期最重要。看準母子分開的時候去接近小鹿，慢慢讓牠習慣我們的味道。」

年輕人的眼裡閃著無法遏抑的亢奮，點點頭。尤其是智陀，整張臉都開心地綻放著光采。

一到夜裡，凡恩就會在爐邊有一搭沒一搭地對年輕人們說起有關飛鹿的各種傳說故事，還有他從經驗裡學會的騎乘祕訣。

看著在熊熊火光映照下的年輕人們，他突然有種感覺：假如兒子還活著，是不是也會帶著這種表情聽自己說話呢？

悠娜就坐在凡恩盤坐著的腿上。感受著她的重量和溫度，聽著她平靜的呼吸，讓他想起兒子輕易便殞落的生命。

悠娜也變重了許多，臉頰泛著紅光——兒子也曾有這樣的時日。

能夠活得長久的生命，跟無法長留這個世上的生命。這中間到底有什麼差別呢？

什麼錯都沒有的年幼兒子，生命的火光爲什麼那麼輕易就熄滅了呢？病魔爲什麼要挑上那孩子跟妻子？

每思及此，他就會對世上的不合理感到近乎窒息的憤怒。

只要想起兒子，就會出現的錐心痛楚和憤怒，或許到死也無法治癒吧。還有這種身體深處彷彿有個空洞般的空虛也是。

他打從心底疼愛悠娜。

但養育這孩子並不能療癒他的喪子之痛。

把多馬他們培養成飛鹿騎士，也並不表示能重拾過去的生命價值。

即便如此，現在的日子仍讓他感受到身處於透明秋陽下的寧靜安詳。

不知不覺中，寄居的感覺漸漸淡薄。凡恩隱約感覺到自己在這裡的生活逐漸扎根。

但是他的背後仍有道陰影。

就像是沐浴在陽光下的樹影，越是溫暖的日光，那冰冷的影子就越顯陰暗，永遠拖在身後，無限延伸。

六 樹隙的金色陽光

從初夏到盛夏，接著是秋天的來臨，北方森林的季節腳步很快。

當候鳥群開始掠過天空、樹林的葉子逐漸泛起金光時，公鹿們也開始磨著犄角前端，發出破笛般的奇怪叫聲吸引母鹿。

終於，大地開始降下秋霜，當奧馬他們帶著馴鹿回來時，年輕人們已把凡恩當成父親般敬愛，凡恩也捨不得跟他們分開。

但等到馴鹿回來，又得開始忙著準備過冬。

儘管不捨，季耶的侄子們還是得跟自己的家族回到聚落去。

這年秋天，有四頭飛鹿懷孕。

季耶的侄子們也捎來消息，說他們那裡有三頭懷孕了，大家都由衷感到高興。

到了徵稅人來訪的時期，凡恩會帶著悠娜整天待在森林裡。徵稅人看到飛鹿終於懷孕，心滿意足地離開，並沒有發現這個聚落裡多了兩個人。

今年順利獲得減稅，可以把這些錢挪來儲備過冬所需。再加上凡恩狩獵所得，能賣錢的毛皮也大幅增加。

今年季耶的侄子們表示願意去卡山，於是奧馬高興地把毛皮和肉乾交給他們，他們也換回了滿車的穀物和衣服。兩個聚落的人聚在一起，辦了場盛大的宴會，大家痛快吃喝了一頓。

季耶的親戚們回鄉後，奧馬很開心地抬頭看著凡恩。

「這些都多虧了你啊。」

奧馬拍著凡恩的肩，季耶腳邊的悠娜也跟著學舌：

「多多歸了你喔。」

她說著，還拍了拍凡恩的腳，大家都忍不住捧腹大笑。

去年準備過冬時，還懷抱著許多不安和煩惱，工作得很辛苦；不過今年卻能一邊工作一邊期待著明年春天，臉上也自然掛著笑意，閒聊著許多夏天的趣事。

後來，凡恩經常想起這一年。

悠娜跟著季耶一起進入森林、結果塞了滿嘴莫毬果實回來的那個初夏早晨；跟多馬還有侄子們共度的夏天；守護飛鹿們戀愛儀式的秋天；還有舉辦盛大宴會，與大家談天說笑的深秋長夜。

這一年，就像溫暖的燈火般，成爲一直在心底發光的回憶。

第二年的春天多雨，持續了一段令人鬱悶的日子。等到初夏時節，天氣開始放晴，懷孕的飛鹿也都平安產下健康的小鹿。

多馬已經習慣駕馭飛鹿，現在還能騎乘野丫頭去年生的小鹿，自由在森林裡來去呢。

季耶的侄子們捎來消息，說是小鹿已經生下，希望凡恩能過去幫忙馴養。所以凡恩去了智陀他們的聚落住了幾天，幫忙他們跟小鹿建立感情。

這一年出生的小鹿都長得很健壯。

剛開始，比起侄子們，小鹿更親近凡恩，讓侄子們有點不安；不過他們耐著性子慢慢培養感情後，小鹿也漸漸願意親近他們。

凡恩交代忙於與小鹿建立關係的男孩們，要是遇到什麼問題，再隨時叫他過去，接著便回到多馬家。

儘管會經過許多嘗試和失敗，但是靠著親身體驗，就能發現許多依賴別人幫忙時看不到的東西。凡恩相信，他們一定可以藉由這樣的過程提升自己的能力。

和前一年一樣，奧馬他們也跟季耶的親戚攜手合作，帶著馴鹿群到夏季牧地去，等到秋風一吹起，就很快回來了。

「黃金蜘蛛築的巢很高。看樣子這個冬天不好過啊。」

奧馬一回來就這麼說，開始準備秋天的祭品。

去年馴鹿的數量少，無法獻上祭品；不過今年生了許多小鹿，其中也有些身體比較瘦弱，所以奧馬打算連去年沒能獻祭的份一併奉上。

生病的小鹿不能用來獻祭，這樣對神明太不敬；不過如果挑選雖然健康但可能撐不過嚴冬的小鹿，不但可以減輕鹿群的負擔，也能增加冬天的糧食。

故鄉也一樣，每年都有獻祭。看到奧馬開始準備祭祀儀式，凡恩便離開聚落，進入林中。因爲他不忍心看到弱小的小鹿被犧牲。

此時凡恩也無心狩獵，便坐在聚落附近的窪地，看著顏色漸濃的落葉松，沐浴在明亮的光線下。

這附近跟老家後面的森林很像。大概是因爲這樣，每次只要來到這裡，就覺得心情很平靜。閉上眼睛，躺在這金色光線下，彷彿身處清淺水底般。

這水底彷彿和遠方相連，如果就這樣靜靜泅泳，似乎就能到達妻兒所在之處。

叮！彷彿被針刺了一下，悲哀的粒子漸漸在心底擴散。

凡恩正深深吸氣時，突然聽到了聲音。

「……歐蹌！」

他一驚，睜開眼睛，看見從樹林間衝過來的小小人影。

她的腳步還有些搖搖晃晃，但一路跑來，倒也沒被樹根絆倒。

不知不覺中，悠娜漸漸從嬰孩變成幼童。凡恩沒作聲，只是看著她的身影。

踩著枯葉飛奔過來的悠娜，一看到凡恩，就漾起滿臉笑容。

「歐蹌，找到了！」

他高高舉起撲進懷中的悠娜，跟悠娜鼻蹭鼻磨蹭著。

她的鼻尖跟小狗一樣冰涼。

「妳怎麼知道我在這裡？」

一問，悠娜便開心地笑著說：

「就是知道啊。因為我看到了嘛。我跟你說，爺爺奶奶說不可以摸馴鹿，所以悠娜來找歐蹌了。」

凡恩苦笑著。看來是季耶他們忙於準備獻祭而無暇搭理，悠娜覺得寂寞，所以才到這裡來。這孩子的直覺很準，有時就算凡恩身在從聚落看不見的地方，她也會像這樣跑來。冷靜想想，還真是不可思議，但大概也不是全無可能吧。

就像飛鹿的孩子可以找到遠方的母親一樣，或許這孩子跟自己之間，也有某種眼睛看不到的牽繫。

懷裡孩子的溫度，還有太陽的味道，全都在胸中慢慢擴散開來。凡恩心裡湧起一股憐愛，稍稍把懷抱收緊了些，悠娜也用她小小的手用力抱著。

眞想陪這孩子長大。有一天，她會長成少女、女人，接著成為母親。凡恩多希望能親眼看著這一切……腦中浮現的心思，讓他不覺一陣倉皇狼狽。

像是起了不該有的念頭，凡恩心慌不已。

獻上祭品後，今年仍留有足夠的馴鹿。

只要拿幾隻去賣，就能買回足夠的糧食。很久沒去舊王都旁的馴鹿市場了，在那裡說不定能見到熟悉的老面孔，也能探聽到現今的時局情勢。奧馬整理行裝時，心情始終顯得很好的樣子。

這次多馬也會跟著一起去。可能是因爲有多餘的馴鹿可賣，心裡興奮難耐，出門時，多馬的表情也散發著開朗的光采。

在秋日的透亮陽光中，悠娜用力揮手送別騎著馴鹿遠行的男人們。等到看不見他們時，又央著要凡恩抱、坐在他肩上，不斷揮手。

第四章　黑狼熱

一　御前狩獵

淡藍色天空中，飄著刷毛般的淡淡雲朵。

秋天的陽光明淨清澈，把草原上的大帳篷襯托得更加白亮。

微風吹起，大帳篷兩邊高高豎起的東乎瑠帝國蒼龍旗和阿卡法王的天馬旗緩緩隨風翻飛。

阿卡法王邀請東乎瑠王皤侯舉行的「御前鷹儀」，是需要事前詳細計畫準備的狩獵。十年前剛開始舉行時，原本是仕於阿卡法王家的鷹匠展現技巧的機會，後來再加上東乎瑠的鷹匠，演變為互相競技的場合。

放在場中的長型帳篷正面大大敞開，裡面的人都坐在野營用的椅子上，放鬆等待眼前草原上即將展開的馴鷹狩獵。

「……您可不能睡著喔。」

馬柯康在耳邊輕聲提醒，一臉睏倦的赫薩爾哼了一聲。

秋天的陽光輕柔照在他的頰邊。

「馴鷹狩獵總是要等很久。」

草原上可以看到四散的鷹匠。

綁著紅色頭帶的鷹匠代表阿卡法，藍色頭帶則是東乎瑠的鷹匠，雙方的老鷹各自靜靜地停在鷹匠的手背上。

偶爾，聽見乘風而來的狗吠，有些獵鷹會頓時擺好警戒姿態，不過大多都會安靜地集中精神，等待助手和獵犬開始追趕。

「不擅長等待的人，不適合當獵人。」

馬柯康說這句話時，阿卡法王家的執事安靜走來，在赫薩爾背後屈膝一禮。

「赫薩爾．悠格拉爾大人，恕小人冒昧，請您移駕到那裡享用輕食。」

刻意不說是誰邀請，是阿卡法的習慣，是阿卡法王對對方敬意的暗示。

赫薩爾點點頭，站了起來。

儘管內心可能覺得麻煩，但赫薩爾在身分較高的人面前，總是表現得冷靜沉著，也從來不曾露出在馬柯康等人面前那淘氣的一面。

赫薩爾的位子原本安排在阿卡法那邊的貴賓席，但坐在必須跟王公貴族面對面的位子，大概讓他覺得不自在吧，在輕食上桌前，他隨便找了個藉口，說是想從這個角度看看，便離開了座位。

走近主位時，與多瑠對著赫薩爾微笑，點點頭。赫薩爾也點頭回禮，跟著帶位者來到座位上。馬柯康就坐在赫薩爾背後的隨從椅上。

祭司醫呂那跟赫薩爾四目相對時，緩緩點了點頭。表情一如往常，寧靜如水。

每次見到他，馬柯康都忍不住想，祭司醫與其說是醫術師，更像是個事奉神的求道者。

但坐在末座的年輕弟子們似乎很在意赫薩爾，不斷投來好奇的視線。

看到他們的表情，馬柯康不禁想起赫薩爾以前曾經說過，年輕祭司醫裡，也有人對歐塔瓦爾的醫術極感興趣，希望有機會可以跟這些人輕鬆聊聊。

（原來如此，眞的有人感興趣。）

想到這裡，馬柯康又突然轉念，不，那些傢伙只是單純對「魔神之子」感到好奇吧，不覺在內心苦笑著。

長長的餐桌上已經擺好了輕食，不過阿卡法王和王幡侯正交頭接耳，不知在說著什麼，並沒有注意到食物。他們連赫薩爾走近都沒發現，一臉嚴肅地小聲交談著。

秋風一吹起，餐桌上香料酒的甜美香氣便淡淡飄散開來。

阿卡法王一族所坐的西側擺著拉帕帖（塞了核果的乾酪），和用拉逑（發酵乳）拌過的糖漬水果；而東乎瑠王幡侯一族所坐的那邊，則放著先炸得金黃，再灑上砂糖的炸餅等點心，完全沒有乳製食材。

赫薩爾一坐下，身旁的女性便微笑著招呼他吃拉帕帖。依照阿卡法方式梳整的頭髮，卻用東乎瑠風格的髮簪固定著。這位是嫁給與多瑠，同時也是阿卡法王的侄女——絲露米娜。

「謝謝您。」

赫薩爾殷勤回禮，從絲露米娜手中接過裝著拉帕帖的小盤，馬上取了一個放進口中，並隨即露出驚訝的表情。

「這味道眞罕見，非常濃醇。」

絲露米娜顯得很開心。

「是啊，這是用馴鹿奶的乾酪做成的『歐基拉普塔』（歐基出產的拉帕帖）。我很喜歡，每到上市的時候，我就會請奶媽去訂。」

馬柯康微微皺眉。

一聽到歐基這個地名，他就會想起那場風雪，和跌落山谷、下落不明的莎耶。春天來臨後，他想盡辦法去找過，但最後還是沒能找到莎耶和逃亡奴隸。

（這乾酪就是從那個盆地來的嗎？）

在那片北方大地，有一群逐馴鹿而生的人……

「原來用馴鹿奶做成的乾酪是這種味道啊？」

「是啊。味道不太一樣吧？歐塔瓦爾人不吃馴鹿乾酪嗎？」

「的確不吃呢。聖領比阿卡法更南邊，幾乎沒有來自歐基地方的商人。」

說著，赫薩爾稍微壓低了聲音：

「不過，與多瑠大人不討厭乳製品嗎？」

絲露米娜苦笑著說：

「我丈夫絕口不碰。他連看到我吃獸乳都會不高興，所以在他眼前我不會吃。不過……」

她眼中閃過一絲促狹的光芒，又補上一句。

「我會瞞著丈夫，跟兒子們一起吃。我兒子在丈夫面前也會裝出一副不敢吃拉帕帖的樣子，但其實他們愛極了。他們最喜歡口感柔和的馴鹿拉逑……大概是遺傳到我吧。」

赫薩爾呵呵笑了。

「那眞不錯。發酵乳對身體很好。還請您繼續瞞著與多瑠大人，多吃點吧。」

絲露米娜揚起眉，微笑點頭。

「阿卡法人眞的離不開拉帕帖和拉逑喔。不過這幾年都是用牛和羊奶做的，好像已經很少看到馴鹿奶做的拉帕帖了呢！我是因爲奶媽的親戚在馴鹿市場裡有認識的人，所以一到產季，他們就會替我留起來，要不然眞的很難買到。」

絲露米娜嘆了一口氣，繼續說：

「我兒子他們比較喜歡馴鹿奶，不過哥哥的孩子們都說牛奶做的拉帕帖比較好吃，不太吃馴鹿拉帕帖呢。」

聽著兩人的對話，馬柯康想起：這麼說來，好久沒吃歐基拉普塔了。

馬柯康自小吃慣的是用火馬奶做的拉帕帖，也不像絲露米娜那樣，沒有馴鹿奶做的歐基拉普塔就活不下去；但他也覺得，最近阿卡法的酒館裡，確實很少看見歐基拉普塔。

以前只要說到阿卡法的乳製品，多半都是用馴鹿或火馬奶做的。

但是從東乎瑠過來的移住民們，大多也會帶著牛羊一起搬到這個地方來，所以自從他們來了之後，阿卡法的市場上便充斥著用牛奶和羊奶做的食物，大家也漸漸偏好起這種能大量買到的便宜乳製品。

再加上近年來，比起馴鹿的飼養，東乎瑠軍更重視推動飼育飛鹿的政策，可能也因此造成馴鹿減少。

東乎瑠軍將西邊的穆可尼亞王國視為威脅，所以才想增加能在山地戰中發揮威力的飛鹿數量吧。

阿卡法王和王幡侯還在繼續暢談。

阿卡法人和東乎瑠人的容貌雖然完全不同，但他們兩人的體型卻異常相似——高大，卻不顯得鬆垮，兩位老人的體格都還相當結實。

（看來雙方都還是服役中的獵犬。）

馬柯康在心中暗想。

（大概還沒有意思要退位、交棒給兒子們。）

最近王幡侯致力於增強兵力。

背地裡有風聲說，東乎瑠帝國的皇帝似乎沒有那麼積極要向西擴張版圖，但相當注意接鄰的穆可尼亞王國動向的王幡侯，不斷向皇帝進言，除了守護國境，更應該展現國家的擴張力。

問題是皇帝並不支持西邊增兵一事。也許因為南境的戰事越來越激烈，使他無心顧及西邊吧。比起還沒發生的戰事，優先處理已經開火的戰爭也是理所當然的；不過站在王幡侯的立場，應該覺得很焦躁吧。

以前提到增兵的話題時，馬柯康曾問赫薩爾：

「但穆可尼亞王國眞的對這裡有野心嗎？」

赫薩爾回答道：

「野心應該是有的。」

赫薩爾看起來對這個問題並不怎麼關心。

「對穆可尼亞來說，阻礙他們東進的是土迦山地。那座山雖然不至於無法跨越，但如果要翻山越嶺的話，反而會讓兵馬感到疲憊；更何況軍糧和補給物資的運送也是個難題。如果能占領阿卡法，就能做為進攻東乎瑠的據點。」

「可是，土迦山地是個妨礙這一點，對東乎瑠來說也一樣吧？假如以那座山地為邊境，說好彼此不越界，對雙方來說不是更輕鬆嗎？」

聽他說完後，赫薩爾笑了。

「你眞是一個很沒有野心的男人耶。」

赫薩爾正色道：

「國與國之間的關係，掉以輕心的人總是比較不利。因為有土迦山地當屏障而放鬆懈怠的一方，註定會落敗。王幡侯和穆可尼亞王都深切了解這一點，所以只要這兩個大國在，阿卡法就永遠會是兵家必爭之地。」

這時，米拉兒一邊斟茶，一邊插嘴：

「以生物來說，吃掉對方的一方比較強……但不代表被吃的一方就會消失啊。」

赫薩爾彎起嘴角笑了。

「喔，來了來了，標準的歐塔瓦爾人思考。」

聽不懂兩人對話的馬柯康皺起眉。米拉兒把茶遞出去，接著說：

「歐塔瓦爾人認爲，這個世上沒有所謂的勝負。如果會被吞噬，那就漂亮地被吞噬吧。因爲被吃下的東西，會成爲吞噬者的身體。」

米拉兒說著，大概是覺得有些難爲情吧，苦笑了一下。

「我們有句古話，『爲諸國注入活水，替自己尋找生路』，幾百年來，我們都是這樣活過來的。」

看著微微晃動的茶水表面，馬柯康暗暗點頭。

那確實是歐塔瓦爾人的特質。就算王國這個軀體滅亡，也可以進入其他王國的身體，繼續存活。如果沒有足夠的才能和覺悟，很難接受這種生活方式，但歐塔瓦爾人就是如此強韌地活了下來。

米拉兒也在自己的茶杯裡倒了茶，低聲道：

「給別人留活路，就是給自己留活路；讓別人幸福，也能讓自己幸福。」

這句話聽來像是祈禱一樣。

狗叫聲逐漸接近。

那是獵犬的叫聲，牠們正巧妙地將獵物追趕到鷹匠等待之處。

站在草原中央、那綁著紅色頭帶的男人瞥了這裡一眼，輕輕點頭行禮。意思是狩獵就快開始，請別錯過。

帳篷中的氣氛頓時緊張起來，所有人臉上都浮現無言的期待和興奮。就連剛剛忙著聊天的阿卡法王和王幡侯也停下了交談，將視線投向草原。

「……馬扎伊大人看來眞冷靜。」

赫薩爾說。

「他每回出獵都會贏得褒揚和賞賜。他好像光靠狗的聲音和老鷹的氣息就能大概掌握獵物的位置呢。」

馴鷹狩獵是阿卡法貴族的嗜好，王族男子自幼就會學習馴鷹的方法。剛剛朝這裡打了暗號的馬扎伊是阿卡法王的侄子，也是王族中數一數二的高手。

他身邊站著兩位少年。一個是馬扎伊的長男伊撒姆，另一個是與多瑠的兒子緒利武。

就算從遠處看，也能看出緒利武這位纖瘦少年一臉鐵青的緊張模樣。馬柯康瞇起眼睛。

（……對了，緒利武少爺算是馬扎伊大人的外甥呢。）

與多瑠的妻子絲露米娜是馬扎伊的妹妹，所以站在那裡的兩位少年是表兄弟。

儘管知道這層關係，看到遭侵略國家的王族和侵略者的兒子並肩站著，還是覺得內心一陣激動。

緒利武尚未成人，並不是來參加競技的，不過是讓他站在手腕精湛的舅父身邊學習罷了。儘管如此，在父親和麾下武將眾目睽睽之下，與多瑠沒讓自己的兒子站在東乎瑠陣營，反而站在阿卡法那邊，讓馬柯康覺得實在可憎。

相較於和阿卡法王族暢快歡談的與多瑠，他的兄長迂多瑠則在頭上驕傲地纏著代表東乎瑠陣營的藍色頭帶，站在草原上。站在他臂上的鷹有著一身這一帶罕見的藍色羽毛。

去年的御前狩獵敗給馬扎伊，一定讓迂多瑠很不甘心吧。從帳篷裡望去，也可以感覺到他的氣勢。

狗叫聲越來越接近。

鷹匠們觀察著草原周圍灌木、樹林和草叢的樣子，如果有獵物出現，他們的姿勢也會隨之改變……這時，他們背後的草叢突然一陣騷動，黑色影子接二連三跳了出來。

有一瞬間，馬柯康還以爲是獵犬從那邊回來了。

王族們似乎也是一樣的想法，只是微微蹙眉，安靜地看著黑犬從背後走近鷹匠們。

就在他們眼見黑犬接近鷹匠後，依然沒有停下，反而一口氣撲上去時，剛剛那些微小的懷疑，頓時轉爲驚愕。

二 黑犬襲來

有人叫了一聲。

鷹匠們一邊護著獵鷹，一邊轉過頭，看到的卻是長得像狼的黑犬正朝他們撲去。大張的口中露出閃動著光芒的利牙，口水如細線般從嘴邊滴下。

最靠近黑犬的是東乎瑠的鷹匠，他手中的鷹受到驚嚇，一邊鳴叫，一邊向上騰飛。雖然他拚命護著喉嚨，卻還是被撲倒在地。

其他狗撲向迂多瑠，但不愧是身經百戰的武者，迂多瑠一點也不顯得慌張。他先讓獵鷹飛走，再從腰際拔出獵刀與狗對峙。

從觀眾席隱約可見馬扎伊把少年們護在身後，但他們的身影馬上就被犬隻包圍，完全看不見。

漾滿秋天和煦陽光的草原，瞬間變成人獸交疊纏鬥、處處哀聲四起的淒慘舞臺。

阿卡法王叫喚侄子的聲音和與多瑠呼喊兒子的聲音重疊。絲露米娜則淒厲地叫著：「緒利武！緒利武！」

他們起身打算離開帳篷，卻遭到禁衛兵阻止。阿卡法、東乎瑠雙方的士兵正準備衝出帳篷，要援救鷹匠和少年；但就在要衝出去的那一刻，又看到幾隻狗從草叢中跳出來，直朝著帳篷的方向過來，他們踏出去的腳步又突然煞住。

與多瑠揮著手怒吼：

「你們去救緒利武！這裡不要緊！我來守！」

阿卡法王也漲紅了臉大叫：

「快去幫馬扎伊！快！」

怒吼聲交錯中，馬柯康拔出短劍，讓赫薩爾躲在他身後。

黑犬們推倒椅子和餐桌，跳了過來。

盤子碎裂的聲音，交雜著吼叫與哀號。

還沒搞清楚狀況便逃進狹窄帳篷中的婦女們和保護她們的男人亂成一團，使得士兵們不敢隨意揮劍，卻讓黑犬有機可乘，趁隙撲向人群。

其中一頭撲向絲露米娜。

馬柯康探出身子，揮舞著短劍想趕走黑犬，沒想到被中間的椅子擋住，還差那麼一點。

情急之下，絲露米娜舉起手臂護住臉，手就這樣被狗咬住。

赫薩爾從背後抱住絲露米娜，把她和黑犬分開；同時，踢倒椅子的馬柯康，也用短劍砍向黑犬臉部。

黑犬以驚人的身手避開刀刃，不過刀好像輕輕從牠的鼻尖劃過。

馬柯康打算上前追擊那隻卻步後退的黑犬，才剛踏出一步，身後馬上傳來赫薩爾的聲音：

「後面！」

雖然看不見，但身體可以感覺到另一隻狗已逼近身後，馬柯康馬上反手拿好短劍，在身後一揮，往黑犬的臉部砍去。雖然沒有得手，不過牠後退了。

就在這時，黑犬們突然停下動作。好像聽到什麼似的，仔細豎起耳朵。接著，牠們露出還想繼續攻擊的眷戀表情，彷彿被看不見的線拉著走，以極其不自然的動作奔離帳篷。

黑犬們離開後，只見帳篷裡散落著碎裂的盤子和食物，顫抖害怕的女人們也都哭倒在地。

手腳被咬傷的男人們失了魂似的呆站著，按住被咬的傷口。

赫薩爾拿起掉在地上的酒壺，搖了搖，確認裡面還有酒，便抓住絲露米娜顫抖的手，一邊擠壓她的傷口，一邊開始用酒清洗。

赫薩爾仔細洗著絲露米娜的傷口，同時也問馬柯康：

「……你被咬了嗎？」

馬柯康粗聲喘氣，轉頭看著赫薩爾。

「什麼？」

「我問你是不是被咬了？」

馬柯康「啊」了一聲，低頭看看自己的手。短劍和拿著劍的手上都沾著血，但並不覺得痛。

「不，沒有被咬。」

「確定沒有？」

「對。」

赫薩爾安心地吐了口氣。

「就這樣不要動，什麼也別碰。」

說完後，赫薩爾轉向茫然失措的眾人，大聲詢問：

「被咬的人請舉手！」

手三三兩兩地舉起。有男人代替身邊癱坐在地的東乎瑠婦女舉了手。阿卡法王、王幡侯和與多瑠似乎平安無事，另外還有幾個人舉了手。

呂那直盯著赫薩爾。

「我認爲應該清洗傷口。」

赫薩爾點點頭。

「我也有同感。總之，請先把傷口裡的血盡量擠出來。」

呂那點點頭，沉穩地開始指示弟子們。

赫薩爾面對著大家說：

「沒被咬的人，請幫忙把酒壺撿起來、把酒收集到這邊！」

此外，他也對帳篷旁的隨從們說：

「你們分頭盡量去多找點水來！水也好，酒也好，整桶拿過來！如果有肥皂也拿過來！快點！」

隨從們立刻飛奔出去，眾人彷彿終於回神般，開始有了動作。呂那和弟子們已趕到傷者身邊，替他們處理傷口。

與多瑠鐵青著臉，衝到妻子身邊。

「被咬了嗎？」

正在清洗傷口的絲露米娜點點頭。全身輕顫。

「……我不要緊。可是，親愛的，緒利武呢？」

與多瑠抓住憂心望向帳外的妻子肩膀，安慰她：

「我去看看，妳待在這裡別動。」

才說完，與多瑠便衝向帳外。

「我也想幫忙。」

聽到馬柯康的聲音，正彎腰忙於治療的赫薩爾頭也沒回地大聲喝斥：

「不准動！你手上沾滿黑犬的血！千萬不准碰到嘴巴或傷口！」

在隨從們的幫忙下，赫薩爾用酒清洗遭黑犬咬傷者的傷口。他不厭其煩地洗了很久，等水送來後，再用水洗一遍。

大家的傷口都不深，但有些女人還驚魂未定，不斷發出慘叫般的聲音哭著，這種躁動狀態持續了很長一段時間。

阿卡法王和王幡侯很快收拾起驚慌的心情，隨即各自指示士兵們確認受傷狀況、採取因應措施。

「赫薩爾大人！」

阿卡法王叫著赫薩爾。

「其他人也能幫忙清洗傷口。請您來看看外面這些人吧。」

赫薩爾點點頭，跑到帳外。

那天被黑犬咬傷的人之中，也包括了馬扎伊和他的長子伊撒姆，還有迂多瑠和緒利武。

＊

發生騷動的隔天早上，赫薩爾造訪王幡侯的居城，檢查迂多瑠的傷勢。

他還得檢查所有被咬傷的人的狀態，所以隨便吃了早餐，便離開醫院。

王幡侯似乎苦候著赫薩爾到來。當赫薩爾把來意告訴城門守衛後，馬上就被帶進後面的會客廳。

侍奧的人一邊回報赫薩爾來訪的消息，一邊打開約有兩個人高的大拉門，屋裡的人同時抬起頭看向赫薩爾。

「喔喔，等你很久了，快過來。」

王幡侯招招手，赫薩爾走近迂多瑠所坐的上座，原本在替迂多瑠把脈的呂那走到一旁，把位子空出來。

「方便嗎？」

赫薩爾輕聲問，呂那帶著平靜的表情，只答了聲「嗯」。

「那我就冒犯了。」

赫薩爾屈膝一禮，舉起迂多瑠的手臂。

迂多瑠被咬的是手臂，傷口並不深；拿開覆蓋在上面的布，發現傷口並沒有什麼腫脹。

「這傷口不需要勞駕您特地來看。」

迂多瑠很快放下袖子，一臉不高興，又說：

「這種小傷，根本連傷口都算不上。」

僕人們用托盤端上熱茶，放在赫薩爾面前。

「先喝口茶吧。」

王幡侯先招呼赫薩爾喝茶，又問：

「昨天沒能好好請教，您好像說過，有種藥可以防狂犬病，是嗎？」

赫薩爾點點頭，看了呂那一眼。

「是的。爲了以防萬一，我建議注射『弱毒藥』。這種藥可以減輕狂犬病的病素之毒，幫助身體抵禦病素。」

「吃了那種弱毒藥，就可以避免染上狂犬病？」

王幡侯問。赫薩爾卻搖搖頭：

「不是用吃的，要用針把藥注射到身體裡。每隔幾天注射一次，總共得注射好幾次。」

一聽到要用針扎，王幡侯便皺起眉來。

在一旁撫著手臂的迂多瑠，也低聲說：

「我可不會讓人扎我的手臂。」

那瞪著赫薩爾的眼底閃著無法隱藏的不信任。

「就算是弱毒，毒畢竟還是毒。」

赫薩爾欲言又止，過了一會兒才慢慢開口：

「簡單說來是這樣沒錯。這是一種新的治療法，所以過去嘗試過的病例還很少，我不敢說完全沒有危險。但您也知道，狂犬病一旦發作，就無藥可救了，一定會送命。我想出的這個方法，目前已經讓大約十二個人免於發作。」

迂多瑠哼了一聲，正想說話，咳了咳，想清掉積在喉嚨裡的痰，接著拿起眼前的茶杯，喝了口茶。

他略帶沙啞地說：

「沒有發作，也可能是根本沒染病啊。」

「不。咬了那些人的狗，全都死於狂犬病。」

迂多瑠撇撇嘴，又搖搖頭。

「你是異教徒，所以大概不知道吧，忠實遵守上天教誨生活的人，就算被狗咬，也不會得什麼狂犬病的。因爲狂犬病是被野獸靈魂那種穢物沾染的人才會得的病。

「喝獸乳那種東西的人應該比較有機會得吧？但是在東乎瑠，人人都知道，這種病只有過著親近野獸生活的邊境民或下層階級才會得。對吧，呂那師？」

呂那抬起頭。

「確實有這種說法。但忠實遵守上天教誨並不容易，因此即使是貴族，也並非完全不可能罹患狂犬病。」

迂多瑠皺著眉，似乎不太高興。

「你這話是什麼意思？我們不喝獸乳、謹言愼行，怎麼可能沾染穢物！」

呂那面不改色，淡淡地回答：

「就算沒發現，有時也會沾染到穢物；也有可能是得病之後，才發現沾染了穢物的。」

迂多瑠眼裡浮現不耐。

「你這傢伙到底想說什麼？你是不是暗地裡鼓吹這個異教徒注射毒物？」

呂那搖搖頭。

「沒有。」

但呂那眼中卻散發出強烈的光芒。

「因爲貪生怕死，而將獸血注入人身、玷汙自己的身體，是明顯悖逆天道的行爲。」

赫薩爾驚訝地盯著呂那。他第一次聽到呂那說話如此尖銳。

呂那沒有轉向赫薩爾，只是直直盯著迂多瑠。

「狂犬病是不治之症，所以發病乃是天命；能領悟到這一點，則是人道。」

迂多瑠自討沒趣地緊抿著嘴。

赫薩爾安靜地聽著他們的對話。不久，盯著迂多瑠的呂那開口說道：

「我只是告知可能性。要怎麼想、採取什麼行動，都是您自己的選擇。」

王幡侯猶豫不決地看著長子和赫薩爾，迂多瑠輕摸著掛在脖子上的清心牌，微微點頭。
看到這兩人的舉動，赫薩爾雖然忍不住微蹙起眉，但他還是低下頭說：
「那就聽憑兩位的判斷。」
接著他抬起頭，看著王幡侯。
「另外還有一件令我擔心的事，方便說嗎？」
王幡侯收起剛剛的表情，正色面對赫薩爾——大概已經猜到對方要說什麼了，他低聲簡短地回應。
「是黑狼熱嗎？」
「是的。之前有過鹽礦那件事。就算只是杞人憂天，既然已被山犬咬過，還是得提防這一點。」
迂多瑠的表情沒有改變。但是他的下巴附近顯得有些緊繃。
王幡侯細長的眼中浮現銳利光芒，凝視著赫薩爾。
「你說『提防』，具體來說，你覺得該做些什麼呢？」
赫薩爾冷靜地回答：
「現在該做的有兩件事。一是對付帶有病素的山犬，一是醫治可能已經罹患黑狼熱的病患。
「之前曾向您秉報過，要對付山犬，並不是找到殺掉就好。如果眞是黑狼熱，牠們身上的蜱蟎和跳蚤也會跑到人身上，因此必須擬好對策、愼重執行。」
王幡侯點點頭。
「這一點我了解了。上次鹽礦那件事，歐塔瓦爾聖領也給了許多建議，這次是不是照上回的方法去做就好？」

「是的。請務必這麼做。」

「嗯。還有，我也跟呂那師談過了，黑狼熱是這個地方特有的病，我們對此一無所知，很需要熟知這種病的你幫忙。萬一那些狗眞的得了黑狼熱，你手上有能治療的藥嗎？」

王幡侯額頭泛白，眼底浮現出藏不住的不安。

「很遺憾，我現在無法告訴您已有藥可治。」

赫薩爾看著王幡侯。

「但是多虧了鹽礦事件，我們已取得了黑狼熱的病素。創藥部門有許多熟練的製藥師，正傾全力用這些病素製藥。

「製藥師分成三組，一組在嘗試製作類似狂犬病『弱毒藥』的藥劑，也就是利用毒性減弱的黑狼熱病素，賦予人體足以抵抗該病素力量的藥。

「另一組是利用地衣類等有能力可抑制病素活動的材料，製作『抗病素藥』。

「還有第三組，是利用感染者的身體所製造出來與疾病抵抗的成分，嘗試精製出『血漿體藥』。

「『血漿體藥』的量很少，萬一出現大量感染者，可能會不夠用。不過總之，如果能巧妙運用這三種藥，可望發揮不小的效果。

「現在已陸續開發出幾種可能有效的藥，不過藥物的開發非常花時間，而且所謂『可能有效的藥』，也只是對老鼠有效，還不曾用在眞正的患者身上。」

屋裡一片鴉雀無聲，沒有人發出半點聲音。

迂多瑠看似平靜，但在王幡侯左邊靜候的與多瑠，卻很明顯鐵青了臉。

與多瑠慢慢伸出手，抹了抹臉。

「那……你的意思是，現在還無藥可救？」

赫薩爾看著與多瑠，平靜地說：

「疾病是種很不可思議的東西，同樣的病素進入身體，有些人會死，也有人不會死。

「據說，被羅患黑狼熱的黑狼所咬傷的歐塔瓦爾人，多半都會發病而死；但不知道爲什麼，住在阿卡法、歐基、土迦山地等邊境地區的人並不會發病，而能存活下來。從被咬傷到發病的時間非常短，所以幾乎就像狂犬病一樣，一旦被咬，就應該馬上將『弱毒藥』投入體內。這麼一來，就有可能像從前的阿卡法人一樣，即使被羅患黑狼熱的狗咬傷，也不至於發作。」

與多瑠的眼睛乍然一亮。

「對了，『缺角凡恩』也在鹽礦事件裡活下來了。他就是土迦山地民！」

迂多瑠哼了一聲，不懷好意地笑著。

「那些傢伙本來就跟野獸很親近，所以連野獸的毒也不覺得毒了吧？恭喜你，不用擔心你老婆啦。」

與多瑠僵著臉，什麼也沒說，也沒看著兄長。

王幡侯對長子投以嚴厲的目光。迂多瑠挑挑眉，做了個深呼吸，咳了兩三口後，閉上嘴。

「……恕我冒昧。」

赫薩爾對迂多瑠說。

「您從剛剛開始就頻頻咳嗽，能讓我看看您的喉嚨嗎？」

迂多瑠一臉嫌惡，揮揮手：

「只是小感冒，用不著大驚小怪。」

赫薩爾盯著迂多瑠，說：

「狂犬病也好，黑狼熱也好，剛開始症狀都跟感冒很像。如果是狂犬病，除非被咬到喉嚨或靠近頭的部位，否則不會這麼快發病。不過我剛剛也說過，黑狼熱的潛伏期遠比狂犬病短。請不要以為是感冒就掉以輕心，萬一發現有發疹的情況，請立刻通知我。」

迂多瑠冷哼一聲。

「通知你又能怎麼樣？你不是束手無策嗎？」

忽然，「啪！」地一聲，響亮的聲音讓房裡所有人不禁陡然挺直背脊。一掌拍著大腿的王幡侯瞪著長子，語氣嚴厲地怒吼：

「迂多瑠，注意你的態度！我不會再說第二遍！」

迂多瑠臉色一變。浮現著傲慢冷笑的眼睛裡，瞬間露出些許畏懼，又瞬間消失。

「……是。」

迂多瑠向父親低下頭，接著用他的大眼睛盯著赫薩爾。

「剛剛說話太輕浮了，抱歉。」

「我剛剛說話也稍欠考慮，請您多包涵。」

赫薩爾搖搖頭。

說著，赫薩爾轉向王幡侯。

「我衷心祈禱迂多瑠大人不會發病。不過黑狼熱是會傳染的。萬一有人發病，除了這些人的治療，更需要早日採取對策以防止疾病擴散。此事非同小可，我不得不先設想最糟的狀況，請您見諒。」

王幡侯點點頭。

「阻止黑狼熱蔓延比什麼都重要。這事都聽你發落，有什麼該做的，儘管說。」

赫薩爾這才放下心來，低下頭。

「謝謝大人。」

「不過……」

王幡侯那對隱含著光芒的雙眼緊盯著赫薩爾不放，接著又說：

「有些事不得不慎重再三。不管要做什麼處置，都先讓我知道之後再動手。」

赫薩爾承受著王幡侯的視線，點點頭。

「遵命。」

三 兩種醫術

赫薩爾和馬柯康離開王幡侯的會客廳，正走在走廊上時，背後傳來開門聲，與多瑠小跑步追了上來。

與多瑠來到赫薩爾身邊，小聲地問：

「關於你剛剛說狂犬病『弱毒藥』的事。」

「是。」

「萬一羅患了黑狼熱，注射這種藥會給身體帶來毒害嗎？」

赫薩爾搖搖頭。

「我想不會。這種『弱毒藥』可以讓身體裡的士兵記住敵人的臉，賦予這些士兵只對這種敵人進行攻擊的力量。」

與多瑠皺起眉。

「你是說，身體裡有類似士兵的東西？」

赫薩爾露出微笑：

「當然這只是一種比喻。並不是真有長得像人的士兵在體內。不過就功能上來說，我們的身體裡確實有著像守城士兵一樣、保護我們的東西。最簡單的例子……對了，例如割傷，如果是骯髒的傷口，不是會化膿嗎？」

「對。」

「我們身體裡那些眼睛看不見的小士兵，吃掉進入傷口的病毒後所戰死的屍骸，就是膿。」

「士兵們跟病素同歸於盡，死後化成了膿；不過如果身體裡的士兵較多、較強，那麼傷口就會結痂，然後脫落，又長出嶄新光滑的皮膚，進而痊癒。」

與多瑠瞪大了眼。

「啊……所以，所謂的『痊癒』，等於你所說身體裡的那些士兵，跟病素作戰後獲勝。」

「沒錯，就是這樣。」

赫薩爾大大地點點頭，繼續解釋。

「這些士兵並不只有一種。就像守城的士兵們，也會分成監視兵、弓箭兵、工兵一樣，我們身體裡也有肩負各種不同職責的士兵。

「另外，不一定一看到病素的樣子，就能馬上分辨到底是不是毒。

「我們對於初次見面的人，有時也難以辨別敵我吧？所以，這些第一次進入身體的病素正是爲了告訴士兵：這些人就是敵軍！要士兵們拿起能對付敵人的武器，奮力作戰。」

與多瑠點點頭。

「原來如此，所以『弱毒化』就是痛打敵人一頓，讓他無力反抗，然後讓士兵認識敵人，對吧？」

「沒錯。」

赫薩爾眼睛一亮，點點頭。

「自古以來就有『病過一次就不會再病第二次』的說法，揭開這其中道理，想出事先將『弱毒藥』注射到體內這種手法的，就是我祖父利姆艾爾。」

與多瑠揚起眉。

「是利姆艾爾大人……」

「沒錯。」

赫薩爾彎起嘴角笑了。

「最後製成能實際注射進人體的藥的，就是我。」

他的笑容馬上轉變爲羞澀的苦笑。

「總之，治療方法大概就是這種機制，士兵們只會攻擊他們認識的病毒。但這畢竟是將在體外製造的東西注入身體裡，好準備作戰，所以對身體來說，是相當大的負擔。」

與多瑠眨了眨眼。

「就算是這樣，假如是狂犬病，注射後還是很有可能保住一命吧？這樣的話，請您務必替絲露米娜還有緒利武注射。」

赫薩爾並沒有馬上回答，只是盯著與多瑠雙眼。

「對身體帶來的負擔很難預測，反應也會因人而異，也有可能出現預期以外的激烈反應。這時，有可能使得腦部留下嚴重障礙。」

看到與多瑠的畏懼，赫薩爾繼續往下說。

「這些可能性當然並不高。目前爲止注射過的十二人裡，都沒有出現這種狀況。但畢竟實驗過的數量實在太少，不能說全無危險。」

與多瑠緊繃著臉，凝視著赫薩爾。

「可是，如果沒有注射，萬一狂犬病發作的話，就沒救了對吧？」

「我向來不想說『絕對』這兩個字；不過很遺憾，確實如此。現在的我還想不出因應的方法。」

與多瑠吐了一口氣，甩甩頭，眼神篤定。

「那就請你注射吧。就算身有殘疾也無所謂，能保住一命最重要。」

赫薩爾定定看著與多瑠。

「您願意讓狗的病素製成的藥，注射進緒利武少爺的身體裡？」

「……對。」

與多瑠表情扭曲。看見他眼神閃爍的樣子，赫薩爾不覺沉下了臉。

（如此理智的男人，也害怕野獸病素會玷汙身體嗎……）

假如連與多瑠都覺得猶豫，那麼要替其他東乎瑠人接種，更是難上加難吧。

與多瑠吐出哽在胸口的那口氣，臉上掛著苦笑。

「神明應該知道，這不是我妻兒自願，而是我的請求吧。他們身體的玷汙之罪由我來承擔。請您注射吧。」

「好的。那麼，今天下午我就會做好準備，到您的居城來。」

說到這裡，赫薩爾臉上的表情稍微柔和了些：

「如果我站在您的立場，應該也會下同樣的判斷。」

與多瑠似乎也接收到赫薩爾的言外之意，表情放鬆了些。

接著，他像是突然想起什麼，對赫薩爾提問：

「您剛剛說，這種方法也有可能運用在黑狼熱上是嗎？」

赫薩爾雙眼閃著光輝，用力點點頭。

「沒錯。如果採用同樣的方法，可以大幅提高獲救的機率。

「除了在被咬傷的人身上注射外，假如有辦法製造藥物，事先幫很有可能接觸到山犬的人注射，就會是預防黑狼熱大流行的最有效方法。」

與多瑠揚起眉。

「沒被咬的人也要注射？」

「對。也就是讓東乎瑠人跟阿卡法的人一樣，變得不容易罹病。」

「喔喔……」

與多瑠眼中浮現明亮的光采。

「原來如此，那的確是最好的方法。如果這麼做，就不需要害怕什麼黑狼熱了。」

赫薩爾微微露出苦笑。

「現在我們拚命在推動『弱毒藥』的製造，不過要讓這種藥能打進人體相當困難，並非一朝一夕能夠實現；就算真的開發出來，在某些人身上也可能出現激烈的副作用。必須要花很長的時間，不斷在錯誤中謹慎嘗試。」

與多瑠重重吐了一口氣。

「原來如此。看來沒那麼簡單……不過也不能坐以待斃。」

「總之得先治療那些被咬傷的人。一切勞煩您了。」

「沒錯。」

「當然，我會盡全力的。」

赫薩爾點點頭，與多瑠也對他低下頭。

與多瑠轉過身，正要走向會客廳時，廳門拉開，呂那從裡面走了出來。

與多瑠的表情顯得有些尷尬，但呂那還是跟平常一樣，面不改色。

呂那輕輕點了頭，正要從與多瑠身邊走過，赫薩爾忍不住叫住他。

「呂那師。」

呂那停下腳步。

看著沉默等待自己下一句話的呂那，有那麼一瞬間，赫薩爾後悔為什麼要叫住對方。要是問了不該問的事，可能會破壞兩人之間的平衡。但他又覺得，要問只能趁現在。

「或許是我的認識太淺薄，我原本以為，在清心教醫術中，只有已經無藥可救時，才會放棄治療病患、將一切交付給神。」

呂那微微瞇起眼，但並沒有點頭表示同意，只是安靜聽著。

「狂犬病是有辦法預防發病的。即使如此，您還是不認同應該對人施行醫療、拯救人命嗎？」

呂那依然保持沉默。

原以為他大概不打算回答，就在這時，呂那的嘴動了。

「是的，我不認同。」

赫薩爾皺著眉，等著他下一句話。

不過過了很久，呂那才再次開口。

「神創造了這個世界，並以我們眼前所見的形態呈現。人是人、狗是狗、蟲是蟲，不同的姿態有不同的生活方式，其中一定有非如此不可的意義。

「如果跨越這條界線，就會出現神並未規範到的混沌。那是人所不可為的。」

赫薩爾微張著嘴，直盯著呂那。

（原來如此……原來他是這麼想的。）

但比起這些事，人命應該更重要，不是嗎？

赫薩爾語氣嚴厲地質問：

「所以就算是能救活的人，一樣要見死不救？身爲醫術師，您覺得不該救那些救得活的生命嗎？」

呂那表情完全沒變，平靜地回答：

「我們想救的，並不是生命。」

「……什麼？」

「我們想救的，是靈魂。」

呂那像是絲毫不打算與赫薩爾爭辯，以平淡的口吻說著：

「所有生命都終將一死。重要的不是時間長短，是如何活出這段被賦予的生命。與其以汙穢之身長存苟活，我等祭司醫更願盡綿薄之力，讓人們能安詳地保全潔淨清明的生命。」

赫薩爾茫然看著呂那。

他有種天搖地動的幻覺。

——祭司醫眞是不可理喻。

祖父利姆艾爾這句口頭禪的意思，他現在終於能體會了。

簡直就像想伸手撐住天空一樣。如果無法找到雙方的交集，根本找不到能支撐的地方。

赫薩爾和祭司醫打交道已有很長一段時間，經歷過許多麻煩事。但那些都是跟力圖保護自己權威的祭司醫之間產生的政治摩擦，完全沒機會討論彼此對治療的觀點，所以他並不知道，清心教醫術竟是建立於這樣的觀念之上。

（這下麻煩了。）

現在擋在眼前的，並不是政治上的阻礙。

（歐塔瓦爾醫術和清心教醫術有著根本上的差異。）

一股寒意襲來。冷冰冰的不安從身體深處慢慢竄上來，他覺得呼吸困難——祭司醫絕對不可能答應進行預防接種吧。

（在黑狼熱重現的這時候，預防之道竟然就此被封堵。）

這是東乎瑠人無法免疫的病。曾奪走無數人命的大流行，恐怕將再次蔓延。

赫薩爾拚命按捺住心中的不耐和不安，開口問道：

「……那麼，您打算如何治療這次受傷的人？難道就聽天由命，什麼也不做？」

像是聽到什麼出乎意料的事，呂那臉上稍微有了表情。

「我並沒有那麼說。」

「……」

「我所謂的『違反天意的』，是將獸血注入人體的治療方法。除此之外，如果有什麼好方法，還請您盡全力治療。

「我等對黑狼熱並不熟悉，沒有能治療的方法，若有吾人能盡力之處，請儘管吩咐，自當效力。」

說完這句話，呂那靜靜點個頭，轉身離去。

赫薩爾緊抿著唇，看著呂那的背影。馬柯康輕聲提醒他。

「接下來該到阿卡法王那裡去了。」

赫薩爾眨眨眼。

「嗯……啊。」

赫薩爾又搖搖頭。

「不，先去看東乎瑠的鷹匠吧。」

「什麼？不用先去看馬扎伊大人的傷嗎？」

赫薩爾朝著玄關走去。

「被狗咬傷時，首先要考慮的是狂犬病、敗血症和破傷風。不管哪一種，都不容易預防，但是該做的初步處置都已經做過了。

「我剛剛也說過，狂犬病多半不會馬上發病。有些人一個月後才發病，還有幾年後才發病的案例，無法預測到底要多久；但是越接近頭部的似乎會越快發病。」

「喔，原來如此。所以您才說要先去看東乎瑠的鷹匠啊。他下巴附近被犬牙擦過呢。」

赫薩爾點點頭，但心不在焉地低喃：

「接下來去阿卡法王的居城嗎？」

馬柯康皺著眉。

「您在擔心什麼事嗎？」

赫薩爾斜瞄了馬柯康一眼，但什麼也沒說。

少主很稀奇地沒開玩笑，而且表情陰沉，走在他身邊，馬柯康感覺到一股凝重的氣氛壓著胸口。

四　阿卡法王的居城

阿卡法王住的居城位於阿卡法舊王都——卡山的郊外。

將舊的居城移交給王幡侯後，阿卡法王搬進了這座寬廣的居城，周圍除了有美麗森林環繞；在同一塊土地上，還有零星幾位王族的宅邸。

阿卡法王在有秋日陽光灑入的客廳裡迎接赫薩爾，臉上帶著高傲表情，慎重款待赫薩爾，跟王幡侯剛好成對比。

「才這個時間，您就已經去過王幡侯那裡，我想您一定還沒空吃早餐才是。我已經命人備好，您請先用餐吧。」

才走進房間，就聞到一陣香氣，餐桌上擺放著豪華的早餐，每道菜餚都在陽光下冒著熱騰騰的白色蒸氣。

用發酵小麥煎成的薄餅上，塗上滿滿的香醇拉庫（奶油），再灑上砂糖或糖蜜；一旁還有用雞蛋做成的菜餚，玻璃器皿中裝著白色拉述，再佐以雕了花的果實。

「感謝您如此費心，但時間寶貴，我還是先看看馬扎伊大人和伊撒姆少爺的傷勢吧。」

阿卡法王慢悠悠地揮著手。

「您到的時候，我就差人去叫他們了，馬上就來。等待的這段時間，您就請用餐吧。」

身爲歐塔瓦爾貴族的赫薩爾跟阿卡法王之間的關係很微妙，他們對彼此使用客氣的敬語。站在房間一角聽著兩人對話的馬柯康心想，這種微妙又曖昧的用字遣詞，正好象徵了歐塔瓦爾和阿卡法之間的關係。

（……不過，味道眞香啊。）

一想到這裡，他肚子就叫了。

赫薩爾轉過頭，不耐地挑起眉。

「這種時候，肚子還有閒功夫叫！」

阿卡法王聞言，哈哈大笑。

「餓著肚子怎麼能善盡護衛之責嘛。也給隨從準備些能站著吃的輕食吧。」

他敲響小鐘，喚來僕人，命人追加早餐。看著阿卡法王，赫薩爾似乎想到了什麼，微微瞇起眼，但等到阿卡法王一轉回頭，那表情又消失了。

阿卡法王一邊勸赫薩爾入座，一邊詢問：

「迂多瑠大人的狀況如何？」

赫薩爾瞇起眼。

「身爲醫術師，原本不應將患者的病狀透露給其他人知道，不過王幡侯關於這次事件的判斷，大概不出我的預料。」

接著，赫薩爾開始說明王幡侯對治療的看法。

聽著聽著，馬柯康這才明白，在心裡暗自感嘆。

（原來是爲了向阿卡法王透露對方的狀況，才先去看他們的？）

王幡侯也察覺了這一點嗎？

（還眞是麻煩。）

一想到這塊土地上混雜著三種勢力，彼此都在暗中試探，他就忍不住想嘆氣。

（算了，大概這兩隻老獵犬就是得這樣，才覺得活得有意思吧。）

大致問完狀況後，阿卡法王一口答應，如果有必要，願意讓馬扎伊他們施打預防狂犬病的「弱毒藥」。

「我正想拜託您呢，請讓所有阿卡法人都注射吧。」

說著，阿卡法王沉重地嘆了一口氣。

「那眞是一種可怕的病。我小時候曾親眼看過一次。我發自內心覺得，雖然都要死，但我可不想用那種死法。」

赫薩爾一邊舀起拉逑送入口，一邊看著阿卡法王。

「沒錯。狂犬病眞的很可怕。不過我已經快找到能預防發病的方法了；再說，這種病也不會藉著蜱蟎傳染，暫時不用擔心會一下子蔓延開來。對我們來說，現在最該害怕的還是黑狼熱。」

阿卡法王正色看著赫薩爾。

「對，您說得很有道理……那自古糾纏著我們的病，又要出現了嗎？」

阿卡法王嘆口氣，望向窗外。

「阿卡法的神靈是不是有話要告訴我們？得仔細靜聽神靈的聲音才是。」

赫薩爾放下湯匙。

他看著阿卡法王，平靜地開口：

「疾病是由眼睛看不見的病素所引起。這世上有各式各樣數不清的病素，人的身體也會產生難以預料的各種反應……直到現在還是有很多未解之謎，但總有一天，這些謎團的眞相一定會一一顯現出來。」

阿卡法王目光回到赫薩爾身上，微笑著說：

「歐塔瓦爾的貴族們總是說，疾病跟神靈或惡靈無關。」

赫薩爾點點頭。

「對。至少我們盡力在思考，人力所及之處，我們究竟能做些什麼？」

阿卡法王慢慢地搖著頭。

「我不這麼認爲。不管手伸得再長，都有碰不到的地方。那是神靈和惡靈的領域，我每天都深切地感受到，我們就這樣被包圍在那種廣闊無邊、難以想像的龐大存在之中。」

赫薩爾臉上掛著淺淺微笑。

「您或許會覺得很奇妙，但我也有一樣的想法。我們被一種大到難以想像的東西環繞著。」

阿卡法王的白眉往上一勾。

「喔？」

赫薩爾接著說：

「但我並不打算手足無措，只是呆站在那龐大的存在面前；也無法接受把一切都冠上『神靈的領域』這種稱呼，不去看，也不去接觸。我會不斷往前走，伸出手去探索……直到我生命的終點。」

說到這裡，他的笑容突然消失。

「我這個人生性膽小，而且非常懼怕那個龐大的存在。那個我們伸手無法觸及的領域，是如此寬廣，瞬息萬變。

「這片汪洋大海裡的波浪，會無止盡地拍打著岸邊。我們這些微小生物如果要躲過浪花的吞噬，殘喘苟活，只能不斷認眞面對這翻湧的波濤。」

赫薩爾用隱藏著強烈光芒的雙眼直視著阿卡法王。

「原本無害的東西，很可能突然就會變成敵人。疾病就是這樣的東西，千萬不能小看。」

阿卡法王將眼睛瞇得更細。

他正要開口，門外的鈴聲剛好響起。

阿卡法王眨眨眼，然後朝門外喊了聲「進來」。

門打開，馬扎伊帶著兒子進來。

比緒利武年長兩歲的伊撒姆個子已經跟父親差不多了，但身形還很纖瘦，纏在腳踝上的繃帶讓人看了很不忍心。

「啊，您還在用餐嗎？」

馬扎伊滿臉抱歉地正要告退，赫薩爾笑著阻止他，請他到窗邊來。

「昨天沒能欣賞您的身手，實在很遺憾。我可是爲了看您表演，才忍受那段無聊的等待時間呢。」

赫薩爾語氣輕鬆地說著，讓馬扎伊坐在椅子上，解開他手臂上的繃帶。

馬柯康打開治療箱，遞給赫薩爾。赫薩爾先清潔了自己的手，再熟練地替馬扎伊的傷口消毒，詳細觀察他傷口的狀況。

「被狗咬傷的傷口復元得很好呢。」

塗好藥、再纏上新繃帶，赫薩爾拿起一片金屬製的壓舌片。

「請張開嘴巴，讓我看一下喉嚨。」

赫薩爾利用從窗戶射進來的光線觀察喉嚨深處，再用手指摸摸兩耳下方，然後讓他脫掉上衣，用單邊呈漏斗狀的木筒抵在馬扎伊胸口，仔細聽著聲音。

赫薩爾點點頭，微笑著說：

「目前看起來沒什麼需要擔心的症狀。」

馬扎伊的表情很明顯地變得鬆緩。阿卡法王依然坐在餐桌前，悠然露出微笑。

「來，接下來換你了。過來這裡坐。」

赫薩爾招呼著伊撒姆，伊撒姆看起來有些緊張，坐在父親讓出的椅子上。

馬柯康單膝就地，小心替伊撒姆解開纏在腳踝的繃帶。趁著這時候，赫薩爾口氣輕鬆地問他，傷口還痛嗎？

「……有點痛。」

他回答的聲音微弱又嘶啞，很難聽清楚。

赫薩爾瞇起眼觀察他腳踝的傷，又輕輕按壓傷口周圍，再摸摸大腿根部。

「這裡也痛嗎？」

伊撒姆點點頭。

「……有一點。」

赫薩爾讓少年的臉朝向日光。

先是觀察他的眼睛，再要他張開嘴巴、看看喉嚨深處，赫薩爾臉上的笑容終於完全消失。

聽完伊撒姆的胸音後，赫薩爾對他說：

「可以穿上衣服了。」

赫薩爾盯著正穿回上衣的少年，陷入深思。終於，他站起身來，面對馬扎伊和阿卡法王。

「雖然症狀並不嚴重，但有些令人擔心的地方。為了以防萬一，我想請他暫住在醫院，觀察一陣子。」

馬扎伊和阿卡法王表情僵硬。

「你說『令人擔心』是什麼意思？」

「傷口周圍有很明顯的紅腫，另外鼠蹊部和耳下也有些微腫脹。喉嚨也很紅。這些都是病素進入身體的症狀。」

看到兩人鐵青的臉，赫薩爾露出微笑，試圖安撫他們的情緒。

「這是當然的啊，因爲被咬傷了嘛。馬扎伊大人的身體裡也有病素入侵。如果今後腫脹的情況開始擴散，或是喉嚨變紅，也請馬扎伊大人到醫院。

「至於伊撒姆少爺的情況，由於現在已經出現強烈反應，謹慎起見，我希望能就近觀察他的狀況。這次不過是比較保險的做法。」

說著，赫薩爾把手放在茫然坐在椅子上的少年肩上。

「你去告訴隨從，要外宿幾天，請他們替你收拾好行李。不過可要小心說話的方式喔。要是說得太誇張，他們可會像你父親和祖父一樣，滿臉鐵青呢。」

少年的表情稍微放鬆了些，點了點頭。

他向大家敬了一禮，離開房間。然後，赫薩爾轉向阿卡法王。

「有件事想拜託您。」

阿卡法王楞楞看著少年剛剛離去的那扇門，心中若有所思。他眨了眨眼，也看向赫薩爾。

「……什麼事？」

「您在吉卡爾森林有座狩獵用的別墅吧？」

阿卡法王皺起眉。

「有是有。」

「那個地方能不能暫時借我使用？我想做爲臨時的施療院。」

阿卡法王的眼裡驟然掠過一道光芒。

「隔離黑狼熱病患用的施療院嗎？」

赫薩爾點點頭。

「吉卡爾森林距離這處居城、卡山城和王幡侯居城的距離都恰到好處，不會太近或太遠，我之前就動過跟您商借的念頭。

「等到患者大量出現就太遲了，希望您現在能答應。」

阿卡法王深深嘆了一口氣。

「知道了。就借你吧。我馬上派工匠去整理，當做施療院用。」

說著，阿卡法王盯著赫薩爾，壓低了聲音：

「伊撒姆得了狂犬病嗎？」

赫薩爾定定看著阿卡法王。

「現在這個階段還很難說。他被咬的部位是腳踝，狂犬病不太可能這麼快就發作。現在伊撒姆少爺身上出現的症狀，是身上有很深傷口時常見的症狀，不只限於被狗咬才會有……不過，」

赫薩爾平靜地接著說：

「我想先一步採取任何可能的對策。誰教我生性膽小呢？」

五　發作

「所以要把所有患者集中在一處是嗎？」
聽完赫薩爾的說明，米拉兒換上放心的表情。
「太好了。這裡還有其他病人，我正在煩惱該怎麼辦才好。」
赫薩爾努努嘴，看著窗外。
「但我們倆不可能同時待在兩個地方。以後會變得很忙。」
事件發生後，赫薩爾利用飛鴿通報歐塔瓦爾聖領，告知詳細事態，深學院院長也回傳了馬上派遣醫術師和護理師協助的訊息。
不過他們沒有時間等來自聖領的增援人手到達，赫薩爾開始給弟子們下達極爲縝密的指示，這些指令複雜到令人懷疑是否眞的需要如此仔細。針對這些被咬傷的患者，從診療、作息到三餐等，全都要一一納入管理。
弟子們儘管精通醫術，但並不能將所有事情都交給他們。
除了在「小人物的巢居」裡的一般治療，再加上要在遠離市區的別墅進行治療，可想而知，赫薩爾和米拉兒的負擔必然會加重。
儘管如此，正如米拉兒所說，即使傳染給人的可能性很低，但只要黑狼熱是傳染病，能有個地方將可疑患者隔離、進行集中治療，已經是天大的幸運了。
「……欸。」
米拉兒猶豫地開了口。

「什麼？」

「能不能請呂那師的弟子來幫忙啊？」

赫薩爾的臉垮了下來。看到他的表情，米拉兒以極力保持冷靜的口氣說：

「換個角度想，我覺得這不失爲一個好機會。如果讓他了解我們治療的方法，也許……」

赫薩爾表情苦澀，搖搖頭；下個瞬間，又突然瞇起眼。

好一會兒，赫薩爾什麼也沒說，只靜靜地沉思。終於，他抬起眼，看著米拉兒。

「確實是個危險的賭注，不過我們就賭一把吧。」

米拉兒神情略微緊張地點點頭。

聽了赫薩爾的請求，呂那師平靜地答應，派了一位名叫眞那的弟子前來施療院。

來到施療院的眞那提著一只布袋，裡面裝有祭司醫所使用的治療道具。這個年輕人個子瘦高，有點駝背。

因爲年紀還很輕，所以乍看之下不怎麼牢靠；不過當赫薩爾開始說明治療步驟後，他卻能很快地掌握、理解這陌生療法的重點。看來，呂那師送來的，是弟子之中特別優秀的年輕人。

＊

王幡候聽說呂那師的弟子在赫薩爾身邊協助治療，相當高興，馬上答應將被狗咬傷的東乎瑠人送到吉卡爾森林的別墅，除了打點各項費用，還送來了高額的治療費。

直到事件發生第三天的白天爲止，幾乎所有患者都已遷移到這別墅中，只有王幡侯的長子迂多瑠似乎說服了父親，堅持不肯搬過來。

聚集在別墅中的患者多半表示有發燒和倦怠的症狀。不過，就算是被一般的狗咬傷的骯髒傷口，出現這種症狀也並不奇怪。

他們開始出現一般不會發生的症狀，是在御前狩獵後的第六天早上。

＊

「赫薩爾大人！」

眞那衝進赫薩爾的房間。

昨晚開始下起小雨，穿過中庭跑來的眞那撩起濕淋淋的頭髮，鐵青著臉告訴赫薩爾：

「鷹匠發疹了。」

赫薩爾的表情瞬間變得緊繃。

他瞥了米拉兒一眼，接著便走向門口。米拉兒什麼也沒問，馬上從架上取出木箱，跟在赫薩爾身後。

「我來拿吧。」

馬柯康想替她拿木箱，但米拉兒搖搖頭。

「沒關係。不重。而且這有特殊拿法。」

她語氣穩定，臉色卻很蒼白。

看到他們的表情，馬柯康了解到，在自己不知情的情況下，赫薩爾和米拉兒已經預測到某些事的發生，並做好了防範。

「你拿那個袋子吧。」

馬柯康依照赫薩爾的指示拿起布袋，跟在兩人後面。

那天起，開始了不眠不休的日子。

剛開始雖然只有喉嚨痛和倦怠感等類似感冒的症狀，但等到發疹後，症狀就會急遽惡化——這就是黑狼熱的特徵。

早上發疹的鷹匠，傍晚開始發高燒，喃喃說了聲「身體跟鉛一樣重」，便陷入昏睡狀態。儘管拚命治療，最後依然徒勞無功，他反弓著身體、劇烈地痙攣著，半夜就斷了氣。

米拉兒用白布蓋住他的臉，在房間一角守候的鷹匠妻女緊抱著彼此，痛哭失聲。

假如不是傳染病，至少還能在身邊握住他的手，送他最後一程。她們哀嘆著竟然連接近都無法接近。

米拉兒深深嘆了一口氣，閉上雙眼，低下頭。

過了好一段時間，米拉兒終於睜開眼睛，靜靜對鷹匠的妻子表達哀悼之意，告訴她等遺體清理好之後，會再請她過來，希望她們到其他房間稍微休息一下，把她們帶到房外。

眞那也跟著她們一起出去。

來到走廊，他悄悄走近鷹匠妻子身邊，對她說：

「我是祭司醫眞那。」

鷹匠的妻子突然抬起頭，用求助的眼神看著眞那。眞那溫柔地承接那視線，堅定地對她說：

「雖然他臨終前很痛苦，但是他的苦，天神都看在眼裡。現在，神正用祂的手抱著妳丈夫，對他說『你辛苦了』，即將引導他走向在天上的安穩生活。」

他的語氣裡絲毫沒有猶豫動搖。聽了之後，鷹匠的妻子眼中盈滿淚水。

眞那繼續以平靜的聲音說：

「您一定很難過吧。但請您一定要好好地努力活著。一切神都看在眼裡。神賜予您在這世上的短暫人生，只要能好好過完，最後您一定可以在天上，跟您的夫君重逢相擁。只要忍耐到那時候就行了。請您一定要好好活著。」

妻子開始放聲大哭。不過那哭聲跟剛剛不同，讓人有種獲得解放、釋懷的感覺。

米拉兒出神地看著他們。

看到微微彎身安慰鷹匠妻子的眞那，馬柯康心想：

（比起醫術師，祭司醫的工作，更像是事奉神的使者呢。）

遇到人力所不能及的境界，或許祭司醫才眞正能拯救人們。這種念頭突然掠過他心頭。

米拉兒不知在想什麼，帶著複雜的表情看著眞那他們。或許她心裡也有同樣的感觸吧。

安撫完鷹匠的妻子後，馬柯康跟眞那一起回到房間，米拉兒站在還盯著鷹匠遺體的赫薩爾身邊。

「……你覺得不可能是破傷風嗎？」

隔著布簾，聲音聽起來悶悶鈍鈍的，不是很清楚。

赫薩爾沒說話，只是搖搖頭。

「也對。他沒有畏光或聲音的反應，痙攣的過程也不一樣。」

米拉兒低聲說著，一邊感受著客氣退到房間一角的眞那視線，一邊輕輕摸著放在床邊的注射器。

「結果沒有奏效呢。他對培養出來的『黑狼病素』有反應，本來覺得應該有希望的。」

房間角落傳來一個小小的聲音。

「黑狼病素？」

米拉兒轉過頭，招手要真那到身邊來。

那位高眺的年輕人來到身邊後，米拉兒輕聲告訴他：

「我們認爲引起疾病的，是非常非常小的生物。我們稱之爲『病素』。」

眞那的眼睛瞪得老大。

「生物？生物會致病？」

赫薩爾疲倦地說：

「晚點讓你看看。」

眞那驚訝地睜大了眼睛。

「什麼？病因是看得到的東西嗎？如果是這麼大的東西……」

赫薩爾搖搖頭。

「不大。在一般狀態下是看不見的，現在沒辦法看到黑狼熱的病素，不過有些病的病素是看得見的。」

「這是怎麼辦到的？」

「抱歉，我現在沒力氣跟你解釋那麼多。」

赫薩爾深深嘆了一口氣，看著米拉兒。

「總之，那些狗身上很有可能帶有『黑狼病素』。」他說。

米拉兒點點頭。

「這兩種藥，要不要在其他患者發疹前給他們注射？我認爲應該盡快施打。黑狼熱的症狀惡化得很快……老實說，現在都有可能太遲了。如果能在被咬傷後馬上施打，結果或許又不一樣了吧。」

赫薩爾摸著注射器，頭點了一半，又突然瞇起眼。過了好一會兒，也不知想到什麼，最後還是搖搖頭。

「『弱毒藥』也就罷了，『血漿體藥』還是先只給東乎瑠人打吧。」

聽著兩人的對話，馬柯康暗覺狐疑。

（所以不給阿卡法人施打嗎？這是爲什麼？）

眞那似乎也覺得奇怪，他問，爲什麼不替阿卡法人注射？

米拉兒仔細地回答，眞那似乎也了解了，不過在後頭聽著的馬柯康卻依然摸不著頭緒。

（就不能用我也聽得懂的話講嗎？）

他內心雖然這麼想，但他也知道，要是現在開口問赫薩爾，一定會挨罵，最後還是什麼都沒問。

隔了一夜，其他東乎瑠人同時出現發疹症狀。

或許是發疹前施打的藥劑奏效，一直到第二天，他們的意識都還算清楚；只是漸漸一個個陷入昏睡狀態、產生痙攣，儘管拚命搶救，還是無法挽回他們的生命。

這時候，被狗咬過的東乎瑠人之中，只剩迂多瑠和緒利武兩人還活著，但阿卡法人並沒有人發疹。

這兩天，赫薩爾幾乎沒睡，身邊的人可以很明顯地感覺到他越來越疲勞。

「……赫薩爾師。」

終於抓到了空檔，赫薩爾連坐下的工夫都沒有，正站著吃午餐，真那怯生生地上前。

「請您喝下這個吧。」

赫薩爾看著他遞上的茶杯，皺起眉頭。

「這是什麼？」

「這是用六種藥草煎的，對疲勞特別有效。老師可能早就知道這些藥，不過如果您沒聽過，還請務必一試。」

說著，真那顯得有些難爲情。

「這幾天，您讓我看到許多以往從不知道的治療法。就當做是我的回禮吧。」

赫薩爾皺著眉拿起茶杯，聞聞那溫熱茶湯的味道。

「……我沒聞過這種味道呢。」

赫薩爾一口氣喝乾，皺著臉。

「苦嗎？」

「還好。」

赫薩爾搖搖頭。

「比想像中順口。」

聽了之後，真那露出放心的表情。

「太好了。那一定有效。覺得順口，就是您身體需要的最好證據。」

赫薩爾道了謝，再次埋頭治療。不過到了黃昏時分，他突然覺得身體有股不可思議的溫熱感；雖然疲累，卻不至於像上午那樣，全身彷彿像灌了鉛般沉重。

晚餐時，他把這件事告訴眞那、向他道謝，眞那顯得由衷地開心。

「那眞是太好了！我們清心教醫術中，最上等的技巧，就是煎製能讓人健康生活的藥湯。能稍微減輕您的疲勞，我眞的很高興。」

赫薩爾感觸良多地打量著眞那，又瞥了米拉兒一眼，再把視線拉回眞那身上。

「是嗎……」

那聲音裡似乎包含著很深的感慨。

「我們的醫術雖然有很多不同……不過最後的目標都是一樣的呢。其實本應如此。」

然後，赫薩爾突然露出微笑。

「不介意的話，能告訴我那藥湯的處方嗎？我也想讓米拉兒喝一點。」

眞那開心地點點頭。

「當然好。我把處方寫給您。米拉兒小姐是女性，根據我的判斷，適合兩位身體的藥方不同。我馬上再煎一帖給她。」

米拉兒露出微笑，衷心向他說了聲謝謝，眞那漲紅了臉，低下頭來。

馬柯康站在房間角落看著他們，緊抿著嘴，忍住不斷湧現的笑意。

（清心教的祭司醫不娶妻嗎？）

雖然並不是這麼回事，但這年輕人看來很純情。米拉兒跟他說話時，他總是顯得很開心。看著結結巴巴緊張回應的眞那，馬柯康不禁覺得，好久沒有過這種溫馨的感覺了。

六　與疾病的苦鬥

馴鷹狩獵過後第九天的白天。

正門的鈴聲響起，過了一會兒，玄關附近一陣騷動。

赫薩爾抬起蒼白的臉，就在這時候，王幡侯的使者粗魯地打開門衝進來。

「請您馬上到城裡一趟。」

除此之外，使者什麼也沒說，不由分說地催促赫薩爾，神情異常。

（難道是迂多瑠發疹了？）

赫薩爾暗在心中猜測。他讓米拉兒留下來治療，由馬柯康拿著治療道具，和他一起坐進馬車裡。

到達城裡時，迂多瑠已陷入昏睡狀態。

迂多瑠躺在偌大睡房正中央的大床上，呂那和弟子坐在周圍。

房裡的窗前垂著布幔，在黃昏般的陰暗光線中，隱隱有焚香的煙。這味道赫薩爾聞過好幾次。

（……瞑魂香。）

面對已經無藥可救的患者，祭司醫會給患者喝下減輕疼痛的藥，讓他們昏睡，並在平靜中過世，這時焚燒的就是瞑魂香。

王幡侯和與多瑠在距離稍遠的地方，看著床上的迂多瑠。

王幡侯抬起頭，望向赫薩爾，嘶啞地說：

「……發疹的事他瞞著沒說。」

王幡侯一字一句慢慢擠出聲音。

「從昨夜起，他的臉色便開始發青；吃午餐時，突然就倒了下去。我讓人替他解開前襟，想讓他呼吸順暢一點，這才發現，已經有發疹症狀……」

王幡侯眼眶泛紅。

看到他深深刻著皺紋的眼角隱約泛著淚光，赫薩爾忍不住別開眼——這時的王幡侯露出了父親的表情。他不忍卒睹。

赫薩爾望向迂多瑠，看到他胸口還有些許起伏。赫薩爾腦中突然掠過一個想法。

（難道還沒有發生痙攣嗎？既然如此……）

與多瑠彷彿看穿了他的心思，開口問道：

「還有救嗎？」

赫薩爾抬起頭，看著與多瑠。

「注射藥劑的話，或許有救。但根據之前的經驗，就算打了藥，頂多能再撐一天一夜。」

與多瑠緊抿著唇，看著父親。

「父親。」

大概正緊咬著牙關吧，王幡侯的下巴略為隆起。

王幡候看看呂那，再看看床上的長子，終於，王幡侯擠出這句話：

「……迂多瑠倒下時，曾說『別讓歐塔瓦爾的藥玷汙我的身體』。如果有效，就算違背迂多瑠的心意，也得注射……」

他眼裡泛著淚。

「但是我不能只爲了延長一天一夜的壽命，無視他最後的請求、玷汙他的身體……神都看在眼裡。」

王幡侯閉上眼，厚唇不住顫抖了好長一段時間。接著，他猛然睜開眼，對兒子呼喊：

「活下來！迂多瑠！別被疾病打倒！」

只是他的聲音並沒有傳進迂多瑠耳裡。

經過昏睡和痙攣這段早已見慣的過程後，迂多瑠在半夜嚥了氣。

不過幾天前，還帶著一臉不可一世的表情挖苦弟弟的男人；在戰場上，站在隊伍前方、指揮若定的英勇男子，竟像葉片從莖上掉落般，輕易便離開人世。赫薩爾抱著一種難以平復的微妙感覺，沉默地在旁守候。

＊

遭逢王幡家總領之子，同時也是兄長之死這等家中要事，與多瑠暫時無法離開父親身邊，他臉上寫滿焦躁，把赫薩爾叫進執務室，連忙開口問道：

「……絲露米娜和緒利武沒有發疹吧？」

「是的，我離開時還沒發疹。」

與多瑠抓住赫薩爾的手腕。

「現在還沒有發疹這件事，您怎麼看？得救的機會高嗎？」

赫薩爾盯著與多瑠。

「接下來會怎樣，現在還很難說。但是和身體強健的迂多瑠大人相隔這麼長一段時間還沒開始發疹，足見兩位有抵抗這種病的體質。」

赫薩爾將右手疊在抓著自己左手腕的與多瑠手上，稍微湊近了些，輕聲對與多瑠說：

「……目前阿卡法人之中，還沒有人發疹。」

與多瑠眼睛一亮。

兩人沉默地看著彼此好一會兒。

終於，赫薩爾輕輕放開手，小聲地說：

「請您做好心理準備——但還是有希望的。」

與多瑠放開赫薩爾，雙手掩面。

「……緒利武。」

指縫間流瀉出極其悲痛的聲音，想到身上只有一半阿卡法血緣的孩子，他心裡滿是哀傷和心慌。

然而，下一個發疹的，並不是緒利武。

*

一回到位於吉卡爾森林的別墅，還沒來得及喘口氣，眞那便來找赫薩爾。

「……米拉兒小姐請您馬上過去。」

赫薩爾皺起眉。

「是緒利武嗎？」

眞那搖搖頭。

「不，是伊撒姆少爺。」

赫薩爾的表情扭曲。他緊抿著唇，快步走向伊撒姆的房間。

晨光從大片窗戶進入房內，讓躺在床上的伊撒姆自胸部以下都裹在溫柔的光芒裡。

赫薩爾走進房裡時，米拉兒轉過頭看了一眼。她眼睛下方浮著明顯的黑眼圈。臉色很糟。

赫薩爾快步走近床邊，站在米拉兒身旁。

伊撒姆還有意識，但有點模糊。眼睛空洞地游移著，彷彿失焦般搖擺不定。

少年細瘦的脖頸泛著汗滴，上面還有零零星星的疹子。

「……剛剛開始發燒。」

米拉兒小聲地說。

赫薩爾點點頭，輕輕碰了碰米拉兒的手肘。

「這裡我來。妳去休息一下。」

米拉兒才張開口，隨即又閉上，輕輕點頭。她微微拖著腳步離開房間，肩膀頹然下垂，身子看起來彷彿瘦了一圈。

「眞那，麻煩你……」

赫薩爾話還沒說完，眞那馬上點頭。

「我替米拉兒小姐煎了藥湯。我馬上去熱一熱讓她喝。裡面加了可以鎮靜心神的藥草，應該能讓她好好睡一覺。」

赫薩爾對眞那深深低下頭。眞那很驚訝，但馬上鄭重回禮，跟著米拉兒身後離開房間。

等到他們一出去，赫薩爾馬上轉向床上的少年。

「伊撒姆，聽得到嗎？」

赫薩爾在他耳邊輕喚，但少年沒有反應。

看到這個狀況，他已經知道中間經歷了什麼過程。

始終站在少主身後的馬柯康，不忍心看著臉上還帶著稚氣的伊撒姆，露出彷彿注視著不屬於這個世界某處的眼神，不由得別過眼去。

那天下午，伊撒姆全身開始顫抖，接著發起高燒。

赫薩爾彎下身子，拚命呼喚著少年。

「振作一點！不要輸！不能睡！不能睡！」

像是念著咒語般，赫薩爾不斷重複著這幾句話，還敲著自己的額頭。這三天來，赫薩爾幾乎沒睡，已經連站都站不穩了。

（……不行了。）

馬柯康走近，才碰到他的肩膀，赫薩爾便用力把他的手拍掉。

「別碰我！」

「可是……」

「閉嘴！」

馬柯康望向站在赫薩爾身邊的眞那。

「藥湯呢？」

眞那難過地搖搖頭。

「已經喝過了。再這樣下去……」

赫薩爾抬起頭，壓低了聲音怒吼著：

「叫你閉嘴沒聽見嗎？現在我的事根本無所謂！」

赫薩爾的怒吼，正好跟開門聲相疊。

一回頭，赫薩爾瞪大了眼睛，茫然地盯著走進來的人。

「……祖父。」

身穿淺褐色長袍的初老男子安靜地走了過來，站在赫薩爾身邊。

跟在初老男子後頭走進來的米拉兒，對赫薩爾輕輕點頭，站在稍遠之處。大概是喝了眞那的藥湯，又熟睡了一覺的緣故吧，她臉上又恢復了生氣。

（祖父？所以這位是利姆艾爾大人？）

利姆艾爾是拯救東乎瑠帝國皇妃的知名醫術師，也是赫薩爾的祖父、養育他長大的至親——利姆艾爾．悠格拉爾。一想到自己正親眼看著這位還在世便已成爲傳奇的人物，馬柯康覺得很不可思議。

利姆艾爾身材高眺。緩緩飄動的半白頭髮底下是一張修長的臉龐，表情沉穩，但目光淩厲。

利姆艾爾看了眞那一眼，露出很好奇的表情，但隨即又把視線拉回赫薩爾和伊撒姆身上。

他小聲要赫薩爾說明伊撒姆的狀態；接著伸出手，輕輕撥開伊撒姆的眼皮，再從赫薩爾手上接過蠟燭，移動著火光，檢查患者的瞳孔。

大致看完後，利姆艾爾低聲問：

「還沒有發生痙攣吧？」

赫薩爾點點頭。

「是的。」

「那試著替他注射『科卡耳』吧。」

赫薩爾大概沒料到祖父會這麼說。他一驚，抬頭看著祖父。

「您說，打『科卡耳』？」

啊……米拉兒輕叫了一聲，赫薩爾回頭看她。

「怎麼了？」

米拉兒走近兩人，怯生生地仰頭看著利姆艾爾。

「該不會是『斯拉狂犬』時的那種治療法吧？」

聽到這句話，赫薩爾眼中閃過一道光。

然而他卻皺起眉，用手指按著額頭。

「但那時用的是『波莎』，不是『科卡耳』吧？」

「對。不過比起『波莎』，『科卡耳』的藥效更快，也更強。」

「但是那……」

赫薩爾顯得很猶豫；這時，利姆艾爾用力抓住他的肩膀。

「如果不在痙攣前打，就沒有意義了。」

赫薩爾深吸一口氣，對米拉兒點點頭。

米拉兒立刻轉身，大概是要準備「科卡耳」這種藥吧，馬柯康也跟著她離開房間。

「我也去幫忙。」

「……啊，謝謝。那就麻煩了。」

眞那擋住快關上的房門，也來到走廊上。

「我能跟你們一起去嗎？」

「好啊，請。」

太陽不知不覺已經西斜，迴廊上拖著長長的影子。

眾人在光影交錯中快步走向藥倉。眞那問米拉兒：

「『科卡耳』是種危險的藥嗎？」

米拉兒看了眞那一眼。

「不常用在人身上。這種藥多半用來讓猛獸睡著。」

眞那睜大眼。

「讓野獸睡著的藥？」

「對。這種藥可以在不影響呼吸的前提下，讓野獸迅速進入睡眠狀態，非常好用。但因爲藥效強，所以也有可能無法從昏睡中醒來。」

「什麼?!那爲什麼要用這種藥？」

正好走到轉角，米拉兒一面伸出手扶著廊柱，一面轉彎。接著又說：

「幾年前，利姆艾爾大人曾救了一位狂犬病發作的少女。目前爲止就只有這麼一個奇蹟般的成功例子。當時所用的藥是『波莎』，跟『科卡耳』一樣，是具有昏睡功能的藥。

「如果你想知道詳情，我之後再慢慢告訴你。總之，這種藥可以讓人昏睡，阻斷從大腦傳出的命令、抑制痙攣。」

米拉兒稍稍換了一口氣，繼續說明。

「目前爲止的患者，多半都是因爲痙攣導致無法呼吸而死。我猜利姆艾爾大人是想讓大腦入睡、抑制痙攣，替身體爭取多一點跟病毒奮戰的時間。」

看著米拉兒的側臉，把嘴抿成一條線的她臉色雖然蒼白，但眼中卻散發著強烈的光芒。彷彿保護孩子的母親般，全身充滿強大的氣場。

注射了科卡耳的伊撒姆很快便陷入昏睡。

他的呼吸變得很淺，但並沒有停止。確認呼吸後，利姆艾爾回頭看著赫薩爾。

「新藥全都打過了？」

「對。但是在其他患者身上，抑制效果頂多只能撐一天一夜，最後還是無法保命。」

利姆艾爾瞇起眼。

「藥量呢？還有存貨嗎？」

「米拉兒他們拚命製作了許多抗病素藥，還很夠。」

利姆艾爾看著米拉兒，露出微笑；接著又把視線移回赫薩爾身上。

「那麼，今後繼續給這孩子注射吧。」

赫薩爾的視線露出些許動搖，但馬上又用力地點點頭。

「知道了。」

站在三人背後的真那，興奮地聽著牠們的對話。

多虧了米拉兒的指導，現在馬柯康也能大概了解他們在說什麼。

他們應該是打算趁著大腦昏睡、痙攣反應得到抑制的這段期間，對身體注射藥物，給身體對抗病毒的力氣。

少年纖瘦的身子能否打贏這場嚴酷的仗？這確實是場看不見前方的賭注，不過光是能將伊撒姆導向和以往療程不同的方向，就足以讓赫薩爾和米拉兒重拾生氣、看來判若兩人。

這天，直到深夜，伊撒姆都沒有出現痙攣。

赫薩爾和米拉兒暫時將治療工作交給利姆艾爾，這天晚上，他終於能在自己久違的床鋪上沉沉入睡。

七　新藥

到了第二天白天，伊撒姆還好好地活著。

赫薩爾帶著眞那走進病房，利姆艾爾坐在伊撒姆床邊，正在替他把脈。

午後的光線將利姆艾爾的側臉照得白亮。歷經長途旅行，又一天一夜沒睡，他的臉上卻看不出一絲疲態。

（明明已年過六十，祖父卻還是這麼硬朗。）

對於這位除了傳授醫術知識，也代替早逝的父親教了他許多事的長輩，赫薩爾對利姆艾爾的敬愛難以言喻。不過每次面對面看著利姆艾爾，赫薩爾心裡總是覺得有點緊張。

儘管赫薩爾就站在身邊，不過直到把完脈為止，利姆艾爾都沒有抬起頭。

直到他輕輕將少年的手臂放回毛毯下，這才抬頭看著赫薩爾。

「血壓下降了一點，脈搏也很慢，不過狀況還算穩定。」

赫薩爾點點頭。

「謝謝您。接下來我來吧，您請去休息一下。」

利姆艾爾站起來，直了直腰。

「也好。不過要是有什麼變化，馬上來叫我，不用客氣。」

「是。」

利姆艾爾離開後，房間裡充滿著無聲靜寂。

伊撒姆微張著嘴，正沉睡著。看著他蒼白的臉，赫薩爾心想：

（……那額頭底下，現在正在發生什麼事？）

蒼白卻光滑的皮膚。皮膚底下有薄薄的脂肪、骨頭，還有大腦。腦中究竟產生了哪些活動，讓人思考、感到痛楚和顫抖呢？

小時候，每當祖父講起人體內部的結構，赫薩爾就會有種不可思議的錯覺，彷彿能看穿人的身體，看到裡面各種東西活動的樣貌。

長大成人後，現在仍偶爾會看到那種幻影。

儘管失去意識，但爲了維繫生命，身體還是會不斷運作——跟那個在思考、有想法的自己簡直就像不同的生物，即使在沉睡期間，仍不斷活動的組織……

陷入深沉睡眠的這名少年，他的身體現在正爲了延續生命奮力搏鬥著，且無關意識。身體是什麼？生命又是什麼？每次看到人的身體，赫薩爾就忍不住想起這些。

赫薩爾輕輕整好有點凌亂的毛毯，嘆了口氣。

他轉頭看著站在房間角落的馬柯康。

「幫我拿茶來吧。」

「是。」

「還有眞那的。」

馬柯康點點頭，眞那慌張地搖搖手。

「不、不用了……」

「別客氣。不差這點工夫。」

馬柯康笑著，他手剛放在門上，房外有人便猶豫地敲著門。

門一打開，站在走廊上的是馬扎伊。

他兩眼充血，看來好像發燒了。

「馬扎伊大人！」

馬柯康不禁開口叫著，馬扎伊怯生生地往房內窺探。

「……伊撒姆現在狀況怎麼樣？」

赫薩爾站起身，對他說：

「您請進吧。」

馬扎伊進了房，走近床邊，看著沉睡中的兒子。

「現在靠藥物讓他睡著，不過病情很穩定。」

聽到赫薩爾這麼說，馬扎伊緊繃的臉才終於放鬆下來。

「是、是嗎……」

似乎說不出其他話的馬扎伊把手放在床頭，凝視著兒子。臉看來有些泛紅。

「您好像有點發燒。」

馬扎伊轉過頭來，點點頭。

「不久前，喉嚨開始有點痛。」

馬扎伊看了放在床邊治療檯的注射器一眼，又看著赫薩爾。

「我拜託米拉兒師也替我打新藥，但……」

「她拒絕了吧？」

「是啊。」

馬扎伊用舌頭舔舔乾裂的嘴唇，激動地喘氣，連肩膀都跟著上下抖動。

「爲什麼？」他問。

赫薩爾讓馬扎伊坐在椅子上，一邊替他把脈，一邊解釋：

「這種藥可能會引起很激烈的過敏反應。」

「過敏反應？」

「對。可能會無法呼吸，甚至還有生命危險。」

馬扎伊皺著眉。

「但您已經替伊撒姆注射了吧？」

赫薩爾眨眨眼。

「對。因爲伊撒姆的身體很明顯已經吃不消了。」

馬扎伊沉默了一陣子，然後勉強擠出話。

「我現在開始發燒，身體也覺得很難受。這不就代表我的身體已經開始承受不住病毒素的攻擊嗎？」

赫薩爾並沒有馬上回答，只是看了馬扎伊一會兒。

帶著激動的喘息，馬扎伊繼續追問：

「你說的過敏反應，一定會出現嗎？」

「不，不一定會出現。」

「如果出現的話，一定會死嗎？」

「雖然有危險，但也有可能保住一命。只是，除了過敏反應外，或許還會給身體帶來各種不好的影響……」

「但是不一定會死吧？死於黑狼熱的可能性還比較高，對吧？」

赫薩爾沒說話，馬扎伊則是用求助般的眼神看著赫薩爾，嘶啞著聲音說道：

「請你務必幫我注射。我被得了黑狼熱的狗咬了，現在身體很難受。就算不注射，也很有可能會死吧……我還不能死。我不能放著妻兒一個人走。至少讓我在存活可能性高的這一邊賭一把。」

赫薩爾緊抿著唇，陷入深思。過了很久，他才終於嘆了口氣，看向馬柯康。

「告訴米拉兒。準備好治療過敏反應需要的東西，然後到這裡來。」

米拉兒來了，赫薩爾把狀況告訴她，並做好準備。

眞那熟練地依指示擺放治療器具。赫薩爾趁機向馬扎伊說明應注意的事項。

「如果覺得血壓下降，或喉嚨塞住無法呼吸的話，請馬上告訴我。過敏反應通常會在五姆魯（分）到十姆魯之內出現，不過快的時候，有可能幾敏（秒）內就會出現。只要覺得不舒服，一定要馬上講。」

馬扎伊不安地看著赫薩爾。

「我現在還是覺得喉嚨很痛，過敏反應跟這種感覺不一樣嗎？」

「不一樣。覺得呼吸困難時，請告訴我。」

馬扎伊點點頭。赫薩爾老練地在馬扎伊的手臂上扎針。

「請用這塊棉花按住打針的地方。現在感覺怎麼樣？」

馬扎伊嚥了口口水。

「……沒什麼奇怪的感覺。就是喉嚨痛。」

時間的流逝彷彿變得很慢。

在赫薩爾吩咐下，馬柯康跟眞那一起搬了張床進來，讓馬扎伊能跟兒子待在一起。

馬扎伊躺在床上，安心地閉上眼。身體應該很難受吧。發燒讓他全身皮膚微微泛紅。米拉兒小心避免讓馬扎伊和伊撒姆產生脫水症狀。雖然房裡一定有赫薩爾或米拉兒，或是某位弟子在，但經過好幾刻後，馬扎伊仍未出現過敏反應。

這一天傍晚，與多瑠的兒子緒利武和母親絲露米娜，開始出現發燒症狀。

八　過敏反應

赫薩爾他們來到病房時，緒利武躺在床上，絲露米娜則起身坐在隔壁床上，撫著孩子的手。

緒利武滿臉通紅，不過並沒有發疹，目光也未顯黯淡。

「喉嚨會痛嗎？」赫薩爾問。

緒利武點點頭。

「好，張開嘴讓我看看。」

赫薩爾看了他的喉嚨、摸摸兩邊耳下，再替他把脈；米拉兒也依照同樣的順序檢查了絲露米娜的症狀。

「絲露米娜夫人跟今天早上沒什麼兩樣。只是喉嚨的紅腫更嚴重了些。」

絲露米娜一邊聽米拉兒這麼說，一邊擔心地看著兒子和赫薩爾。

「緒利武沒事吧？」

赫薩爾點點頭。

「現在還沒有發疹，而且跟其他人比起來，兩位的症狀都很輕微。雖然還不能掉以輕心，但我想還是很有希望的。」

絲露米娜安心地吐了一口氣。

「……那伊撒姆和我哥哥呢？」

赫薩爾簡單明瞭地交代了兩人的情況，馬柯康站在背後聽著。

赫薩爾這個人平常說話總是很隨性，不過一旦面對病人或者擔心家人病情的人，他卻又細心得令人驚訝。看到他這個樣子，馬柯康就忍不住覺得，這個人果然生來就是個醫術師。

絲露米娜不知抱著何種心思聆聽赫薩爾的話，當她聽到已經替馬扎伊注射血漿體藥後，眼中頓時一亮。

「您替他注射了嗎？太好了！米拉兒小姐說不行，我還以為我們都已經沒救了呢。」

米拉兒滿臉爲難地正要開口，但赫薩爾制止了她，並且將先前曾向馬扎伊說明過的危險性，再次告知絲露米娜。

絲露米娜聽著，雖然不住點頭，但她的表情卻明顯地寫著希望也能接受注射。

赫薩爾一停下，絲露米娜隨即表現出高度關切。

「您說的我明白了。打這種藥可能會有危險，這我也了解。」她說。

「但就算這樣也不要緊，請您替我們注射吧。一想到再這樣下去，要是兒子的身體輸給病魔怎麼辦，我就擔心到受不了。」

她連珠炮似地說出這番話。

「我一直在祈禱，但現在緒利武也開始發燒了……我……我也不知道自己會變成怎樣，眞的很害怕。」

赫薩爾將手疊上絲露米娜雪白的雙手，輕輕按住。

「冷靜一點。您是母親，可不能讓緒利武看到您這個樣子。」

絲露米娜隨即閉口不語。

「緒利武現在還沒有發疹，有可能就這麼平安無事。

「黑狼熱的血漿體藥打在人體上到底安不安全，目前還沒有經過確認。

「所以現在我並不建議您因為不安，而冒著引起過敏反應的風險接受注射。」

絲露米娜盯著赫薩爾，調整了一下紊亂的呼吸；接著閉上眼，長長吐了一口氣，再睜開眼。

「……那麼，請先打在我身上吧。我是這孩子的母親。他是我生的，是流著我的血的兒子。如果打在我身上沒事，就表示新藥用在這孩子身上也沒問題吧？」

赫薩爾皺起眉。

「這也很難說。的確，母子之間對藥物的過敏體質是很相似，不過……」

「我哥哥並沒有出現危險的反應對吧？我們是兄妹，你說的什麼體質，很有可能很相似不是嗎？」

在不安的驅使下，絲露米娜拚命地一句接著一句說個不停。

看到她彷彿被附身般的急切表情，馬柯康又產生了與醫術完全無關的擔憂。

（如果只有絲露米娜和緒利武不能注射新藥，可能會引發棘手的問題。）

絲露米娜是阿卡法王的侄女，緒利武也是流有阿卡法王血液的子孫之一；當然，緒利武也是王幡侯的孫子。

如果被人知道帶有這等微妙血緣關係的兩人，接受的是與其他人不同的治療，誰知道會傳出什麼臆測。

眞那了解詳情，應該會仔細對呂那說明理由；但是不了解醫術的官僚或武人，還是很有可能擅加猜測。

（既然這種病無論如何都很危險，對大家進行相同的治療，應該比較不會惹事上身吧？）

這一點赫薩爾理應也了解，但即使如此，看來他還是不打算改變治療方針。醫術的判斷，只需要考慮到人和生命就好，這是赫薩爾的信念，他在這方面相當頑固。

「馬柯康。」

突然有人喊他的名字，馬柯康眨了眨眼。

「是。」

「去沙庫爾那邊，問問馬扎伊大人現在的狀況如何。別忘了問他，現在除了過敏反應以外，還有沒有其他該注意的反應。」

「遵命。」

馬柯康離開房間，走向馬扎伊和伊撒姆的病房。現在弟子沙庫爾應該正代替赫薩爾照顧他們。

他敲了敲馬扎伊病房的門，走進裡面，利姆艾爾正坐在馬扎伊床邊和沙庫爾說話。

「打擾兩位說話了。」

輕聲致歉後，利姆艾爾抬頭看著馬柯康。

「怎麼了？」

馬柯康說出赫薩爾交代的事，解釋來龍去脈。利姆艾爾一邊聽著，一邊思考，聽完後隨即起身。

「我也一起去。帶我去病房吧。」

*

「……祖父。」

看見利姆艾爾在馬柯康的陪同下走進病房，赫薩爾從椅子上站了起來。

利姆艾爾先對孫子點點頭，然後微笑看著絲露米娜。

「身體感覺怎麼樣？」

鼎鼎大名的利姆艾爾親自來問診，絲露米娜緊張得邊發抖邊說出自己的情況。

利姆艾爾一邊點頭一邊聽著，聽完後，望向赫薩爾。

「聽說絲露米娜夫人想要嘗試新藥？」

「是的。」

「是嗎——如果夫人已經了解危險性，但還是希望注射，那麼我認爲應該替她施打，你覺得呢？」

赫薩爾皺起眉，凝視著利姆艾爾。

兩人就這樣沉默地對望好一會兒。

「當然，還有很多不得不考慮的問題……絲露米娜夫人。」

利姆艾爾轉頭看著絲露米娜。

「您是王幡侯次子之妻，緒利武則是重要的王孫。爲了避免將來引起無謂的糾紛，我希望能先寫封信給與多瑙大人，請求他的許可，好嗎？」

絲露米娜馬上點頭。

「好的，麻煩您了。」

赫薩爾追著離開病房的利姆艾爾，來到走廊上。

「祖父。」

赫薩爾壓低了聲音。

「您打算拿他們兩人來實驗嗎？」

利姆艾爾回過頭看著孫子。

「病毒素會在體內漸漸增加。藥越早期注射越有效果。那兩個人看來已經有免疫力，不過發燒越來越嚴重。這樣下去很有可能跟其他人走上一樣的病程……沒錯，這確實是一種賭注，既然非得賭一邊，還不如賭已經大致了解如何因應的過敏反應來得划算。」

赫薩爾表情扭曲。

「您怎麼又說那種唬外行人的話。」

赫薩爾眼裡閃過光芒。

「您其實是想看看會出現什麼樣的反應吧？」

利姆艾爾看著孫子，平靜地回答：

「既然知道，你又何必問呢？」

赫薩爾緊抿著嘴，表情凝重地看著祖父；最後，深深吐出一口氣。

「……可惡。」

赫薩爾啐了一聲。

「您還是一樣殘忍——不過我也好不到哪去。」

利姆艾爾輕輕微笑，轉身背向孫子。

＊

一獲得與多瑠「請務必注射新藥」的回覆，利姆艾爾馬上做好過敏反應出現時該有的準備，回到絲露米娜和緒利武的病房。

雖然是自己開口央求，不過一看到注射器，絲露米娜的表情仍不禁爲之凝結。

緒利武則是一副隨時要哭出來的樣子。

「好了好了，別擺出那種表情嘛。」

利姆艾爾開朗地低頭看著兩人。

他對緒利武說：

「你應該已經知道，這東西雖然看來可怕，不過沒有想像中的痛吧？會痛的頂多只有數著一、二、三那短短的時間而已。你身上流著東乎瑠猛將和阿卡法王的血，怎麼可能連這麼短的時間都受不了，你說對嗎？」

聽了這些話，武人之子怎麼也不能露出膽怯的表情。緒利武繃著那張稚氣尚存的臉，輕輕點點頭。

「嗯。不愧是武人。從小骨氣就跟別人不一樣！」

先開朗地稱讚緒利武後，利姆艾爾將視線轉向絲露米娜。

「我會先把新藥打在緒利武少爺身上。少爺發燒的情況比較嚴重，要注射就得趁早。等到他穩定下來再替您注射。可以嗎？」

絲露米娜鐵青著臉，抬頭看著利姆艾爾。

「……如、如果發生了那個過什麼反應，該怎麼辦？」

赫薩爾馬上舉起手。

「我們會在這裡做好治療的準備，您不用太擔心。既然都已經走到這個地步，您就放輕鬆，豁出去接受療程吧。」

利姆艾爾慎重地量取新藥，再吸入注射器中，將空氣排出後，他抓著緒利武顫抖的細瘦手臂。

先用沾著藥液的棉花擦拭皮膚，然後熟練地將藥注射進去。

緒利武表情扭曲、忍著痛。利姆艾爾拔出注射針後說：

「看，結束了。沒有想像中那麼痛吧？」

緒利武深深吐出一口氣，一邊發抖一邊點頭。

注射新藥後，緒利武並沒有出現過敏反應。跟馬扎伊注射時相比，注入藥液的部分比較腫，但即使經過一段時間後，仍未觀察到更嚴重的反應。

絲露米娜卻不一樣。

注射新藥後不久，絲露米娜的臉色大變。

「我嘴裡……」

嘶啞地說完這幾個字，絲露米娜臉色鐵青地按住喉嚨。

冷汗從臉頰滑落。

嘴巴一開一闔，發出緊繃的嗚嗚聲。看來是呼吸不到空氣。

一旁的馬柯康看到這突來的激烈反應，覺得一陣驚恐，但赫薩爾和米拉兒卻完全不顯慌亂，開始進行流暢的一連串處理。

赫薩爾先單手穩住絲露米娜的額頭，再用另一隻手的手指放在她下顎、抬高，確保呼吸道暢通；這時，米拉兒馬上將裝了某種液體的噴霧器放入絲露米娜口中，對著喉嚨噴灑藥劑。

這段期間，利姆艾爾拿著注射器，幫絲露米娜的手臂消毒、注射藥液。

緒利武對母親的急遽變化感到驚恐，但赫薩爾對他說：

「這是一種利用內臟分泌物製造的藥，非常有效，你不用擔心……你看，已經穩定下來了。太好了，這藥對你母親很有效呢。」

聽到使用的是內臟分泌物製成的藥，眞那的臉都僵了。發現這一點後，赫薩爾和利姆艾爾交換了一個眼神，但並沒有對眞那多說什麼。

赫薩爾說得沒錯，絲露米娜很快就恢復了正常呼吸。

這迅速又戲劇性的藥效展現，讓眞那帶著複雜的表情直盯著不放。

赫薩爾平靜地替臉色鐵青、差點窒息的絲露米娜進行治療。

「不要緊。已經沒事了。不會有生命危險了，妳冷靜下來，慢慢呼吸。」

米拉兒動手治療的同時，也溫柔地對絲露米娜說話。

「很難過吧，妳一定嚇了一跳，不過沒事了。妳的血壓會降低，所以可能會覺得眼前一陣昏暗，胸口也會有點不舒服，不過馬上就會好的。」

絲露米娜的狀態終於穩定。

她疲累地閉上眼，米拉兒執起她細白的手腕開始診脈。這時響起一陣敲門聲，一名弟子走了進來。

「……不好意思，沙庫爾師兄希望您能過去一趟。」

赫薩爾轉過頭去，點點頭。

「知道了。我馬上過去。」

赫薩爾把絲露米娜和緒利武交給利姆艾爾和米拉兒，接著站起來，跟著弟子離開房間。

來到走廊上時，赫薩爾問弟子：

「出現異狀的是誰？」

「是馬扎伊大人。他從喉嚨到腹部都出疹了。」

赫薩爾皺起眉。進入病房後，得意門生沙庫爾讓出位子給他。

「剛剛突然冒出來的。意識也變得模糊不清。」

赫薩爾看看疹子、摸摸耳下，再撥開眼皮看看馬扎伊的眼睛。

「跟之前的發疹好像不太一樣。」

沙庫爾說，赫薩爾跟著也點點頭。

「嗯，不一樣。這應該是藥疹。很可能對新藥出現過敏反應。」

摸摸他的脖子觀察脈象後，赫薩爾微瞇著眼。

「問題在於他意識模糊這一點。」

這天夜裡，馬扎伊出現了痙攣。

但是沒有其他患者那麼嚴重，很快就平息下來，不至於有生命危險。

隔天早上，繼馬扎伊之後，緒利武和絲露米娜也陷入意識模糊、發生痙攣，但都不算嚴重。

經過意識模糊和痙攣，並穩定下來後，他們開始進入漫長的睡眠。

大概睡了半天，他們全都露出一副遠行他方後終於回來的茫然表情，睜開了眼睛。

「太好了，已經沒事了。你撐過來了呢。」

米拉兒藏不住內心的喜悅，聲音開朗地撫著存活下來的少年肩膀。

少年尷尬地看了米拉兒一眼。欲言又止地別開眼神，但遲遲說不出話來。

「做了奇怪的夢嗎？」

米拉兒開口幫腔，緒利武點點頭，沙啞地說：

「……嗯，做了很奇怪的夢。」

「什麼樣的夢？」

緒利武眨眨眼，似乎想說些什麼，但最後還是放棄。接著，他小聲地說：

「我忘了。」

＊

治療告一段落後，眞那回到呂那身邊。

儘管赫薩爾答應讓他看，但眞那還是不願意親眼看到那所謂「眼睛看不見的致病小生物」。

赫薩爾很驚訝。

「爲什麼？看了之後一定會從根本改變你對疾病的認識。」

不過眞那緩緩搖搖頭。

「我想還是不會變的。所以我覺得不需要看。」

眞那謹愼地字斟句酌。

「在清心教醫術中，並不認爲探究病源有多重要。因爲該看的，都會出現在病者的身體上。

「診療身體，就能知道身體的問題出在哪裡。您說，人會生病是因爲小生物進入身體；換句話說，那都是進入身體的穢物。即使進入身體的穢物是相同的，疾病在每個人身上顯現的方式也仍舊不同。重要的不是鑑別穢物的種類，而是除去這些穢物帶給人的害處。」

眞那微笑著說。

「既然如此，該診療的就是人的身體。和生病的人面對面，幫助這個人活得更好。我想繼續精研這條路。」

說著，眞那深深低頭鞠躬後，便啓程回到師父身邊。

利姆艾爾一邊喝茶，一邊沉默地看著這段過程，等到眞那離開房間後，他重重地嘆了口氣。

「……眞可惜。」

赫薩爾拉開椅子，在祖父對面坐下，開口說道：

「清心教醫術的祭司醫，就像待在一顆大球裡一樣。不管走到哪裡，最後都還是在『神的教誨』這絕對不變的道理當中轉來轉去。」

利姆艾爾點點頭。

「從一開始就已經有個終極答案了。」

米拉兒猶豫地插了嘴：

「可是……老實說，我覺得滿受感動的呢。」

利姆艾爾微笑地凝視著米拉兒。

「是嗎。這也不難理解——不過，」

利姆艾爾的目光突然一冷。

「別忘了，就算這個世界的外側渾圓無缺，我們所生活的內側還有混沌存在。在這片混沌中，一個一個挖掘、發現、思考，才能踏出新的步伐。

「祭司醫從一開始就放棄了因病而死的人。清心教那套神的道理，只不過是一套終極理論，好讓患者和家人能接受，也讓祭司醫接受自己的無力。」

利姆艾爾張開雙手，做出抓住天空的動作。

「我們絕不放棄。絕不——我們也不讓患者放棄。絕不。

「疾病絕不是患者一個人的問題。如果是傳染病，只要有一個人抗拒治療，疾病就可能蔓延到其他人身上。」

赫薩爾有點錯愕地呆望著祖父。

現在祖父所說的，都是赫薩爾過去早就聽慣的老生常談，但這還是他第一次看到祖父用這麼誇張的姿勢，滔滔不絕地說話。

或許是注意到赫薩爾的表情吧。利姆艾爾放下高舉的雙手，但是他銳利的目光並沒有消失。

「把眞那叫來這裡，讓他有機會幫忙治療，確實是件很不錯的事。赫薩爾，以後如果有機會，也盡量這麼做吧。」

利姆艾爾嘴角一鬆。

「不用我多說，我想你也明白，清心教醫術是綁住我們手足的鐵鏈。

「如果能拉攏祭司醫到我們這邊，就可以斬斷鎖鏈。一旦獲得解放，歐塔瓦爾醫術就能有驚人的成長。

「有了豐富的財源和人才後，假如能不分貴賤，把我們的知識傳遞給東乎瑠人，一切都會大大改變。」

赫薩爾微皺著眉，看著祖父。

總是那麼冷靜的祖父，心中竟然有這般鬱結的心思，一想到這裡，讓他忍不住有點哀傷。

祖父的臉明明就是從小看慣的，現在看來卻好像是個陌生人。從窗戶照射進來的透明秋陽，把他的臉襯得白亮。

九　阿卡法的詛咒

一身白衣的人們，扛著白木棺材。

對於嚴守清心教教誨的東乎瑠武將來說，葬禮是昇華到白色天際的儀式，因此在儀式中不得發出哭聲。

白色帳篷、翻飛的白色弔旗、筆直延伸到墓穴前的白砂道路。

白色隊伍在白天的眩目光線中前進。

迋多瑠的葬禮對阿卡法人來說，是一種異樣的光景。

前來悼念的赫薩爾，在葬禮後受到王幡侯召喚。

在隨從引導下，赫薩爾前往城中的某間事務廳。門一打開，不禁爲之訝異——因爲他看到阿卡法王正跟王幡侯面對面坐著。

王幡侯坐在上位，背後掛著寫有神明教誨的掛軸，墨跡仍然鮮明。他的左邊是與多瑠，另有四位重臣，無聲地坐在房間兩側。

阿卡法王跟王幡侯面對面坐著，背後站著三位親信，多力姆也在其中。

王幡侯臉上浮現前所未見的威嚴。阿卡法王則平靜地看著他。

赫薩爾在多力姆身邊的座位坐下。王幡侯看著赫薩爾。

「赫薩爾大人，衷心感謝您這次救了我孫子一命。」

赫薩爾低下頭：

「多謝大人抬愛。」

王幡侯沒回應，只是直盯著赫薩爾。

「我就直說了。」

王幡侯語調平板。

「聽說阿卡法人不會死於黑狼熱，這是眞的嗎？」

端坐在房間西側最末座的馬柯康，覺得喉嚨彷彿被人勒住一樣。

（……來了。）

現在在卡山城裡到處流傳著這樣的謠言：黑狼熱的復活，就是領土遭到蹂躪的「阿卡法的詛咒」——他知道，這些風聲傳入王幡侯耳中不過是遲早的事。

這類謠言並不少見，但對失去長子的王幡侯來說，他難以視若無睹。

這老奸巨猾的男人臉上有著異常興奮的表情——讓人覺得無端恐懼。

「我可以向您稟報兩件事。」

也不知道赫薩爾是否感覺得到對方施加的壓力，他的語氣完全不如現場氣氛那般緊繃，顯得很平靜。

「首先，現在還無法斷定這次的疾病是不是黑狼熱。」

房裡一陣騷動。赫薩爾無視於眾人的鼓譟，繼續往下說。

「第二點，阿卡法人不見得一定能得救。」

瞬間，房裡又陷入一片寂靜。

「誠如您所知道的，遠在兩百五十年前，黑狼熱最後一次留下紀錄後，自此銷聲匿跡。這次事件所引發的疾病，確實跟紀錄上所記載的症狀很相似，但無法因此斷定和過去是否為同一種病。

「另外，是否如現在街頭巷尾所流傳的，阿卡法人一定能得救？這也很難說。

「確實，此次事件中，因病過世的大多是東乎瑠人，不過阿卡法人伊撒姆少爺的病情，卻遠比擁有東乎瑠血脈的緒利武少爺來得嚴重許多。當時若不是在下的祖父利姆艾爾師果斷嘗試不同治療方法，伊撒姆少爺可能早已回天乏術。所以阿卡法人一樣有可能送命。」

在寂靜的房間裡，只有時鐘發出「咚、咚」的鈍響。

王幡侯乾咳幾聲。

「……原來如此。我懂了。」

聲音聽起來像是卡著痰，王幡侯再咳了兩聲，又問：

「所以你並不認為這種病是『阿卡法的詛咒』嗎？」

這時，赫薩爾臉上浮現出苦笑。

「我完全沒想過這種事。」

但說著說著，赫薩爾臉上的笑意消失。

「我反而擔心有了『阿卡法人不會送命』這種空穴來風的謠言後，大家對疾病傳播的警戒心降低，使得疾病今後將在阿卡法人之間散布開。

「疾病這種東西，罹患的人一旦增加，就很可能造成病癥改變。現在或許只有被狗咬的人會生病，但如果這種病的性質和黑狼熱一樣，那麼等溫暖的季節到來，蜱蟎和蚊蟲增生，在這些吸了病犬和病人血液的蟲隻媒介下，一口氣爆發大流行也是有可能的。這才是更應該擔心的問題。」

王幡侯不知在想什麼，直盯著赫薩爾看。

「既然如此……」

王幡侯頷首。

「得早日提出對策才行；不過還有另一件事，也不得不提早設想。」

王幡侯將視線移到阿卡法王身上。

「衝進帳篷的狗。我看起來像是獵犬，閣下認為呢？」

所有人的視線都集中在阿卡法王身上。

阿卡法王停了一拍，點點頭。

「我也這麼認為。當然，只有短短一瞬間，所以也說不準。」

王幡侯用銳利的眼神看著阿卡法王。

「如果是獵犬，就一定有飼主；如果有飼主，就可能是一場有預謀的襲擊。」

「……」

「不用說，我已下令調查這起攻擊背後的原因，並加派兵力處理。如果真的有人殺害迂多瑠，並企圖放出『阿卡法的詛咒』這種謠言來擾亂東乎瑠的穩定，我一定會徹底調查，把所有相關人等全都一網打盡，除非砍了他們的頭，否則我絕不罷休。」

他眼眶泛紅，額頭青筋暴露——看起來淒厲駭人。

「還請您見諒，阿卡法的舊領主。」

阿卡法王面不改色。

他一直沒說話，只是靜靜看著王幡侯。終於，他平靜地開口：

「我知道了——我這邊也會派人去找，要是找到犯人，一定會交給您發落。聽了赫薩爾大人的擔憂，我想現在已經不是打政治算盤的時候。這也攸關我們阿卡法人的性命……再說，」

他直盯著王幡侯，再次強調。

「別忘了，西邊還有虎視眈眈的穆可尼亞。」

王幡侯的目光微微閃動。

阿卡法王看著他，繼續往下說：

「對我們來說，這麼久以來，東乎瑠人早已是自己人。相對的，穆可尼亞則是數百年來不斷威脅阿卡法的可憎仇敵。無論如何，我們都得阻止穆可尼亞蠻族蹂躪這片土地。所以千萬不能讓疫病流行起來。」

這片土地的現任領主和舊領主凝視著彼此。

沒有人知道，這兩個老奸巨猾的君王腦中現在到底蠢動著什麼念頭，但馬柯康卻感到一種難以呼吸的壓迫感。

沉默不斷持續，就在氣氛緊繃到令人難以忍受時，赫薩爾的聲音突然響遍整個房間。

「您剛剛說到預防疫病流行的方法嗎？」

所有重臣全都楞楞地看著赫薩爾。

大概是不敢相信在這種集會討論中，沒有王幡侯的垂詢，這個人竟敢無禮地擅自發言。所有人都盯著赫薩爾。

王幡侯也顯得有些不高興，不過他深吸了一口氣。

「……怎麼了？」

赫薩爾泰然自若地繼續說道。

「務必請您在今年秋冬之際，思考在卡山城這類人口密集的地區，應該採取什麼措施。」

「這確實沒錯。」

王幡侯點點頭。

「我希望呂那師跟你能好好討論一番，如果商討出什麼方案，我們再來研究——不過……」

王幡侯好像突然想到了什麼，皺起眉。

「如果這種疾病會以蜱蟎或蚊蟲爲媒介，那應該很難完全防堵吧？你製造的那種新藥，不能再改良嗎？」

赫薩爾點點頭。

「不管能不能，我都得繼續改良。」

「觀察病程時，我也發現盡早集中且持續注射『弱毒藥』和『抗病素藥』，是最有效的方法，但是……」

赫薩爾望了呂那一眼，再將視線移回王幡侯身上。

「第一個問題是，東乎瑠人能不能打這種藥。」

王幡侯表情僵硬。

赫薩爾直盯著王幡侯，又接下去說：

「阿卡法人如果沒有耐受性，也可能會死於黑狼熱；不過隨著弱毒藥的改良，應該有辦法拯救這些人。

「但如果不能對東乎瑠人注射，那麼就只有東乎瑠人會死於這種病；也就是說，這很可能成爲只有東乎瑠人才需要恐懼的疫病。」

房內一片鼓譟。

明明可以治療，卻寧可抗拒而死，那很明顯是東乎瑠自己的問題。

來到一片有傳染病的土地，卻因爲要恭順於自己的神，反而死於這種病——如果外界知道了這個事實，一定有很多人認爲這是上天的旨意。

這才是眞正的「阿卡法的詛咒」——而且無法責怪阿卡法人，是東乎瑠人自作自受、作繭自縛的詛咒。

王幡侯臉色蒼白，眉間刻著深深的皺紋。呂那的表情不變，只是一直坐在對面。

王幡侯終於開口，聲音有些嘶啞。

「……這事不能輕易決定，先跟呂那師商量過後再做決定。」

赫薩爾靜靜點頭，但沒有就此妥協。

「東乎瑠要如何判斷，當然要看各位的想法而定。但疾病是不等人的，爲了拯救還有救的生命，我必須製造出有效的藥。

「還請您允許我繼續製藥，以免讓奪走您兒子生命的疾病，再繼續剝奪其他生命。」

王幡侯眨眨眼。他沉思了一會兒，以篤定的聲音回答：

「那是當然。請您盡力改良藥效。」

赫薩爾放心地露出微笑。

「謝謝您。其實之前獲得您的許可，採取少量患者的血液，也都是爲了改良藥效。不過因爲對所有人都注射了新藥，所以無法分辨哪些人即使不注射也能存活。」

赫薩爾繼續滔滔不絕地說，沒讓任何人有插嘴的餘地。

「這次最早出現嚴重症狀的，是下巴附近被咬傷的東乎瑠鷹匠。相反的，對這種病表現出最強耐受性的是絲露米娜夫人，其次是馬扎伊大人和緒利武少爺。

「這些差異到底是怎麼產生的？如果能拋開『阿卡法的詛咒』這種無聊的政治流言，找出能否產生疾病耐受性的原因所在，就可能想出有效的預防方法。

「尤其是過去住在有許多黑狼棲息的邊界居民，為什麼以往都沒出現類似的病例？只要能知道這理由……」

一口氣說到這裡，赫薩爾臉上蒙上一層陰影。

「但這很難吧？要在阿卡法全境，包含邊界等所有地區，鉅細靡遺地調查有沒有人在罹患這種病之後還能存活，還要收集背景等詳細資料，實在不太可能。我們根本沒有辦法調查遊牧民族的生活情況，更何況這實在太花時間了。」

就在赫薩爾閉口不言時，與多瑠開口了。

「說不定有辦法。」

「喔？」

赫薩爾轉向與多瑠。

與多瑠鎮定地說明：

「我們有一套縝密的稅務管理系統。就連歐基盆地、土迦山地等邊境地區的遊牧民族都分批掌握，正確地調查每一批有多少人、年齡為何。」

他的表情突然鬆緩下來。

「當然，可能有幾個人像上次那個『缺角凡恩』一樣，在調查時躲進森林裡，讓我們查不到，但如果是您剛剛說的調查，目的並不是要搜索逃亡者，我想應該可以收集到正確度極高的資料。」

赫薩爾張口看著與多瑠，然後用力拍了一下大腿。

「這太棒了！不愧是東乎瑠，做事就是如此徹底。」

赫薩爾這種太過誇張的說法，惹得大家忍不住笑了出來，王幡侯的表情也顯得和緩了些。

「我尤其想要和遊牧民族一起生活的移住民資料！您想想看，邊境地區不是有很多與邊境民通婚的移住民嗎？如果能知道這種病在那些人之間如何蔓延，說不定就能取得很重要的資料……而且……」

赫薩爾逐一看著與多瑠、王幡侯還有阿卡法王，嚴肅地說：

「完成這些調查後，一切便能一目了然。我們可以知道到底哪種人對疾病具有耐受性。

「就像緒利武少爺的耐受性比伊撒姆少爺更高一樣，說不定東乎瑠的移住民裡，也出乎意料有具備耐受性的人。只要能弄清楚這一點，現在所流傳的那些荒唐謠言，很快就會像火堆被雨澆熄一樣，消失無蹤。」

（……真是這樣就好了。）

馬柯康在心裡暗想。

被水澆熄的火堆，有很長一段時間都會飄散出臭味。馬柯康彷彿聞到那種嗆鼻的味道，不覺低下頭來。

第五章　反轉者

一　謠言

那年冬天來得早，奧馬猜得沒錯，果然是比去年更嚴酷的冬天。

初秋開始便降下不少雪，才進入初冬沒幾天，竟已開始吹雪。

季耶向來不把心事寫在臉上，表面上看起來就跟平常一樣平靜地工作，但偶爾會出神地望著飄雪的天空。

或許是季耶的心思真的傳遞出去的緣故吧，陣陣風雪間，奧馬他們終於平安無事回來了。

男人們回來的那個夜裡，帳篷裡響起久違的笑聲。

馴鹿賣到的價錢還不錯，奧馬除了必須的糧食，還買了鹽漬鮭魚和糖漬水果等禮物回來。

鮭魚很肥美，烤過之後，滲出鹽分的皮下脂肪美味極了。

每年會在春天和晚秋舉行兩次馴鹿拍賣市集，一到這個時期，舊王都卡山附近的大型鑑定場，就會聚集來自各地的許多畜牧民。

除此之外，因為也有許多行商商人會聚集在此，所以馴鹿挑選和買賣結束的那天夜裡，就會舉行盛大宴會。

愉快的晚餐結束後，季耶和曼椏婆婆走出帳篷，要把剩下的鮭魚拿到外面的倉庫存放。奧馬似乎早在等待這個機會，一等她們出去，便拉了拉凡恩的袖子。

奧馬深怕吵醒坐在凡恩膝間睡著的悠娜，壓低了聲音說話：

「我在馴鹿市集聽到不太妙的謠言。」

「不太妙的謠言？」

「對。聽說現在有疫病在流行。」

一旁聽著的多馬插嘴：

「不算疫病啦。聽說不會人傳人。」

奧馬看著兒子，不耐煩地咂了咂舌。

「什麼叫不算？就算不會人傳人，如果流行在狗之間，而被狗咬到會死人的話，還不一樣是流行病。」

「……話是沒錯啦。」

聽著兩人的對話，凡恩感到胸口有股不安鼓譟著。

「是狂犬病嗎？」凡恩問。

才聽到這幾個字，奧馬便緊皺著眉。看到他的表情後，凡恩感到非常驚訝，因爲在奧馬雙眼深處可看見深刻的恐懼。

「不一樣。」

奧馬摩擦著膝頭回答。

「……說是什麼黑狼熱。」

換凡恩皺起眉。

「黑狼熱？」

奧馬盯著凡恩。

「你應該很清楚吧？原本是你故鄉附近的病，對吧。」

凡恩苦笑道：

「我老家那邊沒有那種病……毀滅古歐塔瓦爾王國的生病黑狼，的確來自我故鄉的山地；但是長老們說，當時土迦山地的居民沒有人死於這種病。

「而且聽說很久以前，阿卡法的士兵們就已經大舉出兵、攻入山裡，把牠們全部殺了個精光，幾乎沒有黑狼殘存下來。在這裡活下來的黑狼還比較多吧。」

奧馬用手指搔著臉頰。

「是啊，過去是有不少，現在偶爾也還能看到；但是這裡也沒聽說過被咬傷後會生病死掉這種事啊。」

奧馬嘆了口氣。

「這就是最棘手的部分。光是疾病的流行就已經夠棘手了，但是還有更棘手的……」

話說到一半，奧馬安靜了下來。

多馬凝視著沉默的父親，然後看著凡恩，喃喃說著：

「大家都說，那種病不是單純的病，是『阿卡法的詛咒』。」

多馬表情扭曲。

「聽說只有東乎瑠人會死。就算被咬，但阿卡法和歐基人不會死，只有東乎瑠人和移住民會死。」

「怎麼可能？」

凡恩不以為然地說。

「雖然是滅了古歐塔瓦爾王國的可怕疾病，但阿卡法人卻不會罹病，所以才會傳出這種話吧？」

凡恩看著兩人。

「人很容易一頭栽進自己的成見裡。這應該是對東乎瑠的恨意所衍生出的謠言。」

奧馬搖搖頭。

「我一開始也這樣想。而且還跟熱烈討論這些話的人大吵了一架，要不是這傢伙阻止我，我差點就拿柴刀砍破那傢伙的頭。」

看著父親，多馬露出苦笑，然而多馬的嘴唇已經失去血色。

奧馬表情僵硬，眨了眨眼。

「……可是他們說這是真的。有個認識了三十多年的朋友也告訴我幾個病例。每個聽起來都不像假的啊。」

多馬看著凡恩。

「聽說已死了不少人。南邊猶加塔平原的移住民聚落也是，很久之前就有人被狗咬死。歐基盆地南邊，還傳出有移住民被咬死的事。

「那些黑狗是可怕的『諸神的獵犬』，牠們漸漸接近阿卡法的舊王都，聽說到了秋天就會一發不可收拾。」

多馬口沫橫飛地說起在阿卡法王和王幡侯舉行御前狩獵時發生的悲劇。

「迂多瑠大人也病死了。聽說他就是被突然出現的黑狗咬傷，全身發疹才過世的。

「東乎瑠的貴婦也死了，但是同樣被狗咬到的阿卡法王一家卻平安無事。」

多馬眼神陰鬱。

「聽了這麼多例子，就算不想懷疑，也不得不懷疑啊。會不會是阿卡法的神明想要懲罰玷汙阿卡法土地的東乎瑠人，所以接二連三地奪走他們的性命。這麼一來，阿卡法就會再次成爲阿卡法人的國度……」

「荒唐。」

奧馬忿忿地說。

「就像凡恩說的，那些事只是巧合。阿卡法王族裡，也有人手腳不能動的不是嗎？」

「對。我也聽說了。似乎是阿卡法王侄子的兒子，好像不能走了。」

「不只這樣。東乎瑠王幡侯的孫子不是也活下來了嗎？」

多馬苦笑了一下。

「你是說緖利武少爺吧？大家都說，那就是神意的證據，因爲他身上有一半是阿卡法的血，所以才能得救。」

多馬嘆了一口氣，又繼續說：

「看不起阿卡法人的迂多瑠大人很快就死了，但是娶了阿卡法王侄女爲妻的與多瑠大人，他的兒子卻能活下來。應該沒有人不懂這其中的意義吧？」

多馬好像突然想起什麼似的看著凡恩。

「對了，之前阿卡法鹽礦不是也發生所有奴隸在一夜之間全部死光的事嗎？差不多就是我遇見凡恩的時候……」

「……」

「大家都說，現在回想起來，好像就是那時候開始的。

「阿卡法鹽礦明明是神明賜給阿卡法人的聖地，東乎瑠卻把它變成用來使喚奴隸的地獄，玷汙了這個地方，所以諸神的獵犬才會從那裡開始襲擊。」

多馬環抱著身體，輕聲說道：

「那天晚上在森林裡看到的……我想應該是山犬，說不定牠們就是諸神的獵犬。如果是這樣，牠們爲什麼會放過我？難道因爲我是半個……」

奧馬伸出手，往兒子的後腦杓一拍。

「說什麼廢話！你還是不是歐基人啊？神明怎麼可能處罰老實工作生活的人！」

奧馬的聲音驚醒了悠娜，她睜大了眼東張西望，開始鬧脾氣。凡恩抱起悠娜，緊摟著她。

「別哭別哭。沒事的。」

哄著搖著，悠娜又撒嬌地哭了一會兒；不過大概眞的很睏吧，馬上又睡著了。

悠娜這麼一鬧，剛剛的亢奮好像也消退了，奧馬和多馬都冷靜了些。

等悠娜睡著後，奧馬輕聲嘆氣。

「別告訴季耶。」

凡恩看著奧馬。

「但總有一天會傳進她耳裡的。」

奧馬點點頭。

「到了春天應該會吧……至少冬天這段期間，我不想讓她因爲這種無聊的事煩心。」

這時候，季耶她們剛好回來。

她們裹著一身清涼夜風的味道走進來，帳篷又恢復平日夜裡的平靜。

凡恩一面感受著腿上悠娜溫暖的重量，一面卻覺得背後有陣涼意。

（那些野獸……）

在鹽礦的黑暗中發亮的眼睛，的確有著不尋常的光芒。牠們似乎很清楚自己要做什麼，簡直就像受命執行任務的士兵。

儘管如此，他還是不相信「這些野獸是神派來的」這種謠言。

人啊，總是會爲事情加上一廂情願的解釋。

故鄉每逢疾病流行時，也會傳出各種流言。

流行那種會久咳不止的病時，便盛傳這是因爲有人對神靈棲息的樹根吐口水；許多人出現拉肚子的症狀時，又說是因爲有人玷汙了河川，還舉行了淨河儀式。

小時候的他相信大人們說的話，但現在每次聽到類似的說法，心裡都會湧起一股怒氣。

凡恩想起兒子明亮的雙眼，天眞的笑聲彷彿就在耳邊迴響。

（那孩子……）

完全沒有一丁點非生病不可的理由。

如果說，世界上有人應該遭到詛咒，那八成是擅自曲解神明意志的妄言之輩。

但就算是那種人，不，甚至是罪孽更加深重、不可饒恕的人，也能安享天年，幸福地度過此生。

生與死，不該成爲人類的心機算計。

看著燃燒的火焰，凡恩的雙腿仍持續感受著在膝上沉睡的悠娜所帶來的溫暖。

二　變化

大帳篷裡有間地板和牆壁都鋪有馴鹿毛皮的睡房，在這裡，就算不生火堆，也可以靠人的體溫帶來溫暖。然而雖然不覺得凍，吹動帳篷的風聲卻讓人難以成眠。風雪蕭蕭的夜裡，一夜會做上好幾個夢。

某夜，凡恩做了個很逼眞的夢。

夢裡，他蹲在草叢裡，聽著風聲。

呼嘯著吹過夜空的風，陣陣拍打頭上的樹枝，沙沙作響。另一方面，有可能是因爲粗壯的樹枝和草叢吸走了風聲，草叢裡意外安靜。

冷如冰雪的風偶爾襲來，雪花打在皮膚上。他就這樣靜靜蹲著，等待風雪結束。

他突然察覺到動靜，豎起耳朵。

遠方有一團黑色影子。從聲音和氣息中，他感覺似乎有影子在蠢動……一群，又一群，不斷湧來。隱密地、靜悄悄地接近。

（……是山犬。）

喉嚨和腹部不由得縮緊——萬一被那傢伙發現時，可能會被利牙瞄準的部位忍不住起了雞皮疙瘩。

但另一方面，不知爲什麼，他有種微妙的興奮感。還差一點，獵物就會進入弓箭的射程……他心頭湧上這種時刻特有的雀躍期待。

他雖然很害怕這種皮膚發癢、彷彿漸漸變得不像自己的感覺，恨不得拔腿就逃；但就在這個瞬間，腹部下方突然響起一陣激動的哭聲，讓凡恩從夢中驚醒。

悠娜鑽到他的肚子附近緊抱著他，渾身顫抖。與其說害怕，看來更像是因爲異常興奮而發抖。

「歐鎗！歐鎗！」

凡恩深怕吵醒奧馬他們，細聲安撫悠娜，緊抱她小小的身體輕搖著。

「不要緊，不用怕。」

只是悠娜非但沒停下哭聲，還拚命扭動身體。

凡恩還來不及制住她，她口中已發出野獸般的低吼。

奧馬他們好像被驚醒了，啞著嗓子問道：

「怎麼了？」

以前悠娜偶爾也會在半夜哭鬧，但今天的聲音聽起來很不尋常，連奧馬也不禁擔心了起來。

「好像在做夢。」

凡恩說著。他抱住悠娜、輕撫她的背，但悠娜還是哭個不停。雖然不再像剛剛那樣大叫，不過全身仍抖個不停。

她的小手緊抓著凡恩的衣領，用力拉扯，嘴裡像是喃喃地說著什麼。彷彿回到嬰兒時期的牙牙學語，拚命想說些什麼。

「……歐鎗、歐鎗……那個……黑黑的……」

凡恩能聽懂的只有這幾個字，除此之外，悠娜並沒再說什麼其他的。

他忍不住盯著悠娜。

睡房外的爐火亮光從通風孔微微透了進來。

儘管如此，睡房中仍幾乎是一片黑暗。應該看不到東西才對，爲什麼凡恩卻能看見悠娜的臉呢？尤其是眼睛周圍特別明顯。

凡恩抬起頭，被淚水沾濕的眼睛寫滿興奮。

（該不會……）

她也做著同一個夢吧？

這孩子也跟他一樣，感受到那草叢中步步進逼的黑獸氣息。

就在這時，他好像聽到了什麼，頓時豎起耳朵靜聽。

沒聽錯。凡恩又聽到了。尖銳的一聲「霹呀！」竄入耳中，然後消失。

（是警戒聲。）

那是飛鹿發出的警戒聲。

一開始是很像笛聲、短促而尖銳的聲音，馬上又轉換成彷彿從地底爬出、具有威嚇感的「嘓、嘓、咕嚕咕嗚嗚」。

聽了讓人直起雞皮疙瘩。

一聽到那聲音，他的眉間立刻覺得有股刺痛，剎那間，周圍的一切都不一樣了。

悠娜的味道、自己的味道、奧馬等人的味道頓時湧入鼻腔，各種聲響都變得震耳欲聾，這一切全部混在一起，迎面襲來。

咚！咚！太鼓般的聲音撼動天地。

過了很久，凡恩才發現那其實是自己的心跳聲。

恐懼和亢奮如波浪般遍襲全身。他很清楚地感覺到，懷中的幼子已和他融爲一體，在同樣的浪濤中搖擺著。

凡恩抱起悠娜。

黑獸來了。

腳步聲並不是朝向這裡，而是馴鹿和飛鹿圍籬的方向。恐慌的馴鹿和飛鹿奮力踏地，想逃卻不知該往哪逃的情景，彷彿就在眼前。

被拴住的獵犬們也大叫起來。就像瘋了一樣，不斷尖聲吠叫。

凡恩把悠娜交到多馬手裡，迅速披上外套、戴好手套、拿起柴刀。他回頭看著奧馬。

不知爲什麼，他竟說不出話來。

凡恩好不容易才從喉嚨擠出混濁的聲音：

「黑色的……來了。」

奧馬一臉不解，反問：

「你是指黑兄弟？」

凡恩已無法回答這個問題。

眼前的風景開始晃動，話語和思緒漸漸遠去。

能思考的自己漸漸退縮到身體深處，「我」一分爲二，分裂成能活動的手腳，和看著這些動作的自己。站在帳篷裡的他，看著另一個自己掀開帳篷的門，往外走去。

不知不覺中，風勢已經減弱。

帶來風雪的雲層也淡了，夜空中快速流動的雲讓半月忽隱忽現，每次掩現，都有無數影子在覆蓋著青白色雪花的大地上躍動。

附近出奇地明亮。

從鼻尖竄到頭頂的味道、踏在雪上的無數聲音、從森林彼端如黑水般奔來的影子，這一切都在腦中映照出鮮明的影像。接下來，那些傢伙會從何處來襲、如何攻擊，每個位置都在他腦中留下發光的軌跡。

凡恩彷彿受到某種力量的驅使，開始奔跑。

身體難以置信地輕盈。他飛也似的將白茫茫的大地拋在腦後。

黑獸群聚在圍籬外。

那群黑獸像是在避開什麼，一邊繞路，一邊接近圍籬。

連想都不用想，凡恩便知道牠們這麼做的原因。是墨荷葜。看來那些傢伙也會被這味道擾亂心神。

漸漸的，眼前所見風景和包含各種豐富氣味的空間開始微妙地融合在一起。在這氣味的風景中，黑獸正奔馳著。

幾個影子一邊低吼，一邊開始包圍圍籬，害怕的飛鹿們紛紛擠在另一側的圍籬邊。

這時，又有其他影子，悄悄朝鹿群的方向去。

發出低吼威嚇獵物的野獸是所謂的助手。而負責狩獵的野獸則接近飛鹿背後，壓低了身子準備跳起。

那傢伙會越過柵欄。

在實際行動前，凡恩已經看到牠跳躍的的軌跡。

鹿群想要求生的心跳，不知不覺中跟他自己的心跳重疊在一起。

凡恩像公鹿般背對著鹿群、面對黑狼，微微低頭，從側面上前攻擊野獸。

野獸發現了，轉過頭來。

看到那雙眼睛的瞬間，奇妙的事發生了——自己竟一分爲二。

一個是呼應著飛鹿們恐懼的波動，覺得該保護鹿群、挺身作戰的自己。

在更深層之處，還有另一個渴求野獸氣息的自己。

野獸停下了動作。

牠們同時靜止，看著凡恩這裡。將牠們結合在一起、炙熱鼓動的生命之索，竟和他自己的相連在一起，一同脈動著。

漸漸的，周圍的一切全都變成光線的流動。

無數光脈瞬息不止地往四面八方流去。有些彼此糾結交纏，有些則規律跳動著。

天地間的一切，都變成快慢不同的流動。

森林中的樹木變成綠色的光流，從地底向天空散發光芒。這些光流和蒼鬱陰暗的樅樹林漸漸重疊。

大如山豬的雄獸站在凡恩正前方，定睛凝視著他。

四目相對的那瞬間，凡恩眼前一陣模糊；等到他發現時，眼前竟出現一個伸展著四肢、作勢要撲上來的高大男子。

凡恩一驚，抬頭看著那名男子，卻忍不住往後退。

（這……這是我？）

腦中才剛出現這個想法，又迅速回過神來，對方看來仍是隻剽悍的雄犬。

只要他想，沿著這鼓動著的生命之索，他可以和任何一隻山犬相連。

（這些傢伙，就是我。）

現在只要拉動這些光索，「我們」就會跟著動……凡恩如此感覺到的瞬間，遠方吹起一陣如風氣息，就像拉動馬的牽繩般牽動著光索。

成束的光索，往森林彼端那棵巨大的樅樹延伸。

那裡一定有什麼──有「什麼」握著這束光索，硬是想從凡恩手中將光索搶回來。

和野獸之間的連結突然斷裂，四周驀然陷入一片寂靜。

眼前的野獸眼露凶光。

凡恩一陣戰慄，簡直就像洗了個冷水澡。

剽悍的雄犬齜牙咧嘴，往空中躍起。

凡恩突然低下頭，就像用犄角撞擊般，用柴刀的刀背往對方露出尖牙的鼻梁打去。

隨著傳回手中的扎實感和耳邊的一聲慘叫，雄犬像顆球般彈落地面。

就在這隻雄犬滾地翻身的時候，其他野獸也一擁而上。凡恩丟開柴刀，緊握著拳頭，一一擊退從左右來襲的這些傢伙。

拳頭打中的那瞬間，有種手臂被對方用力拉走的感覺。凡恩怎麼也揮不開這種感覺，但被他擊退的獸群仍紛紛被打飛，掉落地面，翻滾了一陣。

耳朵好像聽到尖銳的聲音。

野獸們也同時停下了動作，轉向森林彼端，側耳靜聽。下一個瞬間，牠們轉身拔腿狂奔。

凡恩望著牠們離去的方向，心下一驚。

野獸們正往帳篷跑去——奧馬和多馬正舉著火把在帳篷入口看著這裡。

快逃！他想叫，卻無法說出任何言詞。

這時，帳篷裡有個小小的影子搖搖晃晃走了出來……是悠娜。季耶也彎身跟在她身後追了出來。

凡恩大叫了一聲。但是從喉嚨喊出來的，卻是吠叫聲。

＊

多馬高舉手中的火把，看著馴鹿圍籬那邊。

隱約只看到暗影晃動，不過附近漆黑得宛如打翻了墨汁，根本看不出凡恩在哪裡。

不過他發現，圍籬前方有幾個黑影在動。

「有火把反而看不清楚。去圍籬那看看吧。」

也對，父親奧馬附和著。這時，帳篷裡傳來母親季耶的聲音。

「啊，不行不行！不可以出去。」

多馬轉過頭，看見悠娜正掀開帳篷的布，搖搖晃晃地跑出來。

悠娜筆直地往馴鹿圍籬那邊跑。彎身追出來的母親差一點就要抓住悠娜時，突然聽到遠方傳來什麼東西在吠叫的詭異聲音。

多馬馬上轉向聲音傳來的方向，模糊中，看到幾個黑色物體正逐漸逼近。他聽見踢雪的沙沙聲。

「爸！」

還來不及用手去指，火把已映出了那傢伙的身影。

一身黑色的毛、金色眼睛，還有外露的利牙，火焰明滅閃動的瞬間，最前面那隻野獸往空中一跳，朝著父親直撲而來。

奧馬連忙揮動火把。但野獸在空中一個轉頭避開了火把，張口往他手臂上咬去。

多馬一邊驚叫，一邊用火把揮打咬住父親手臂的野獸。

火星轟然在空中蹦開。野獸一聲慘叫，放開了奧馬的手臂，跌在雪地上。

多馬轉過頭，看見季耶彎身護著悠娜。衝過來的野獸們正接近母親背後。

他一邊大叫，一邊跑上前去；突然，一個重物撞上側腹，差點讓他窒息。被撞倒在地的多馬抱著肚子呻吟，睜開眼睛時，野獸的大嘴竟已近在眼前。腥臭的氣息包圍著他的臉。

（要被咬了！）

多馬下意識緊閉雙眼、全身僵硬。此時，一聲鈍響後，身體突然變輕。

他驚訝地睜開眼睛，是凡恩。

多馬瞪大眼睛看著眼前的凡恩。

那瞬間，凡恩的樣子顯得異常耀眼：眼裡有燦然光芒，全身彷彿散發著熊熊火光。

打跑撲上來的野獸後，凡恩流暢地轉動身體，一把揪住正要從季耶背後偷襲的野獸脖頸，三兩下就把牠拉開，輕輕拋向空中。

就像守護鹿群的公鹿一樣，凡恩低著頭，或踢或揍，將來襲的野獸一一扔了出去。

凡恩動作之快，讓剽悍的野獸看起來相形遲鈍。野獸們甚至來不及露出利牙，就被凡恩拳打腳踢地拋到遠處。

多馬的視線漸漸跟不上凡恩的動作。

只是撲上來的野獸一一被扔出去的樣子，看來好像在空中飛舞。

這時候，好像有某種無聲的聲響。

野獸們剎時靜止。

牠們停下動作，幾乎在同一時間，凡恩皺起了眉。

野獸們疑惑地望著森林，接著豎起耳朵，好像被線拉走一樣，同時轉身奔進林中。

「……啊！」

母親叫了一聲。

多馬轉過頭去，正好看到悠娜從母親懷中掙脫，拔腿跑走。

那速度快得簡直不像個孩子。

掉落在雪地上的火把，映照出悠娜追著野獸跑去的身影，轉眼間又融入黑暗裡。

多馬啞然無語。就在這片刻，凡恩也轉過身，追在悠娜身後。

融入夜色前的那背影，看來竟似獸非人。

＊

小小的光在搖晃。

跑在前頭的悠娜，看來彷彿泛著微弱的光。

悠娜的光跟野獸們連在一起，自己也仍和牠們相連著。凡恩差點忘了呼吸，只是埋頭不斷奔跑。

野獸們彷彿在等待追上來的小狗，稍微放慢了腳步。悠娜的身影就這樣融入野獸群中。

凡恩自己也好想融入其中。

體內有另一個吞吐著微熱氣息的生命，正蠢蠢欲動，想和獸群相融。

如果和黑獸群一起，任由握著生命光束的那人牽引，不斷往前奔，該是多麼快意的事。

耳邊風聲呼嘯。雪的氣息包覆全身。光影搖曳。

森林逐漸接近。埋在雪中的雜草也散發出清冽的氣味。

不知道什麼時候，凡恩的內心和悠娜連結在一起，頓時感覺地面變近了。

一切顯得緩慢愜意。

搖曳的青草碰觸到鼻尖後，又緩緩恢復原狀；草叢裡，從睡夢中睜開眼睛的雪跳蟲跳了起來，靜靜地張開翅膀，降落在另一片草叢，就連牠翅膀上的每一條紋路、細長的腳尖，都看得一清二楚。

衝進森林後，樹木的味道變得濃厚。

一股強烈的氣味朝著鼻尖襲來。那瞬間，一道雪白的光線從眼底直衝腦門。

那是從樹枝垂下，或依附在樹根的青苔和地衣類傳來的味道。這股氣味宛如千顆鈴鐺般叮鈴作響。

其中氣味最強烈的，就是阿蓆彌。滿滿附著於大樹根部，呈現美麗綠色的地衣，發出難以言喻的複雜香氣。

一聞到那味道，身體深處便一陣戰慄——彷彿分成兩半，互相撞擊、彈開、結合，再安靜地收斂，宛如波浪般重複著這過程。

野獸們的腳步變慢，悠娜的步伐也跟著緩了下來。大家都偏著頭，一臉困惑的樣子。

凡恩停下腳步。

阿蔴彌的味道像陣陣拍擊的波浪，逐漸滲進體內，慢慢平息身體深處那莫名的衝動。

再過一會兒就會安靜下來了……凡恩正這麼想的瞬間，眉間一股疼痛。

光束再次遭到拉扯。

野獸們抬起頭，抖抖身子，再度拔腿奔跑，悠娜也想跟著他們走。

凡恩連忙一個伸手，把悠娜撈進懷裡。

悠娜在懷中掙扎，像小狗一樣低吼。她甩著頭、揮動手腳，但凡恩用力緊抱著她，怎麼都不肯放手。

野獸們飛奔前去。

看著牠們的背影，心裡有種被母親丟下的寂寞。

眞想跟牠們一起走。不管哪裡，都想跟牠們一起。

胸前的悠娜一定也感到同樣的衝動吧。她像個嬰兒般放肆哭泣。

即使如此，凡恩依然沒鬆手——幸好有阿蔴彌的味道壓制住體內的東西，讓他漸漸重拾平時的感覺。

（不能去。）

腦中突然出現這幾個字。

（不能讓她去。）

悠娜曬過太陽的髮絲掠過凡恩的臉，凡恩用力抱緊她小小的身軀。

三 渡鴉

第二天，是個萬里無雲的晴天。

地上一整片燦然白雪，令人眩目。

奧馬等人表情凝重地盯著汙染了這片清冽白雪、獨留在此的黑色屍骸。應該是被凡恩拋出去後，撞到木樁、折斷了背骨吧。四肢癱在雪地上，早就僵硬結凍了。

可能因爲已經死了，所以即使看著這屍體，也無法和昨天晚上的情景聯想在一起。

奧馬站在離凡恩稍遠的地方。

昨晚的事或許就像惡夢一樣糾纏著他吧。今天早上，他無法直視凡恩，臉上的表情是前所未有的僵硬。

凡恩知道奧馬在想什麼。他也覺得昨天晚上的自己，跟此刻這裡的他不像同一個人。在其他人看來，宛如野獸般與黑犬搏鬥的他，樣子一定十分詭異。

再加上昨晚的驚嚇似乎還沒平復。多虧了厚衣袖，獸牙並沒有嵌進肉裡，但看來奧馬心裡還沒有擺脫突然遭到攻擊的恐懼。

「……這傢伙不是黑兄弟。」

多馬的叔叔尤稽皺皺鼻子看著屍骸，嘴中喃喃說道。

聽到尤稽的聲音，始終沒有認眞觀察這些屍體的奧馬，這才低頭往下看。他先是皺起眉頭嫌惡地瞪著，接著凝神細察。

他臉上的僵硬緊繃慢慢消失，取而代之的是困惑的神色。

「你說得對。這傢伙不是黑兄弟哪。」

奧馬緊皺著眉，輕聲說道。

躺在地上的這具屍體跟狼很像——但並不是狼。

腰的高度和形狀確實跟狼一樣，但下顎和耳朵的形狀不同。毛髮中還混了一道淡淡的金毛。

（這傢伙身上流著山犬的血。）

凡恩在心裡暗想。

故鄉的山中有許多山犬。由於山犬的毛色是淡金色，所以大家都很討厭，覺得牠好像背負著彼世的光。山犬繁殖力強，在黑狼減少後數量大增，喜歡攻擊飛鹿，所以故鄉的人經常在冬天狩獵山犬。

眼前這隻死獸的顏色比山犬黑，體型也更大；臉倒是長得跟山犬有幾分像，帶著凶險邪氣。凡恩蹲下來，看看牠的腳底。

（……這下麻煩了。）

腳底跟山犬也很像。只有趾間的寬度不太一樣，如果不這麼仔細看，就算在山裡發現腳印，也可能會誤以爲是山犬的足跡。

他突然想起一件事，一股寒意在心頭擴散。

原本以爲森林裡年輕的山豬和鹿越來越少，是因爲山犬變多的緣故，說不定根本不是。

（變多的其實是這傢伙……）

頭上響起奧馬的聲音。

「這傢伙是半仔嗎？」

聽到「半仔」這種叫法，凡恩察覺到奧馬他們也跟故鄉的土迦山地民一樣討厭山犬。

半仔是對狼和山犬所生混種的蔑稱。

阿卡法人認爲牠們很聰明，所以拿來當獵犬用；不過對凡恩故鄉的人來說，牠們或許會讓狼和狗混種，但只要混入山犬的血，就絕對不會用來當做獵犬。

蹲在地上的凡恩站起身來。

奧馬偏著頭問：

「如果是半仔，應該有飼主吧？難道是跟山犬混血的？」

聽到這裡，凡恩腦中瞬間閃過一個景象——站在森林彼端，掌握著光索的人影……

昨晚的一切已覺得好遙遠，就像惡夢的殘渣；但也有些瞬間就像閃電下乍然發亮的景色般，鮮明地烙印在腦中。

站在森林中的人影是其中一個景象，不過他無法對奧馬他們提起。因爲在晨光下再度看著這具屍骸時，有件事變得更清楚。

從昨天晚上起，凡恩便起了疑心，現在看來，果然沒錯。

（這就是那傢伙。）

侵襲鹽礦、殺光所有人的可怕野獸。

那直直凝視著他、散發出異樣光芒的眼睛；那有預謀的、一個接一個咬傷奴隸的動作。

當時他覺得，這野獸簡直像士兵一樣——那時的直覺，十之八九沒有錯。

這野獸，可不是野放的禽獸。

這是受到指揮、帶有某種意圖而展開行動的群體。

凡恩戴著手套的手緊握成拳。

昨晚發生的事所留下最鮮明的印象，既不是恐懼，也不是後悔。

而是在黑暗中跟那些傢伙四目相對的瞬間，所感受到近似懷念的溫暖牽絆。那到底是什麼？

（我被牠咬過。）

在鹽礦被這野獸咬過後做過的夢。從那之後，身體就開始一點一點改變……

被咬的不只是他。

（……悠娜。）

他眼前浮現泛著微光、像隻小狗一樣全心追著山犬的小小身影。

那孩子也曾被咬傷——會不會有什麼東西潛伏在她身體裡？

（今後我們會變成什麼樣子？）

想到這裡，一股令人畏怯的寒意悄悄從心底冒出，像藤蔓般爬伸到整個胸口，連後腦和額頭都感到一陣冰冷麻痺。

凡恩深深吸了一口氣——畏怯只會阻礙思考。姑且不管自己，悠娜的人生才剛剛開始，現在可沒有時間因恐懼而卻步。

（好好想想。）

凡恩閉上眼睛。

（現在我只能看到片段。）

這些片段的那端，和某個無比龐大的東西連接在一起。

即將有事要發生——鹽礦所發生的事，或許就是一切的開端吧。

凡恩張開眼，望向眩目雪地那端的黑色森林。

（待在那裡的傢伙，都看到我們了。）

那傢伙一定也感覺得到，獸群、凡恩，還有悠娜，都被光索連接著。

（他怎麼可能知道我是鹽礦的倖存者……）

儘管腦中這麼想，凡恩還是無法消除那股難以言喻的不祥預感。

率領「獨角」作戰時，每當出現這種感覺，前方必有敵軍埋伏。

不能輕忽直覺。有很多事早已注意到，只是還沒有浮出意識表層罷了。

自己正被某個不知道是什麼的東西盯著、瞄準著。既然已察覺到，就不能忽視不管。

凡恩知道，一直以來藏在內心深處、早已忘卻的感覺，現在翻了個身，終於清醒。那是決心迎戰來襲的敵人時，異樣敏銳卻又大膽的心情。

凡恩緩緩走向森林。

如果眞有人站在那裡，一定會留下某些痕跡。

「……你怎麼了？」

奧馬叫住他。凡恩回過頭，簡短地回答：

「我要追查腳印，看看這些野獸從哪裡來。」

奧馬一定不懂他爲什麼要這麼做吧。奧馬皺著眉，表情曖昧地點點頭，但沒再多說。

凡恩再度往森林前進。

雪地會把不久前發生的事刻畫在身上。凡恩眼裡可以清楚看見野獸們踩著雪奔馳而來的痕跡。

控制著光索的傢伙，就在那棵樹下——比其他樹更高大的那棵樹。

雪地裡殘留的黑獸足跡，也都朝向那棵樹。

（沒錯。）

喚回獸群的人，就在那棵大樹下。

晨光中，高處的樹梢輕輕隨風搖曳，凡恩小心接近大樹。

從雪地往森林邊緣前進，地上的積雪也變淺了些。

不過還是清晰地留下了野獸們的腳印。足印上又蓋著足印，還有些是根本不成形的。從這些痕跡可以看出，野獸們先群聚在這一小塊地方，接著再奔向森林深處。

但是，裡面沒有人的腳印。

凡恩瞇起眼，盯著那個曾看見人影的地方。他又退了幾步，縱觀整體，確認位置之後，再次檢查雪上的痕跡，但還是找不到任何人的足印。

不過，他發現了一個奇特的痕跡。

那是黑獸們在此止步的痕跡。每隻野獸的爪尖都朝向大樹根部，在那裡停留片刻。

他腦中浮現了一個幻影般的景象：那群黑獸圍成一圈，就像等待獵人指示的獵犬般，頭朝著大樹根部。

但是野獸頭部所朝向的圓圈中心，卻什麼也沒有——連鳥的腳印都沒有，只有一片平緩、線條柔和的白雪，淡淡發著光。

（……為什麼？）

那是夢嗎？自己看到的發光人影，難道不是現實？不，那裡確實有什麼。否則那些野獸們不可能這樣圍成一圈。

就在這時候，凡恩頭皮忽然一陣發麻。

啪沙、啪沙，不疾不徐、悠揚的振翅聲從空中慢慢接近。

還沒看到，凡恩就知道那是烏鴉——是渡鴉。

那隻大渡鴉流暢地穿梭於垂下的樹枝間，接著張開翅膀，靜靜停在大樹的樹枝上。牠收起羽翼，俯瞰著這裡。

凡恩緊抿著唇，跟渡鴉正面對望了一陣子。

渡鴉眼中沒有敵意，只是一直若有所思地看著這裡。

不過，這樣凝視了一會兒後，奇妙的事發生了——凡恩竟然無法再好好看著對方。那一身漆黑羽翼，顯得異常刺眼。

漆黑的身姿逐漸膨脹，漸漸散發出莊嚴的光輝，令人目眩。

一股令人麻痺的寒意漸漸從額頭蔓延到腦門——眼前看到的，是不屬於這個世界的東西，不能再繼續看下去了。

凡恩硬是要自己把視線從渡鴉身上移開，轉身離開森林。

「……歐蹌！」

是悠娜的聲音。

一聽到那開朗的聲音，宛如包覆著身體的薄冰漸漸消融，肌膚再次回溫。

季耶正好牽著悠娜從帳篷走出來。季耶伸手遮住眩目的陽光，站在她身邊的悠娜則是全身都被毛皮裹得緊緊的，正揮著小手。

「啊！歐蹌，你看那裡，有婆婆喔。」

說著，悠娜指向渡鴉停著的大樹樹梢。

「有亮晶晶亮晶晶的婆婆喔。」

凡恩靜靜注視指著渡鴉的孩子。

他感覺到背後的渡鴉正翩然飛向空中。

凡恩忍不住回頭，瞇著眼，目送牠那彷彿被眩目藍天吸了進去的身影。

四　濡羽的使者

喂。聽到聲音回頭一看，尤稽正揮著手。

野丫頭不斷在凡恩身上磨著鼻子，他摸摸野丫頭剛長出鹿角的頭皮，微蹲下來，把阿蓎彌放在雪地，然後走向尤稽。

戀愛的季節一到，飛鹿吃阿蓎彌的情況就變多了；尤其懷了小鹿的母鹿更愛吃。

從森林裡採來即使埋在雪中也不會枯萎的阿蓎彌，趁著還有水分時餵給母鹿，是冬天重要的工作。

撥開深雪、走進森林，再挖出阿蓎彌是相當耗體力的勞動工作，但爲了讓母鹿生出健康的小鹿，不得不忍耐這點辛苦。

而且現在他只要靠味道就能知道哪裡有阿蓎彌，在雪地採集阿蓎彌的工作也因此稍微輕鬆了些。

以前根本聞不出味道，現在只要一聞到阿蓎彌，內心就會產生一股奇妙的動搖。

阿蓎彌跟墨荷蒺不同，是好聞的味道，不過覺得「這味道眞好」和「想要避開」的心情，卻會同時在心中互相拉扯。

聞到阿蓎彌的味道，一定會回想起跟黑色犎仔一起奔跑的那一夜。或許因爲這樣，才讓他這麼在意這綠色地衣的味道。

輕踩著雪快步走去，卻見尤稽板著臉說：

「不好了……拿著『濡羽』的使者來了。」

「濡羽？」

那是什麼？凡恩正要開口問，風向一變，他突然嗅到一股從沒聞過的味道。

在幽深的森林裡，除了腥臭的苔蘚味和焚燒香草的味道外，還會混雜著一些像是腐爛雞蛋的味道。

帳篷另一邊，就有個帶有這種味道的來訪者。

「你不知道『濡羽』？」

尤稽不耐煩地問。

「土迦那裡沒有『靈主』嗎？」

「……」

「不懂嗎？就是指能飛過黃昏間隙的那一位啊。當『靈主』想召喚誰的時候，就會讓使者拿著渡鴉的羽毛。」

大概是因爲心急，尤稽連花時間說明都覺得不耐煩，連忙擺擺手。

「反正跟我來就對了。」

凡恩和大步前進的尤稽並肩走著，又想起那天早上看到的渡鴉。太過耀眼、讓人幾乎無法直視，那果然不是一般的烏鴉。

（「靈主」……）

能飛過黃昏的間隙。

（是類似「舞之主」的人嗎？）

在凡恩的故鄉，稱只剩下靈魂，能自由穿梭於現世和彼世交界的人爲「舞之主」。說不定歐基人之中也有這種人。

想到「舞之主」，凡恩心裡不禁一陣懷念。

上一代「舞之主」很照顧小時候的他。

優吉娜是個愛笑又開朗的婆婆，很喜歡捉弄小孩子；不過因爲孩子們早就從大人口中聽說各種故事，所以一來到她面前，反而變得手足無措，恨不得快點逃開。

儘管如此，凡恩卻莫名喜歡優吉娜。優吉娜也是，一看到凡恩就叫住他，「那個跟小鹿一樣蹦蹦跳跳的調皮小鬼，過來一下吧。」然後給他一些果實或裹了蜜的點心。

她還救過凡恩一命。小時候愛惡作劇，晚上跟朋友們一起進山裡試膽，結果不小心踩空，摔落懸崖，受了重傷。

黑暗中，凡恩雖然能聽見玩伴們不知如何是好、一逕哭鬧的聲音，但他痛到根本無法發出聲音，好讓大家知道自己的位置。

那時候，是優吉娜救了他。他不知道優吉娜是怎麼找到的，但她把凡恩墜崖的地方告訴了孩子們的父親。

妻子過世後，在那段如白晝之夢般茫茫無邊的日子裡，也只有優吉娜對他說過的種種話語，依然刻在心中，難以抹滅。

外頭風傳東乎瑠即將進攻的耳語時，優吉娜便把「舞之主」的工作交給女兒，自己悄然消失。

有些人批評她，說她一定是預見可怕的惡兆，才先一步逃走了；但凡恩相信她離開土迦山地一定有她的理由。

在自己最需要有人教導時，能依賴的對象竟然消失，確實讓他很寂寞；不過他彷彿聽到優吉娜在說：「我管轄的是黃昏的流動，不是戰爭。」凡恩也覺得，這樣才像她。

如果現在召喚他前去的「靈主」跟「舞之主」是同樣的存在，說不定，那天早上看見的渡鴉，就是承載那人的靈魂而來。

想到這裡，他耳中又想起悠娜指著烏鴉時所說的。

——有亮晶晶亮晶晶的婆婆喔……

胸口泛起一陣涼意，凡恩眉間緊皺。

凡恩來到帳篷布門，看見一位個頭嬌小的女性。

她身上的馴鹿毛皮很平常，不過垂在背後的頭巾上卻繡著許多小小的藍玉，她一動，這些藍玉就會發出耀眼的光芒。

奧馬等人圍著這位訪客，靜靜站著。

悠娜眼睛銳利，一發現凡恩進來，她立刻甩開季耶的手，揮動雙手。

「歐蹌！歐蹌！」

所有人的視線都望向這裡。那位嬌小的女性也看著他，點頭致意。她的眼角雖然有皺紋，但看起來並沒有太老，大概五十五歲左右吧。

凡恩抱起飛奔過來的悠娜，也向那位女性回禮。

那位女性手裡拿著濕潤發亮的漆黑色渡鴉羽毛。她靜靜遞出兩根大小不同的羽毛，用清亮的聲音開口：

「在下是『靈主』的使者——阿西諾彌。

「住在森林另一端，吐息火流、湧現熱泉之處——『由米達之森』的人，說想見見您跟這位小女孩。

「突然來訪或許讓您很意外，能否請您在此暫無風雪的晴朗日子來一趟呢？」

凡恩還沒回答，悠娜已經伸出手拿起羽毛。

「歐蹌，看，好漂釀。」

她笑著將羽毛靠近自己的鼻尖。

「喂！」

他輕罵了一聲，阿西諾彌微笑著問：

「小妹妹，妳看這羽毛有幾種顏色？」

凡恩心想，這問題對悠娜來說太難了吧，不過只見她不時交替看著兩片羽毛，接著說：

「這個呢，亮晶晶的，是雪的顏色喔。」

奧馬和曼椏都不知道該說什麼，只能露出無奈的表情；沒想到阿西諾彌卻高興地放聲大笑。

「對對對，是雪的顏色呢。」

悠娜的答案似乎讓她很開心。她臉頰浮現紅潤色澤，眼睛也溫柔地瞇了起來，不再像剛剛那樣拘謹。

「那麼，你覺得看起來有幾種顏色呢？。」

凡恩再次看著羽毛。

目前爲止都覺得是黑色，但仔細觀看，卻發現當眼睛對焦後，羽毛頓時產生形變，讓人看不清楚。

凡恩瞇著眼，輕聲喃喃。

「……我看不見。」

阿西諾彌的眼睛稍微睜大了些。她看著凡恩一會兒，像在思考著什麼，接著她點點頭。

「是嗎？或許也有這種人吧。」

阿西諾彌再次用沉穩的聲音問：

「如何？您願意跟我走一趟嗎？。」

凡恩沒有馬上回答，而是看著懷中的悠娜。

如果召喚他的「靈主」是如同「舞之主」的存在，那麼這召喚便是極其神聖、不容拒絕的。但爲什麼靈主會知道他的存在？爲什麼要召喚？凡恩心裡強烈想知道原因，卻也覺得不安。自己身上正發生著奇妙的變化。

同樣的變化，可能也發生在這孩子身上。

如果是因爲被那些野獸咬傷，那麼事奉神明的這些人，會如何看待此事？說不定他們會認爲凡恩被汙穢的東西咬過，是個變化中的災厄，想要淨化他。

他看見季耶轉過身、不安地抬頭看著丈夫的樣子。

看到她這個樣子，凡恩突然下定了決心。

不管要跟著去，還是要逃走，都是我們倆的事。不能給這家人添麻煩。

再說，現在發生的這些事到底眞相如何，還沒弄清楚之前，他也無法判斷將來該走哪條路。

如果只有自己一個人，怎樣都行。

但懷裡這溫暖的孩子，才正踏上人生的道路——得幫悠娜找出能幸福走下去的路才行。

凡恩看著阿西諾彌，點點頭。

「我跟妳走。」

阿西諾彌露出安心的微笑。

「是嗎？太好了。這麼突然提出邀請，眞是抱歉。」

聽到對方說得如此輕巧，奥馬臉色一變。

「……請問……」

阿西諾彌轉頭看著奥馬。

「什麼事？」

奥馬乾咳了兩聲，繼續說道：

「請恕我冒昧，這次召喚跟前幾天夜裡發生的事有關嗎？」

阿西諾彌困惑地問：

「您說『前幾天夜裡』，是指什麼事呢？」

奥馬瞥了妻子一眼，再看看尤稽和多馬，接著看向凡恩，像是下定決心般開口：

「大概是三天前，有一群半仔來攻擊我們的飛鹿。當時凡恩爲了救這些飛鹿，殺死了幾隻半仔……」

奥馬又咳了幾聲，又接著說：

「沒有先用火驅趕就殺了牠們，確實該罰；但他現在已經了解，也深刻反省了。再說，他會這麼做，也都是爲了我們。」

阿西諾彌一臉訝異地聽著奥馬解釋，只在聽到「一群半仔」這幾個字時，表情稍有動搖。只是，那表情馬上消失。等到奥馬說完後，阿西諾彌微微偏著頭，用沉穩的聲音回答：

「聽來眞是辛苦的一夜啊。或許『靈主』的召喚確實是爲了這件事吧；不過也可能不是，實際原因我並不清楚。真抱歉，我完全沒聽說這次召喚的理由。」

說著，阿西諾彌又補充了幾句話，企圖安撫。

「不過我想您不用擔心。各位也知道，『靈主』的責任是整頓萬物流動的秩序。一看到什麼扭曲失序的東西，就替我們調整恢復。」

奧馬抿著嘴，看向凡恩。

阿西諾彌說話的方式雖然沉穩，不過話裡卻有嚴正的意味。

這一點奧馬應該也感覺到了吧。奧馬欲言又止，沉默看著凡恩好一會兒。終於，他吸了一口氣，悄然開口：

「要去就去吧……直到仲春時期，我們都會在這裡；如果要移動的話，會想辦法讓你知道的。」

凡恩凝視著奧馬，深深低下頭。

＊

要到「靈主」居住的「由米達之森」，大約需要五天時間。這天凡恩整理行裝，準備隔天一早出發。

天要是再冷一點，雪就會變硬，馴鹿比較好行走，雪橇也更容易滑行。然而現在森林裡的雪還很軟，長途旅行可不輕鬆。

一個女人隻身旅行，還在雪地裡露宿，心裡想必很不安吧；不過阿西諾彌看起來已經習慣了這種旅行。她平靜地跨坐在馴鹿上，一派輕鬆。

她的馴鹿訓練有素，能確實分辨連路都看不見的森林小徑，毫不猶豫地前進。

本來擔心悠娜離開季耶他們身邊會哭鬧，沒想到她還挺開心的。凡恩將她放進這一帶帶著孩子旅行時常用的小籠子裡，掛在馴鹿背上。

天空覆著一層淡淡的雲，偶爾透出微弱的陽光，森林裡安穩平靜。

等到太陽開始西斜，凡恩便將悠娜託給阿西諾彌，開始做過夜準備。

首先，尋找無風的地方，接著在四周用長柄木鏟把雪堆成厚厚的牆壁，內側再鋪上馴鹿毛皮。

他在這雪屋中央、火星不會飛濺到毛皮的位置升起火堆，悠娜看到後，不斷叫著「看我看我」，開始在毛皮上翻跟斗。

「不要踢牆壁啊。」

說是說了，但是最愛翻跟斗的悠娜裝做沒聽到，不斷翻滾著。

直到阿西諾彌笑著抱起她、搔她臉頰為止，悠娜一直翻著跟斗，玩都玩不膩。

就這樣露宿了一夜、兩夜，阿西諾彌從沒問起凡恩的來歷，也不說自己的事，只是陪著悠娜低聲唱歌，打發時間。

凡恩也什麼都沒問。

他本來就不怕沉默。對他來說，不說話反而落得輕鬆。

只有悠娜一個人口齒不清地喋喋不休，但是夜還沒深，她就鑽進凡恩臂彎裡，蜷成一團睡著了。

悠娜一入睡，周圍就包裹在冬天的寂靜中。

不斷燃燒的火堆裡傳出木柴燒裂的聲音；白煙裊裊上升，讓積在上方樹梢的雪融化落地的聲響；草叢裡，老鼠被狐狸捕食時的慘叫聲……

這些聲音很奇妙，就算傳入耳中，也沒有多大意義。就像是輕拂而來的如歌微風，緩緩包覆著全身，翩然而去。

以前總覺得夜晚的森林很可怕，現在卻沒那麼害怕了，到底是為什麼呢？感覺自己彷彿置身緩慢的水流中，周圍的一切包覆著他，往前流動。

凡恩把柴刀放在伸手可及的位置，預防那些野獸或狼來襲；但他並沒有感受到任何不平靜的氣息，不知不覺中進入盹睡狀態。

只是，正當他要潛入睡夢時，有那麼一瞬間，覺得遠方好像有無數隻眼睛正在看著他。凡恩一驚，睜開眼睛，那些眼睛便又漸漸遠離，讓他再次陷入睡夢中。

四天來，就這樣在野外露宿，終於迎來了第五天早上。

清晨時分，氣溫變得驟冷。

為了怕悠娜凍著，整夜都生著火堆，所以凡恩並沒有睡得太沉。朝陽升起時，他已確實清醒。

阿西諾彌也是，天還沒亮就起床了。她正用單柄鍋在火堆上煮熱水，準備泡茶。

不知道用什麼葉子做的茶，味道很香，也很清爽。阿西諾彌在茶裡加了結晶後變得白濁的蜂蜜塊攪拌，遞了過來。

等茶稍涼，凡恩啜飲了一口，溫暖甘甜的茶傳遍冷透了的身體，整個人彷彿又活了過來。

悠娜不知是冷還是睏，剛剛還在抽泣，但是一喝了茶，心情馬上大好。

「還要很久嗎？」

凡恩咬著烤好的肉乾問，阿西諾彌微笑著搖搖頭。

「我們應該下午就會到了。最遲傍晚就能到。」

整裝上路，走了一會兒後，離開森林，眼前是一片平緩的雪地。

這片亮得幾乎刺眼的雪地彼端，有好幾塊形狀奇怪的黑色岩石到處露出頭來。連綿的黑色岩石後方，又是一片蒼鬱森林，再往後，可以看到高聳的群山。

一看到那高山的稜線，凡恩忍不住停下馴鹿。

他原本就有這樣的預感，這下果然沒錯：這一路確實是朝著故鄉的方位走來。現在眼前的那座高山，就是土迦山地東北方的奧土加亞峰。

可能因爲跟平時觀看的角度不同，樣子有些不一樣；但不會有錯，那確實是故鄉的高山。

看到這令人懷念的高山，胸口突然有股椎心之痛。

「歐踣！那是什麼？怪鳥？」

悠娜害怕地問，凡恩把悠娜從籠中抱起，放在膝間。

「不是怪物，只是岩石而已。」

「岩石？」

「對啊，是岩石。」

難怪悠娜會害怕。

眼前這片岩石跟平常看慣的岩石很明顯不一樣，表面粗糙不平。就像怪物痛苦掙扎、就此凍結的樣子。

「……那是火血岩吧。」

聽到他輕聲這麼說，阿西諾彌轉過來，點了點頭。

「是啊，沒錯。您真清楚。」

雪地的反光讓凡恩瞇起眼，他緩緩開口：

「在我故鄉，也有類似的地方。」

奧土加亞峰是一座會噴火的山，山頂偶爾會有淡淡的煙升起。奧土加亞峰的另一頭，也有一片跟這裡很像的「火血岩原」。

以前經常聽長老們說，火山附近的地表很薄。這附近確實離大地的脈動很近，有些溪流的岩石底下會汩汩湧出熱水，大家就在這些地方混合了溪水後，圍成浴場。以前他自己也常去泡。自懂事以來，已經習慣泡在熱水裡清洗身體，所以遠征時無法泡澡，總讓凡恩覺得很難受。在鹽礦工作，還有跟馴鹿民一起生活時，都不可能泡澡。一回想起在那溪流旁的浴場，就湧起好想再泡一次熱水的念頭。

（……假如這裡的地表也像那邊一樣薄，說不定也會湧出熱水。）

突然冒出這個念頭，凡恩苦笑了一下；但說不定還真的有呢。

越往前走近，那連綿火血岩異常的樣貌就越顯清晰，雖然規模比故鄉的「火血岩原」要小很多，但真的很像。

據說故鄉的「火血岩原」是很久很久以前，奧土加亞峰曾噴出高達天際的火光，當時燃燒的大地之血流出、凝固後所形成的岩原。

由於那地方實在太奇妙，所以孩子們常想去試膽，但父母親總是嚴厲地告誡說，躲在岩石後面的惡魔會吹出毒氣，要孩子們絕對不准接近。

實際上，真的有人看過飛越岩原的鳥竟像顆石頭般墜落，也有時會飄來令人窒息的臭氣，所以孩子們從來不敢違背父母親的吩咐。

凡恩腦中一邊浮現這些回憶，一邊在雪地上前進。這時，風向突然一變，一股雞蛋腐爛般的奇異味道飄了過來。

看到凡恩反射性地伸手摀住悠娜的鼻子，阿西諾彌微笑著說：

「不要緊的。雖然聞起來像惡魔呼吸的味道，不過這種程度還不至於對身體有害。真正會噴出危險毒氣的，是那座山的北側，味道不會傳到靈主所住的由米達之森岩屋這邊。」

就快到了。說著，阿西諾彌在前面領頭，從岩石與岩石的縫隙進入。

阿西諾彌巧妙駕馭著馴鹿，穿梭在黑色火血岩之間。

接近岩石時，悠娜頓時全身僵硬，不過當他們開始走上岩石間的狹窄小路，她又微微探出身子，看著岩石，眼裡閃動著光芒。

「啊，是馴鹿！這個是姨姨！啊，還有老書！」

在她眼中好像看起來像是馴鹿、阿姨跟老鼠。

毒氣味道隨著風向忽強忽弱，習慣後，倒也不以爲意了。

從黑色火血岩間穿過，進入森林中，四周已經一片昏暗。

大地之血也流過了這裡。仔細一看，樹根攀在岩石上，那岩石的顏色跟火血岩一模一樣。

（火焰流過後的地上，天降下土，草木萌生……）

他突然想起以前長老吟唱過的歌詞。

這裡的地表果然很薄，這片森林也比其他森林更溫暖些。大概是因爲這樣，樹木上布滿青苔，藤蔓從樹枝上垂下。

穿過那片藤蔓簾幕，眼前終於出現一片聳立的岩壁。

「我們到了。」

阿西諾彌轉過頭來，對著凡恩微笑。

覆蓋著綠色和白色苔蘚的岩壁上有個洞口。

一個朝向大地深處敞開的漆黑入口。

五　浴場裡的女人

阿西諾彌掏出懷中的小笛子，放在嘴上。

這麼小的笛子所發出的聲音，竟是難以想像的清亮，聲音就這樣被吸入洞窟深處。

當第三次吹響的笛聲消失時，洞窟深處出現了一名打扮和阿西諾彌類似的女性。

凡恩向她行了個禮，從懷中掏出小袋子交給她。袋子裡裝了錢幣，是奧馬替他準備的，說是到了由米達之森後，要交給對方。

不過那女人並沒有收下。

「多謝您的心意。不過主人交代，此次是我們邀您前來，不能收您的禮。」

說完，她又露出微笑，深深低下頭。

「謝謝您遠道而來。路上積了雪，一定走得很辛苦吧。請快點進來。馴鹿我會照顧，您先請吧。」

凡恩回了禮，依言把馴鹿的牽繩交給她，單手抱起悠娜，跟在阿西諾彌身後，從洞窟入口進入。

進入洞中，意外的寬敞讓凡恩爲之瞠目結舌。

和遠處黑暗相連的大洞窟一側，還有好幾個分支出去的岔洞。這裡跟靠人力挖出的鹽礦完全不同，是大地自己創造的巨大岩屋。

在外面的時候，已經感覺到裡面可能有不少人，等到眞的踏進來才發現，那許多聲音和氣息，都是先在分散各處的孔洞形成回音後再傳出去的。

岩壁上開了幾個小洞，光線從洞裡照進來，看來就像細細的絲線，讓洞裡比想像中更明亮。

「這裡很乾燥嗎？」凡恩問。

阿西諾彌微笑著回答：

「是啊。」

照理來說，洞窟的濕氣應該更重。越往裡面走，就越會被地底冰冷的氣息和懾人的黑暗包圍，囚禁在空曠的恐懼之中——凡恩原本以爲，洞窟應該是這樣的地方。

不過這裡雖然壯觀，卻沒有壓迫感。

「從很久很久以前開始，祖先們就花了漫長的歲月，把這裡改造成舒適的居處。畢竟靠人力，應該花了不少精神吧。」

阿西諾彌正用感慨良多的語調說著，右邊傳來了腳步聲。

一位中年男子從某個岔洞走了出來。他個子矮小，腳或腰可能受了傷，走路時左肩較低，一拐一拐的。

他向凡恩略行一禮後，對阿西諾彌說了聲歡迎回來。

「主人呢？」

阿西諾彌問，那中年男子搔著下巴。

「其實，主人剛剛去『那裡』了……看來只能請客人先休息一下了。」

他的出身地大概跟阿西諾彌不同，說起話來有南方口音。

「這樣啊……去治療？」

「是啊。今天早上多拿彌氏族帶了孩子過來。」

阿西諾彌點點頭，回頭轉向凡恩。

「特意請您老遠過來，眞不好意思，好像突然有病人來了……」

凡恩搖搖頭。

「您別在意。我等一會兒不要緊的。」

阿西諾彌微笑。

「謝謝您。那就讓這位納卡幫您帶路吧。先請您泡泡熱水暖暖身子，我們會趁這個時候準備餐點。」

凡恩忍不住反問：

「這裡有浴場嗎？」

他大概是不自覺地喜形於色。阿西諾彌的笑意更深了。

「是啊，沒錯。這裡有很不錯的熱湧泉呢。請慢慢泡個澡吧。」

那個名叫納卡的男人也點點頭。

「請跟我來吧。讓我帶你逛一圈。」

納卡從打進岩壁的小鐵樁上取下吊燈，走在前面。

凡恩用左手抱著悠娜，也跟在後面進了岔洞。

岔洞的入口狹窄，不過還不至於需要彎腰，他們沿著蜿蜒的坑道，一直往深處走去。

納卡每走一步，燈火就會隨著他的腳步搖晃，大大的影子在岩壁上躍動。

他最先介紹的是大小跟帳篷差不多的岩室。這裡有個小火爐，灰燼裡還能看到一些發紅的炭火。

岩壁上有兩個排煙孔，陽光也從這裡照進來，讓洞穴裡意外明亮。

地上鋪著滿滿的馴鹿毛皮，應該是拿來當睡鋪用的吧，牆邊還堆著幾張毛皮，以及裝了水的木桶。

納卡問：

「廁間就在前面，現在想去嗎？」

凡恩看著悠娜的臉。

「要去尿尿嗎？」

悠娜搖搖頭。

凡恩挑挑眉，盯著這小姑娘。還不久前，她也會像現在這樣，嘴巴說不想，但根本在憋尿，還經常尿褲子；不過她最近開始了解自己的需求。凡恩心想，應該沒問題吧。

「請先告訴我地方吧。」

納卡點點頭。

「那你把東西放在這裡，我們去浴場吧。廁間就在往浴場的路上。」

凡恩照他所說，把行李放在毛皮上，不過這裡沒有門，就這樣把行李丟在任何人都能自由出入的地方，他有些猶豫。

大概是察覺了他的想法，納卡露出微笑：

「這裡不會有盜賊的……會到這裡來的人，都是來祈求天地神明幫助他們的。」

納卡提著燈，繼續往前走。凡恩跟在他身後，心中暗想，原來如此。

「靈主」果然跟「舞之主」是一樣的。

治療生病的人、幫助被邪靈附身的人……這裡也一定是人們把生病的人帶來長期休養的地方。

這裡是廁間，這裡是浴場。納卡邊走邊介紹。走著走著，岔洞也變得越來越明亮，還飄來一股熱水的氣味。岔洞前方有一道岩室的入口。

「這裡就是浴場了。」

納卡用手比了比入口，轉過身。

「你泡過澡吧？」

凡恩點點頭。

「我故鄉也有湧出熱泉的地方。」

納卡露出放心的表情。

「那我就放心了。如果是沒泡過澡的人，還得從頭開始教，很費工夫呢。這後面就是湧出熱水的地方，你先在前面脫了衣服，進浴池前，先用小桶舀點熱水，洗乾淨身體再泡。」

「餐點準備好了會再來通知你，在那之前，請慢慢休息吧。」納卡留下這句話便轉身離開了。

凡恩放下悠娜。她有點困惑，拉拉凡恩的衣襬。

「歐踣，這裡是什麼？」

「這裡是可以泡澡的地方。很溫暖喔。」

他拉起小手，牽著她走了進去，裡面寬敞到令人忍不住驚嘆。

前方擺了幾個可放置脫下衣物的籠子。看來已經有人先到了，裡頭的牆邊有個蓋著布的籠子。

更衣處和浴場間有道屏風，從這裡看不見浴場裡的狀況，但是從隱約感覺到的味道，他覺得泡在浴池裡的應該是個女人。總覺得這味道有點熟悉，卻又想不起在哪裡聞過。

他原本認爲跟陌生女人共浴實在不太妥當，不過想想，納卡好像不怎麼在意，而且悠娜從剛剛開始就不斷在說話，對方應該已經聽到這裡的聲音才對。

既然裡面還沒有傳出什麼聲音，可能那位女子也不太在乎有人進來吧。可能是已經無關男女的老婦人。

凡恩迅速脫掉衣服，也替講話講個不停的悠娜脫了衣服，放進籠子裡，然後抱起她。浴場的地板很滑。凡恩深怕摔倒，小心地走著；而肌膚的接觸大概讓悠娜覺得很高興，一直呵呵笑個不停。

屏風的另一邊，熱水蒸氣冉冉升起。

連接天花板的牆壁上方開了幾個透氣孔，黃昏的光線宛如無數細絲，透過孔洞照了進來。在那片由黃昏光線和蒸氣交織成的柔和光網中，一位女子正泡在熱水中。是位大約三十歲，還看得見青春痕跡的女性，有著一身光滑的肌膚。

兩人四目相對的瞬間，凡恩倉皇失措，下意識用悠娜遮住自己的下半身。看到他的動作，那女子也連忙低頭看著水面。她雪白的肩膀在抖動……好像在笑。

凡恩也覺得自己的舉動很滑稽，笑了出來。

他笑著說：

「很抱歉，我沒想到裡面會有年輕女性在。」

說完他轉身要走，那女子連忙叫住他。

「你……」

話還沒說，她就先咳了一陣。

凡恩靜靜等待一陣子後，那女子抬起頭，調整好呼吸，然後再次開口：

「進來吧，請別介意。反正泡在水裡什麼也看不見。」

她眼角蓄著剛剛咳嗽逼出的淚。

「……那個阿姨爲什麼俏啊？」

悠娜不解地問，凡恩忍不住和那女人面面相覷，接著苦笑地說：

「因爲我樣子很奇怪啊。」

凡恩對女人稍微點了點頭，兩手把悠娜晃呀晃地往下放，側身單膝就地。

接著，他用小桶舀了熱水，輕輕澆在悠娜身上。

水的溫度剛好，但悠娜卻大叫：

「燙！」

「少來了。」

凡恩笑著，又舀了一桶熱水淋在身上沖洗。

「眞的燙燙啊！」

悠娜噘著嘴。凡恩對她說：

「那妳自己待在這裡。我要去泡澡了。」

悠娜鼓起腮幫子。

「鼻要！」

她緊抱著凡恩不放。

他抱起悠娜，兩人慢慢泡進熱水裡。剛開始悠娜一臉緊繃、全身僵硬，不過等到肩膀也泡進水裡時，她又露出開心的表情。

「樂樂的～」

大概是悠娜講話的方式太奇怪，那女子笑了起來。

悠娜皺著眉頭看著那女子。

「又在俏。為什麼要俏？」

女子微笑著向悠娜道歉：

「對不起啊。因為妳太可愛了，我才忍不住笑了。」

說著，女子溫柔地問悠娜：

「妳叫什麼名字？」

悠娜直盯著那女子看了一會兒，才終於開口。

「悠娜。」

「妳的名字是悠娜？幾歲了？」

悠娜聽了這個問題，困惑地抬頭看著凡恩。

「快四歲了。不過還不太會說話呢。」

聽了凡恩的回答，女子眨了眨眼。

「四歲嗎……這樣啊。」

女子眼中透露出寂寞。不知想起了什麼，她溫柔地瞇起眼，看著悠娜。

悠娜很好奇地看著她，突然問：

「妳叫什麼迷子？」

突如其來的一問，讓女子瞪大了眼睛，但馬上又換上柔和的笑容。

「莎耶。阿姨的名字叫莎耶。」

「喔喔。」

悠娜抬頭看了凡恩一眼，為了掩飾自己的難為情，咚咚地踢著凡恩的膝蓋，開始潑水。

「好了，別胡鬧。」

凡恩抱起悠娜，讓她坐在他的膝上，轉向那個自稱莎耶的女子。

「……您受傷了嗎？」

她的左肩到手肘有一道長長的傷痕。應該是很久以前的傷吧。傷痕已經變白了。

莎耶看看自己的左手臂，回答「是啊」。

「掉到河裡時，被河底的石頭割傷的。」

莎耶平淡地說著。幸好當時已經開始下雪，河水很冷，所以沒有流太多血，不過差點凍死。

「都是很久以前的事了，現在已經完全不痛了。」

說著，莎耶看著凡恩的手臂。

「您也是來療傷的？」

凡恩皺起眉頭。

「療傷？」

「是啊，手臂上的那個傷口。」

順著莎耶的視線，凡恩望向自己的左手臂，陡然一驚——被那野獸咬過的痕跡，已經變成混著紫和綠的奇妙顏色了。這傷痕沿著血管，延伸出樹根狀的紫色線條。

最近都裹著厚毛皮度日，沒什麼機會看自己的手臂，但是他記得夏天時，傷口並不是這個顏色。

他連忙抱起悠娜，看看她腳上的傷痕，雖然顏色很淺，但也一樣變色了。

大概是臉上的表情看來太凝重了吧。莎耶擔心地問：

「怎麼了嗎？」

凡恩嘆了一口氣，硬撐著。

「沒什麼，只是沒發現變成這個顏色了。」

「不痛嗎？」

凡恩搖搖頭。

「不，已經是舊傷了。」

莎耶表情陰鬱，輕聲開口：

「既然不痛，應該沒事吧，不過還是請『靈主』大人看看比較好。」

凡恩看著手，點點頭。

六　靈主

凡恩見到「靈主」，是隔天傍晚左右的事。

聽說「靈主」直到凌晨都忙著替孩子追魂，中午過後才終於醒來。

阿西諾彌不斷為讓凡恩久候而道歉，但凡恩反而很慶幸能有這一整天的時間。

可能因為位處深山，這處岩屋讓他睡得很好；這裡供應的餐點雖然簡單，卻帶有令人懷念的美味，充分洗去他一路旅途的疲勞。

長年的習慣讓他一到新環境，就會先設想緊急狀況的攻守和逃亡步驟，他趁著悠娜睡著後，看了岩屋四周一圈，也對整體構造有了概念。

生病的人往往很想跟人聊自己的病，在岩屋裡走著走著，不時會和路上相遇的人站著聊上兩句。

從這些聊天內容中，他也大概了解對這一帶的氏族來說，「靈主」具有什麼意義，這也是另一項收穫。

有人說，這個人很難捉摸，不過心地善良；也有人坦承不知該怎麼跟他相處。但大家似乎都感覺到，他並不是個可以用三言兩語來概括形容的人。

儘管如此，卻從沒聽說有人懷疑「靈主」的能力。

世間有許多對自己能力夸夸其言、想說服別人相信的可疑咒師，但他大概跟那些人不一樣吧。甚至連大家說起「靈主」滑稽的樣子時，話語裡仍帶著深深的敬畏。

讓凡恩覺得意外的，是這裡住著幾個東乎瑠的移住民。

他試著從阿西諾彌口中打探，原來東乎瑠雖然有治療師，不過也有許多人聽說這裡的風評，前來求助。

本來以爲還會再見面，不過始終沒再見到在浴場認識的那個女人——莎耶。

阿西諾彌領著凡恩前往「靈主」所在的後方岩屋時，午後的陽光已經褪盡，開始換上暮色。可能因爲提早吃晚餐而睏了，要帶悠娜走時，她開始使性子。凡恩正苦惱這下該怎麼辦，沒想到來收拾餐具的納卡主動開口：

「讓她繼續睡吧，我會看著。」

納卡也有自己的工作，這樣實在過意不去，但阿西諾彌也建議這麼做，凡恩只好向納卡道了謝，安頓悠娜睡下，再跟著阿西諾彌前往洞窟深處。

晃著提燈，走到蜿蜒洞窟的極深處，阿西諾彌終於停下腳步，她站在一處用粗胚布遮蓋的大型入口前。

「我就送到這裡。接下來請您一個人進去吧。」

凡恩點點頭，感謝阿西諾彌領路。她微笑著揮揮手說「哪裡哪裡」，接著便轉身離開。

（終於到這一刻了。）

他打了聲招呼，右手掀起布簾，走了進去。

抬起頭的那瞬間，闖入眼簾的風景讓凡恩忍不住屏住呼吸，呆站了好一會兒。

這裡大到難以想像。

不只是大，形狀也很奇怪。

整體來說，裡面是一個大而空曠的空間，對面岩壁上有好幾個巨大的柱狀孔洞，每一個都斜斜地向上延伸出去。

很難判斷那些斜孔延伸到多高的地方，不過顯然和外界相連，幾道淡淡餘暉從令人眩目的高處射下，看來就像雄偉的金色瀑布。

「很美吧。」

一個開朗的聲音響起。

「你現在正在森林當中，看著只有在這個季節、這個時刻才看得見的黃昏光瀑。」

凡恩一驚，望向聲音的來源，一位蜷著身體的老人正盤腿坐在岩壁角落。

老人坐在比洞窟地面高一階的平坦岩石上，那裡好像有火爐，將他的身影烘托得如此柔和。

「您說我在森林裡？」

凡恩忍不住反問，老人開心地笑了。那率真的笑容看起來就像個小孩子一樣。

老人張開雙手。

「仔細看看，然後仔細回想一下。

「想像一下長著許多大樹的斜坡，被突然湧來的熱焰泥流一口氣吞噬的光景。

「咚！咚！大樹發出巨大聲響，連交纏在一起的樹根也連根拔起；這些大樹燒著燒著，就這樣倒下。但樹林後面是一片由堅硬岩層構成的斜坡，於是它們就這樣斜倒在坡上，直接被焰泥覆蓋。

「等到完全被覆蓋住，大樹也燃燒殆盡，焰泥終於冷卻、凝固後……」

老人指著開口朝向斜上方的柱狀大洞。

「大樹的樹幹痕跡，就這樣清楚地留了下來。」

這麼說來，這些有著斜向開口的巨大柱狀孔洞邊緣，看起來確實很像在土石流中倒下的大樹根部。

凡恩一個一個仔細觀察岩壁上的痕跡，過去那如同幻影般的壯闊景象，漸漸浮現在腦中，他不禁感到一股戰慄。

這裡確實曾有一座森林。

巨木林立的森林完完全全被火山流出的炙熱大地之血——熱焰泥流給吞噬，焰泥內側的樹木全都燒盡了，只剩下這些空洞。

「這裡就是『由米達之森』。」

老人的聲音在巨大的洞窟裡空盪盪地迴響著。

「那裡很冷吧，過來這邊。」

老人對凡恩招招手，語氣就像兩人已經相識許久。

凡恩點點頭，慢慢接近老人。

走到爐邊，老人微微張開雙手。

「歡迎你到我家來。」

凡恩向他行了一禮，抬起頭，平靜地問：

「請問您為什麼找我來這裡？」

老人彎起嘴角笑了。

「看來你不太習慣繞圈子。那我們就快進入正題吧。」

說著，老人抬頭望著洞窟上方。

「喂，老太婆，下來吧！」

洞窟上方響起翅膀拍動的聲音。

啪沙、啪沙，渡鴉隨著振翅聲翩翩降下。像是在空中滑行般飛翔，然後輕巧地停在老人肩頭。

這隻大烏鴉就算收起羽翼，個頭也比老人的頭還大。老人手臂微彎，讓渡鴉的雙腳可以站在他肩膀和手臂上。

「啊，痛痛痛痛痛！不是告訴過你，爪子不要勾起來嗎？」

老人的臉皺成一團，渡鴉則用大嘴來回玩弄著老人的耳朵，還咬了一下。老人縮著肩膀，看來好像很癢的樣子。他苦笑著看著凡恩。

「這傢伙本來是我老伴養的烏鴉。跟個老太婆一樣，老愛咬我耳朵。」

老人有些羞赧地蹙起眉。

「雖然大家都尊稱我爲『靈主』，不過我沒什麼了不起的，只是個比較懂疾病的老頭子罷了。」

老人的手覆在渡鴉背上輕撫著。

「不過我聽得見這傢伙的聲音。牠比我更能清楚看見靈魂，我只是像回音一樣，把牠的話重複給大家而已。」

說完後，老人的眼神變得空洞。

突然，老人表情一變——那張臉後面浮現出烏鴉的模樣，然後又消失。

凡恩覺得好像一盆冰水澆在身上，忍不住往後退了一步。

浮現在老人臉上的烏鴉雙眼盯著凡恩好一會兒。突然，老人頭一垂、身體往前倒，彷彿雙膝無力再支撐，就這樣全身癱軟。

凡恩連忙上前，在老人倒地前扶住他。老人的身體驚人地冰冷，全身都滲著汗。

凡恩抱著老人的身體，就地讓他躺下。老人虛弱地癱著，無法起身。

老人在爐邊躺了很久。

渡鴉擔心地在爐邊跳上跳下，在老人附近來回踱步，偶爾還嘎嘎叫出聲，但老人只揮揮手，嫌牠吵。

「……不要緊，我沒事的，再躺一下就好了。」

老人低喃的聲音聽起來十分無力。

「要喝點茶嗎？」

凡恩看見爐邊有茶杯，問了一聲，老人又揮揮手，說不用。

看來還是別多事吧。凡恩盤坐在爐邊，靜靜看著老人閉上眼睛、粗聲呼吸。

老人終於睜開眼睛，嚥了口口水，低聲說：

「啊，眞難受。」

接著，他瞪了渡鴉一眼，罵道：

「……眞是的，誰叫你突然跑進來，這隻臭烏鴉！還以爲我快沒命了呢。」

渡鴉「嘎！」地叫了一聲，像是不以爲然。

老人正要伸手去打牠的頭，渡鴉一閃便避開了。老人哼了一聲，撐起上半身，慢慢地回復盤坐的姿勢。

「您沒事吧？」

凡恩問，老人緩慢地點點頭。接著用手快速抹了把臉，嘆了口氣。

「……讓你看見奇怪的樣子了，眞抱歉。這傢伙很少在人前進到我身體裡。大概是想用人眼來看看你吧。」

老人瞥了渡鴉一眼，表情苦澀。

「確實是你喜歡的類型沒錯啦。眞是拿你沒辦法。」

渡鴉嘴一揚，發出嘲笑般的格格聲。

「開什麼玩笑，我要是再年輕一點……」

話說到一半，老人看著凡恩，露出難爲情的苦笑。

「哎呀，眞是抱歉。」

老人咳了幾聲，正色說：

「好了。還沒正式跟你打招呼，也還沒自我介紹呢。我叫蘇厄盧。」

凡恩安靜地回應：

「我叫凡恩。」

「這樣啊。凡恩，這次請你來，是因爲前一陣子夜裡我搭著烏鴉老太婆飛行時，看到了你的樣子。」

凡恩皺起眉。

「搭著烏鴉……飛行？」

「嗯。烏鴉老太婆會跑到我身體裡，有時我也會跑到牠身體裡。我可不是騎在牠背上哪，是我的靈魂跟著牠一起飛。」

蘇厄盧咧嘴笑著。

「我想你自己應該也發覺到了，那時候的你百分之百是個『反轉者』。」

「……『反轉者』？」

凡恩聽得一頭霧水，忍不住反問。

「嗯。」

蘇厄盧咳了幾聲，說：

「那天夜裡，你跟黑狼與山犬混血的半仔一起奔跑，對吧？」

凡恩瞇起眼。

「原來那是混了黑狼的山犬啊。」

「是啊。還有些重要的事跟這些傢伙有關，以後我再慢慢告訴你吧。首先是『反轉者』這件事，我可是親眼看到了。那天夜晚你跟你女兒完全反轉，跟半仔一起奔跑。」

凡恩緊繃著臉問：

「我聽不太懂，您說的『反轉』，到底是指什麼？」

蘇厄盧做出把手套內裡翻出來的動作。

「就是指『靈魂的自己』和『身體的自己』剛好顛倒過來。阿西諾彌告訴我，烏鴉老太婆的羽毛在你和你女兒眼中還有黑以外的顏色，所以絕對不會有錯。平常你們偶爾也會反轉。畢竟有個能反轉的身體嘛，眼睛鼻子都跟其他人不太一樣。」

「……」

蘇厄盧苦笑著。

「很難懂吧？聽好了，其實就是這麼回事。生物是種很不可思議的東西，我們不知道自己的身體裡面發生了什麼。肚子餓的時候看到燒烤的肉塊，會忍不住冒出口水。其實我們並沒有命令身體『流口水』，但口水就自己跑出來了。對吧？」

「對。」

「也就是說，平常我們都以為這個在生氣、思考、說話的『自己』才是自己，但實際上擁有生命、能夠活動的卻是『身體』。

「大吃大喝、跟女人一起享樂睡覺的是這個『身體』，不是『靈魂』。不過靈魂確實能有美味或者舒服的感覺就是了。」

蘇厄盧挑挑眉，用平靜的語氣說著。接著，他又板起臉孔。

「生病時會不會擔心『我的身體怎麼了？』『現在我身體裡發生什麼事了？』

「發生在身體裡面的事，既看不見也聽不到。明明是自己的身體，卻比其他人的身體更搞不懂，是吧？」

凡恩漸漸了解蘇厄盧想說什麼，他點點頭。

「我長年替生病的人看診，漸漸覺得，人的身體就像一座森林一樣。」

才剛覺得有點眉目，這下又聽不懂了。凡恩眉頭緊蹙。

蘇厄盧彎起嘴角笑了。

「不懂嗎？這也難怪。不過你回想一下。當你『反轉』——也就是跟半仔一起奔跑時，你是不是看見了光？看見無數的光？」

那天晚上的光景倏然浮現在凡恩腦中。就像在北方夜空裡拖長的極光一樣，無數光線聚集、分散，像波浪般延伸的景象。

那群野獸，還有悠娜小小的身體上，都有無數光芒在躍動。

凡恩開口。

「我確實看到了——那些光是什麼？」

「不知道。」

蘇厄盧搖搖頭。

「我也不知道，但是當我進入烏鴉老太婆身體中時，我就能看得見。我猜，那應該是每一條生命散發出來的光線吧。」

凡恩瞇起眼。

「你說那每一道光嗎？」

蘇厄盧點點頭。

「我們身體裡餵養著無數的生命——不，『餵養』這個說法不太好。應該說，有無數小生命住在我們身體裡，這些小生命匯聚起來，就成為人。

「我剛剛說的『森林』就是這麼回事。森林裡有野獸、有昆蟲；長著草木，也長著苔蘚，還有許多飛鳥。

「森林裡的無數生命偶爾也會使壞。就像被蟲啃噬的樹木會枯死。但森林裡還有鳥，鳥會吃蟲，鳥糞也能帶來沃土……」

蘇厄盧頻頻揮舞著手說明。

「這樣一來，有許多生命居住、擁有這一切的『森林』才能生生不息，對吧？」

聽著聽著，凡恩好像看到什麼壯闊驚人的東西，呼吸平靜。

蘇厄盧專注凝視著凡恩。

「人的身體也一樣。平常看不到，不過在我們身體裡住著無數小生命。我不知道那些傢伙是不是從我們呱呱墜地就存在我們身體裡。

「不過我覺得，有些東西是後來才進來的，牠們就像蛀壞木頭的蟲一樣，在我們身體裡使壞，讓人生病。」

蘇厄盧豎起手指。

「如果一根沾滿泥巴的荊棘刺到手指，會怎麼樣？應該會拔出棘刺、把血吸出來吧？被髒東西割到手指時，也會先擠一點血出來，把不好的東西排出去，對吧？」

凡恩點點頭。

凡恩摸著手臂上被牜仔咬過的傷痕，感覺自己的臉越來越緊繃。

「……被生病的狗咬到時，如果狗的唾液從傷口進入身體，就會得狂犬病；同樣的，我被牜仔咬到的時候，也有某種壞東西進了我身體裡……」

凡恩喃喃說著，蘇厄盧猛然瞇起眼睛。

「你果然被那些傢伙咬過。難怪……」

這時，遠方傳來幾個急迫的聲音；不久，入口處傳來緊張的腳步聲。

入口的布簾很快被掀起，阿西諾彌走在前面，幾個男人抬著一張門板進來，上面躺著一個人。

阿西諾彌抬頭看著這裡，高聲大叫著：

「『靈主』大人，這個人好像被牜仔咬了！」

七　背馱我兒

門板上躺著一名還很年輕的移住民男子。

他本來是要獵捕待在巢穴裡的熊，結果在追趕負傷的熊的途中，遇到一群看起來像狼的野獸，結果被咬傷了。

「到前天為止只說喉嚨很痛，還沒什麼大礙，但是今天早上整個人突然沒力氣……」

這些看似他親戚的男人們，你一言我一語地講起事情的經過，蘇厄盧制止了他們。

「安靜！」

蘇厄盧換上與剛才截然不同的嚴肅表情，制止了眾人，指示大家脫下躺在門板上那年輕人的衣服。

年輕人全身癱軟，任人擺布。他的臉嚇得蒼白，但意識還很清楚。

傷口好像在手臂上；替他脫衣時，他痛得呻吟。脫掉衣服，露出已經化膿的骯髒傷口。

蘇厄盧抬起頭，阿西諾彌熟練地給他一把用爐火炙烤過的小刀，再讓年輕人嘴裡咬住一塊布。

蘇厄盧對呆站在一旁的男人們說：

「喂！壓住他的身體，別讓他的手亂動。」

這群男人連忙按住年輕人的身體，蘇厄盧接過阿西諾彌遞過來的小瓶，將液體淋在傷口上，然後看準位置，將小刀抵在傷口上。

「會痛，你忍著點。」

才剛說完，蘇厄盧便一刀割開傷口。

年輕人扭著身子高聲慘叫，蘇厄盧按住他的傷口，把膿血往外擠。

像這樣擠了很長一段時間，蘇厄盧又從小瓶中倒出液體，用阿西諾彌遞出的漂白布巾用力把傷口綁緊。

年輕人粗聲喘著氣，將布從口中吐出來，全身虛脫無力。

「還來得及嗎？」

阿西諾彌輕聲問。

蘇厄盧沉吟著。

「很難說……」

就在蘇厄盧欲言又止之際，年輕人突然表情一變。

他全身反弓著，像塊木板般僵直、緊咬牙關。因爲咬牙的力道實在太強，連他下巴肌肉的隆起抖動都看得見。喉嚨也跟著緊縮顫抖。

「糟糕，呼吸要停了！」

蘇厄盧抓住年輕人的下巴往上推，想確保他的呼吸道通暢，但是年輕人咬牙的力量太強，下巴根本推不動。

「請讓一讓。」

凡恩喊了一聲，蘇厄盧驚訝地抬頭看著他。

凡恩制止了正想說話的蘇厄盧，走到年輕人身邊，用左手按住他的額頭，再把右手放在他下顎，用力往上推，輕鬆抬高剛剛蘇厄盧推不動的下巴。等到痙攣稍微平息，年輕人的下巴也開始鬆弛。

聽到年輕人吸氣的聲音，蘇厄盧的肩膀這才放鬆。蘇厄盧抬頭看著凡恩，輕聲說：

「你的手法眞是老練。」

凡恩沒有回答。長年的征戰生涯中，他已有過無數次這種經驗。有時能救回戰友，有時卻救不回來。

「痙攣平息了，接下來呢？」

蘇厄盧聽了，一臉凝重。

看到這表情，凡恩知道，接下來也無計可施。

蘇厄盧什麼也沒說，但是他的眼睛早已清楚地說明——蘇厄盧以前也看過被那些野獸咬過的人。

蘇厄盧看了凡恩一會兒，又將視線移到站在一旁惶惶不安的那群男性親族。

「我已經盡量把壞血擠出來了，但是畢竟處置得晚。這種事要在被咬之後馬上做，要不然沒什麼意義。壞東西已經跑遍全身，再來就看這年輕人的體力了。現在只能繼續觀察。」

男人們沉默地盯著年輕人，終於，一位上了年紀的男性低聲問：

「如果他的靈魂走了，您能替我們去追嗎？」

蘇厄盧嘆了一口氣。

「我當然會去追，但是就算我把靈魂帶回來，身體如果支撐不住，也沒有用啊。」

凡恩一直看著這年輕人。

這種時候，體力就是一切。就算他自己想活下去、周圍的人希望他活下去，但如果身體支撐不住，生命也只能到此爲止。

（蘇厄盧說得沒錯。）

人看不見發生在身體裡的事。

健康的時候，總覺得是心在驅動身體；不過一旦生病，才知道身體的變化根本無視於心的意念。有過一次經驗才會知道，身體跟心完全是兩回事。

就在這時候，他突然覺得有什麼東西碰觸著後腦。

鼻腔深處那種奇妙的感覺又開始作祟。

（又來了……）

凡恩緊皺著臉。

那味道清晰鮮明，眼前的景色開始不同；聽在耳裡的聲音、肌膚的感覺也是。有什麼東西觸碰到那種異常敏銳的感覺前端。

幾乎就在凡恩抬起頭的同時，原本停在岩棚、融入黑暗的渡鴉飛上空中。

「嘎！嘎！嘎！」渡鴉對著蘇厄盧尖銳叫著，然後如滑翔般飛進那大樹燒盡後形成的空洞裡，消失無蹤。

「……什麼！」

蘇厄盧鐵青著臉站起來。

「半仔進了岩屋？」

在聽到蘇厄盧的話之前，凡恩右手早已握好了柴刀。

「阿西諾彌。」

阿西諾彌表情緊繃地看著凡恩。

「我去阻止牠們。請妳趁這段時間把裡面的人集中到這裡。」

凡恩很擔心悠娜，不過野獸前進的方向跟悠娜所在的岩室剛好相反。如果能在某條狹窄通道上阻擋牠們入侵，就能爭取時間，把悠娜帶到這裡來。

他對蒼白著臉點頭的阿西諾彌說：

「悠娜她……」

話說到一半，凡恩的表情變得扭曲。又來了，又說不出話了。

（……可惡。）

凡恩緊咬著牙關。

（原來這就是「反轉」。）

「反轉」後，語言會消失，所有關於人性的意念也會消失。這種狀況下，不能任憑自己隨著那種感覺走。

「請、請把悠、悠娜……帶來這裡。」

凡恩拚命拉住意識，說完這句話後，深深吸了一口氣，甩甩頭，再回頭看著那些送年輕人來的男人。他指著洞窟南邊的角落，一口氣交代：

「在那裡做出一個可以躲的地方——野獸要是進來，就用柴刀或者劍去砍牠。不要射箭。那些傢伙動作很快，要是沒射中，對方反而會趁機攻擊。」

男人們還搞不清楚狀況，一臉困惑地面面相覷。只有剛剛要求蘇厄盧追魂的那位長者，望向凡恩所指的方向。

那是一塊被三面岩壁包圍、高度低矮的大窪地，從他的表情可以看出，他已經了解凡恩的意圖。

看到那長者點了頭後，凡恩拔腿跑開。

他的頭開始疼痛。周圍的色彩開始改變。

（還沒……還不可以……）

他拚命拉住想反轉的意識，在黑暗洞窟中奔跑。

野獸們的腳步聲逐漸接近。

他聽見阿西諾彌的聲音，她正大聲地不斷叫喊。凡恩一邊聽著她往居留者所在的岩室那邊跑過去的聲音，一邊跑向跟她相反的方向。

這邊的洞窟看來還沒有人整理過。

大概是因為濕氣重、不宜人居吧。水滴不斷從岩壁上滴答滴答地落下來。岩床也很濕滑、不太能跑。

從剛剛開始，凡恩老覺得有哪裡怪怪的。但是對他來說，思考越來越困難，也一直想不出到底是哪裡怪。

彷彿伸手去抓滑溜的魚那樣，不斷在腦中追逐那個意念。終於，那異樣感覺的眞面目揭曉了。

（……爲什麼那些傢伙要從這裡進來？）

如果要攻擊這裡面的人，大可從另一頭進來比較快，犯不著從這裡進來。

（難道這邊只是佯攻，同時也從另一邊進來了嗎？）

但現在整個身體所感受到的野獸氣息，都只出現在自己的前方。

確認了這一點後，凡恩放棄思考。

既然不在另一邊，那麼現在與其思考原因，不如先迎擊前方襲來的獸群。

有人住的那邊，通道會用蠟燭和火把點亮，但這裡什麼也沒有，幾乎一片黑。

不過還是能看見岩壁和周圍的景色。野獸們一定也看得見吧。

已經能清楚聽見腳步聲了。腳爪在岩石上打滑的沙沙聲。

凡恩停下腳步，環顧四周。這是個狹窄的洞穴，但頭上和左右兩邊都有不小的空隙。一個人可能無法擋住牠們。

但也不能再叫其他人來幫忙——這些野獸的利牙有毒。只要被它輕輕擦過，就會像那個年輕人一樣，徘徊生死邊緣。

凡恩放低了腰，右手握著柴刀、左手則拿好獵刀。耳朵深處聽到一陣從幽暗處傳來的歌聲。

——閃亮頭角　是我槍戟

這朦朧的歌聲，是已經不在人世的「獨角」兄弟們的歌聲。

——背馱我兒　屈身低伏　纖弱生命　賴此爲盾

沒有孩子、沒有親人，失去了一切的男人們，卻還是心繫著自己背後守護的人，唱著這首歌。

他眼中突然浮現吮指入眠的悠娜那圓潤光澤的臉龐。

（……背馱我兒……）

儘管已沒有自己的血脈，但她就是我的孩子，是我比什麼都重要的孩子。

滲著汗的右手再次握緊了柴刀刀柄，這一剎那，凡恩在前方黑暗中，看見了拖著金色餘影的野獸雙眼所發出的光芒。

無數蠢動的黑影，緊跟在這金光之後。

八 火箭劃破黑暗

獸群並沒有攻來。

牠們好像在測量距離，步步進逼；一頭，又一頭，排列在凡恩面前，然後就此止步，低下頭，齜牙低吼。

牠們雖然發出吼聲，卻按兵不動。

（……爲什麼？）

凡恩蹲低身體、放鬆膝蓋等著。

獸群依然不動。

凡恩發現，有一頭野獸從旁繞到隊伍前方，一步一步往這裡接近。他用力一跺地，獵刀便刺向那傢伙的鼻尖，牽制牠的行動。

這時，野獸們往後一躍。

低吼聲越來越高。

凡恩往前踏一步，野獸們就退一步。牠們看準了獵刀到不了的距離，一步也不越雷池。

但牠們也不逃，凡恩退一步，牠們又馬上撲上前來。

一看到牠們這些動作，凡恩腦中閃過一個念頭：

這是獵犬的動作。直到獵人來之前，讓獵物留在某個地方……

（這些傢伙在阻止我？）

額頭一陣冰涼麻痺。

凡恩繼續讓野獸留在視野中，視線焦點則轉移到牠們背後……下一個瞬間，後方的黑暗響起弓弦的聲音，一枝箭劃過空中飛來。

他雖然反射性地轉過身，不過左肩仍感覺到一陣炙熱的痛楚。弓箭擦掠而去。多虧了厚衣，傷口並不深，他腳步一晃，身體失去平衡。

野獸們並沒有放過這個瞬間。

牠們一躍而起。野獸的體臭和腥暖的呼吸逼近臉前。

一聞到那味道，腦中有個東西瞬間消失。

以往拚命壓抑的感覺頓失，附近的光景和自己的感覺全然不同。身體在動——現在心不在了，只有身體還在。

凡恩用柴刀砸向前方那傢伙的鼻子，順勢往前翻身站起，用身體和岩壁夾住其中一頭野獸，再踢飛另一頭。

笛聲傳來。

頓時，野獸們全都停下動作。

像是被絲線往後拉一般，獸群撤退了。凡恩費了很大的勁，才阻止那個一心想追逐野獸、跑進黑暗裡的自己。

野獸們逐漸遠去，他也漸漸恢復成原本的樣子。

肩頭上下起伏，不住喘息，他看看自己散發出血腥味的身體，再看看倒在岩床上的野獸。凡恩甩了甩頭。

（……這是怎麼回事？）

剛剛那到底是什麼狀況？

如果想攻擊裡面的人，大可從另一邊較大的入口進來。

（如果想殺我……）

射個兩、三箭，總會命中。

（因為我正在跟野獸扭打？）

就算如此，既然能如此完美控制獸群，只要先讓獸群撤退，再趁隙射出箭就行了。

有股不祥的預感——彷彿有種自己沒看見、完全不同的意圖在流動。

總之，先回後面的洞窟去吧。獸群和敵方的氣息雖已消失，但還不能掉以輕心。沒有親眼確認悠娜他們平安，他實在放不下心。

後方洞窟裡聚集了很多人。

大家都依照凡恩的指示，聚集在角落的窪地，不安地交頭接耳。

凡恩一進來，蘇厄盧馬上便發現了，立刻奔上前去；不過一走到凡恩身邊，蘇厄盧不禁嘴巴微張、停下了腳步。

「你受傷了？」

凡恩搖搖頭。

「這是野獸的血。我只有一點擦傷——大家都在這裡嗎？」

蘇厄盧臉一沉。

「啊，幾乎都來了，但還有幾個人沒來，剛剛阿西諾彌又跟男丁們一起去查看了……」

話還沒聽完，凡恩便轉身跑走。

悠娜不在這裡。她是留下來的少數人之一。

來到洞窟外面，正好看到幾個人陸續往這裡跑來。跑在最前面的是阿西諾彌。

「阿西諾彌。」

聽到凡恩的聲音，她舒展開深鎖的眉頭，走過來。

「凡恩，太好了！你還活著！」

凡恩望向跟在她背後的人，皺起眉頭。

「悠娜呢？」

「別擔心，就在後面。納卡抱著她。」

但她身後的人群中並沒有看到納卡。

阿西諾彌轉過頭，發現這件事後，眨了幾下眼。

「咦？剛剛還在一起的啊？」

凡恩從她身邊擠過，衝進洞穴。

「悠娜！」

他大聲呼叫，聲音空洞洞地迴響在幾個洞穴裡。

不過沒有回應。

歐蹌！他一邊奔跑一邊呼喚，多期待能聽到那個尖細的聲音，可是遲遲聽不到那可愛聲音的回應。

衝過黑暗的洞穴，來到洞外，雪隨著冷洌如冰的風打在臉上。白雪在黑暗中漫舞。

腦中血管陣陣抽痛。

那種疼痛讓他胸口很難受、覺得口渴、眼前一片天旋地轉——那枝箭上可能塗了什麼東西。

凡恩咬著牙，從洞口望向覆著白雪的廣闊森林。地上有幾道足跡，不過大部分都已經開始被降下的雪蓋住。

這些腳印是帶年輕人來治療的那群男人的嗎？這些足跡的方向都是從森林通往洞窟入口。只有一道朝向森林的足跡。

凡恩氣喘吁吁地看著那道足跡。

看來還很新，邊緣比其他腳印更清晰，也更深。

他眼前浮現了納卡的身影，凡恩緊咬著唇——是那個男人抱走了悠娜。

他開始追著腳印往前跑，不過一踏入森林，光線瞬間變暗，足印反而看不太清楚。

大概因爲身上負傷的緣故，不管是味道或聲音，感覺都很遙遠朦朧。

（……該不該回去拿燈？）

有了燈火，就能繼續追蹤。但回到洞窟拿燈再回來的這段時間，跟納卡之間的距離將拉得更遠；可是沒有燈火，根本無從追起。

他強忍著彼此距離越拉越遠所帶來的焦慮，正要離開森林……就在這時候，不知哪裡的高處響起弓箭的聲音，一顆火球飛過遙遠的天空。

咻！火球拉起一道弧線，劃破夜空飛去，被吸入前方的森林裡，然後消失。

不消多久，附近驟然亮起。

樹木燒了起來。射出火箭後，劈哩啪啦的聲音響起，樹枝開始燃燒。

聽著那獨特的聲音，凡恩睜大了眼睛。

（是北藪樹？）

這種樹木的油脂多、容易燃燒。設陷阱時他用過好幾次。

多虧了燃燒的樹，雪地上的足跡清晰浮現，看得很清楚。

（到底是誰？）

他抬起頭，看向發出弓弦聲的方向，在洞窟入口更上方的山崖中段有個人影。那人手裡還拿著火箭，所以能清楚看見輪廓。

凡恩懷疑起自己的眼睛。

因爲崖上那持弓的人影，看來像個女人。

大概是發現凡恩正抬頭看，那人影揮揮弓，示意凡恩別在意，快點追。

凡恩向人影行了一禮，轉過身開始追蹤足跡。

納卡的腳印往西南方前進。

穿過樹林間的風咻咻打在臉上。雪越下越大。

（……要趕在腳印消失前。）

他心裡只有這個念頭，拖著沉重的身體不斷走著。但眼前納卡的足跡卻漸漸被雪片覆蓋、變淺，變薄。

每當燃燒的樹木火光搖曳，就可以看到無數樹影躍動。

那些在白雪上糾纏交錯的細碎光影在足印上搖晃著，讓原本就看不清楚的輪廓更顯模糊。

不知過了多久，凡恩察覺身後突然有個悄悄接近的腳步聲——是人的腳步聲。

他停下腳步，重新握緊手中的柴刀，轉過身去。在搖曳的暗影中，走出一個背著弓的人影。

那人影停下腳步，出了聲：

「……凡恩。」

剛剛看到人影時，他就這麼猜想——果然是那個在浴場見過面的女人。

她身上帶著些微松脂燃燒後的味道。

一聞到那味道，他便直覺地將剛剛在黑暗中的人影與眼前的莎耶重疊在一起。

「是妳替我射了火箭嗎？」

莎耶點點頭。

「詳細的事以後再說。現在先追蹤悠娜的痕跡吧。」

凡恩直盯著平靜說著這些話的莎耶。

一股宛如被槌子毆打的疼痛遍布頭部和全身。因爲痛苦而渾沌不清的腦中，浮現起那些野獸無數次的奇妙行動。

（如果那些傢伙的目的是把我牽制在那裡……）

那麼有人趁隙擄走悠娜，絕對不是巧合。

（……得快點追上。）

得快點邁出腳步。

雖然這麼告訴自己，但身體卻不聽使喚。

瞬間，他眼前一暗，再度回復知覺時，冰冷的雪落在臉頰上。

「凡恩，你沒事吧？」

他聽到對方擔心的聲音，感覺到纖細的手滑進兜帽裡，測量脖子的脈搏。

「我不要緊，別管我，請妳去追悠娜……」

凡恩本來打算這麼說，但他並不確定話有沒有說出口。

好像聽到哪裡有烏鴉擔心的叫聲。這是他最後的記憶，接下來，就是一片黑暗。

第六章　追逐黑狼熱

一　繼母與繼姊

風一撫過玻璃窗，就能聽到一陣粉雪掠過的沙沙聲。

透過長廊兩側的窗戶，可以看見日落後的深藍色夜空，以及被飛舞雪花輕輕掩蓋的建築群。

每一幢建築物裡，都住著千年以來繼承醫學、數學、金屬加工、建築、天體觀測等各種學問，且不斷深究的家族，即使是此刻，他們也仍靜靜地持續研究著。

位於山巒環抱之間的歐塔瓦爾聖領「深學院」風景，雖然歷經千年歲月，外表看來卻幾乎沒有改變。

不過在這些建築物裡，卻以驚人速度同時進行著許多研究和技術開發。

看到走廊盡頭的那扇大門，赫薩爾稍微放慢了腳步。

那扇門內，有重要的親人——雖說如此，但即使人已經站在門前，心裡卻還是猶豫著要不要開門。

嘆了一口氣，赫薩爾拉了一下門旁的繩子。

門扉另一頭隱約聽見微弱的鈴聲，接著門開了。

一位臉頰光滑紅潤的老婦人看到赫薩爾，眼中立刻綻放出神采。

「少主！」

赫薩爾對她微笑。

「我回來了，莫雅。」

啊，老了好多啊，一看到她的臉，赫薩爾立刻跑出這個念頭。

長年來擔任繼母侍女的莫雅，也差不多七十五歲左右了吧。每次見面赫薩爾都會想，以前她還是奶媽時，個子好像更高呢。

這當然是因為自己長高的緣故，不過每見一回，莫雅也確實又縮小了一點。

「給妳的藥有好好吃嗎？」赫薩爾輕聲詢問。

莫雅則苦笑著說：

「有啊，我都有吃。」

「晚上睡前嗎？」

「對啊對啊。大家都嫌少主給的藥很苦，不願意吃；不過我這老太婆可是乖乖吃了喔。」

她那豐腴的手推推赫薩爾的背，他臉上微泛苦笑，走進房裡。

這個房間的天花板雖然很高，也很寬敞，但一點也不覺得冷。

房間中央有個燒得火紅的大暖爐，四個角落都放置可將暖氣傳送到整幢建築物的陶製暖氣筒。另外地底也下了工夫，讓熱水迴流。

每當進入這個房間，被這股暖意包圍，眼前就會浮現父親張開雙手抱著繼母的樣子——這裡是父親為了繼母特別準備的繭。

窗邊的搖椅輕輕晃動著。坐在椅子上的繼母如此瘦小，看起來就像椅子兀自在搖動似的。

一名高眺女子陪在搖椅旁。

赫薩爾一走近，高䠷女子便露出微笑。無比溫柔的笑容。

「赫薩爾。」

赫薩爾也微笑著對那人點點頭。

「姊姊。」

聽到這聲音，繼母似乎才終於察覺到有人來，抬起她空洞的雙眼，看著赫薩爾。

原本狐疑的眼神，乍然綻放光采，整張臉都亮了起來。

「阿諾魯！」

繼母喚著父親的名，張開手臂輕輕環抱著赫薩爾。藥湯的味道竄進鼻腔。即使用她喜愛的香水，也掩不去這早已滲進繼母身體裡的味道。

「……是你。」

繼母聲音嘶啞，她吸了好幾口氣，急著往下說：

「我一直在等你。我知道你忙，但是能不能再……」

這時候，一陣更強的風吹得窗戶「卡噠卡噠」作響。

繼母用力抱緊赫薩爾。

「我討厭風。爲什麼要吹得這麼急呢？雪見草的花苞會被吹壞的，好不容易長出那麼多花苞啊！」

聽著風雪聲，繼母擔心起在初夏長出花苞的花。赫薩爾抱著這彷彿稍一使勁就會崩解的身體，閉上眼睛。

「……你眞的要常來喔。」

繼母壓低聲音附耳說道。

「這次你替我請的護理師，跟上次那個不一樣，人很親切；但我還是覺得好寂寞啊。」

赫薩爾緊抿著唇，淺淺吸了口氣。

好不容易鬆開手時，繼母已經半閉上眼了。她總是這樣，話說到一半就睡著了。

他看看繼姊露麗雅。露麗雅面露苦笑，輕輕搖搖頭，像是告訴他別在意。

雖然被親生母親當成護理師，但這個人依然沒有絲毫不悅。繼母從很久以前就認不出露麗雅是自己的女兒了。

而每當繼母看到赫薩爾——這個父親與前妻生的孩子，反而會以爲是心愛的丈夫，緊緊擁抱。

這個人的腦中也已沒有前夫，也就是露麗雅親生父親的存在。即使共度了十五年光陰，繼母卻不曾提起他的名字。

至於赫薩爾的父親阿諾魯，則在繼母的前夫過世後悄悄占據她的心；直到現在，她仍經常將阿諾魯掛在嘴邊。繼母生病前，和父親一起生活的歲月明明只有八年左右，但父親現在仍活在她心中，是她心愛的丈夫。

不論是繼母的第一任丈夫，還是赫薩爾的父親，都來自統治歐塔瓦爾聖領的「聖領主」家；不過儘管同樣是聖領主家，前夫和父親的身分卻是天差地別。

繼母的第一任丈夫和繼母一樣，來自具有古歐塔瓦爾聖王直系「神聖中之神聖」的「至聖三家」。相較之下，在第一任丈夫死後，成爲繼母丈夫的赫薩爾父親，只不過是來自聖王的旁系後代「聖八家」。

對許多人而言，這般門第之差可說意義重大；但看看現在的繼母，這些早就沒有任何意義了。

露麗雅輕輕替睡著的母親蓋上毛毯，用眼神示意赫薩爾到暖爐邊。

「我去泡茶。」

她說，接著對急忙跑過來的侍女莫雅擺擺手。

「別忙，我來就好。莫雅，妳去休息一下；昨天晚上沒怎麼睡吧？」

聽到露麗雅這麼說，莫雅點點頭。

「眞的嗎？眞是不好意思，那我就恭敬不如從命，去休息一會兒了。」

「快去吧。要是妳累壞，那可就糟了。」

莫雅露出疲憊的笑容。

「謝謝您……那，少主，回頭見。」

莫雅深深行了一禮，拿起掛在牆上的外套走向門口。赫薩爾看著她的背影說：

「等妳有空，我拿禮物給妳。替我烤個甜薄薯吧。」

莫雅回頭對赫薩爾微笑，點點頭，又行了一禮後，離開房間。

關上房門，房裡陷入寂靜。

赫薩爾一面聽著薪柴的爆裂聲，還有正在泡茶的露麗雅弄出的陶器碰撞輕響，一面抬眼看著繼姊。

「最近都沒睡嗎？」

「是啊，幾乎整晚都沒睡。」

「我換了藥，可是好像沒什麼用呢。」

露麗雅歪著頭。

「是啊，現在還看不太出來；可能之前的藥比較有效吧。」

聞著眼前這杯茶的香氣，赫薩爾低聲說：

「眞是奇怪。」

露麗雅不解地挑起眉。

「……晚上醒來，白天睡覺；明明是寒冬，卻活在初夏。」

看著微微晃動的茶水表面，赫薩爾又說：

「如果疾病會改變時間、改變記憶，那麼對人來說，到底什麼才是現實呢？」

露麗雅突然笑了。

「你改行研究哲學了嗎？」

赫薩爾抬起頭，彎起嘴角笑了。

「沒有，哲學還是交給專家吧。」

赫薩爾啜了口茶，看著露麗雅。

「姊夫回來了嗎？」

「回來了啊。前天……還是大前天？總之已經回來了。」

赫薩爾苦笑著。

「妳也多關心關心姊夫吧。母親就交給別人照顧，否則姊夫會外遇的。」

露麗雅噗哧笑了。

「他的心早就不在我身上了。不過他是認眞的，可不是逢場作戲，這才叫人拿他沒轍；更無奈的是，對手還不是女人呢。」

赫薩爾眉毛一揚。

「喔，這可嚴重。要是我問姊夫，他一定會板起臉孔否認說『我才沒跟馬搞在一起呢』。」

露麗雅搖搖頭。

「不只是馬。多虧了你，現在他全心都在老鼠身上。還有……」

「還有狼，是吧？」

說著，赫薩爾收起笑意。

「這次叫我來，應該也是爲了這件事吧？」

露麗雅也正色問道：

「黑狼熱眞的蔓延得很嚴重嗎？」

「……說蔓延也不太對。」

赫薩爾停頓了一會兒，一邊像是試圖回想那些被咬傷後死亡的患者，一邊說起目前出現的怪病。不過他發現姊姊眼中泛著疲憊，匆匆結束了話題。

「姊姊，稍微睡一下吧。妳一定都沒睡。」

露麗雅撥開落在額前的頭髮，點了點頭。

「也對，那我稍微睡一下；不過你待會可要跟我說說『阿卡法的詛咒』喔。」

赫薩爾挑挑眉。

「阿卡法的詛咒？在這裡大家也這麼說嗎？」

「是啊。說是玷汙了阿卡法大地的人受到了詛咒。莫雅這麼說，其他人也是。」

「姊夫也是？」

「對啊。」

這讓他有點意外。姑且不管莫雅，姊夫向來是個聽到怪力亂神話題就會大笑的人。

「我也很意外，不過他說得一臉認眞呢，要我不能太小看『阿卡法的詛咒』。」

「嗯哼。」

爲了讓倦意漸濃的繼姊早點休息，赫薩爾說等到交班的侍女來之前，他都會留在這裡，才好不容易把她趕回房間。

繼姊離開後，房間裡更安靜了。

他聽見繼母沉睡中的陣陣呼吸聲。

赫薩爾像小時候一樣，深深縮進椅子裡，蜷起身、環抱膝頭、將手放在唇邊，聽著那平穩的呼吸。

落。

二　托馬索爾

打開門，一股獸類的味道迎面而來。

寬敞的房間裡，靠著牆排著好幾只籠子和圍欄，老鼠移動的沙沙聲和小鳥跳躍的聲音此起彼

赫薩爾一邊承受著野獸們的注視，一邊走在圍欄之間。

他一走近，巨大圍欄中的狼便抬起頭來低吼，但大概是因爲生病，或因爲這是熟悉的味道，狼並沒有衝向圍欄。

深學院中，探究生物諸相的「生類院」，擁有三座池子、濕地、馬場、獸舍，還有學者們所在的高塔，占地廣大。由於有如此廣闊的土地，許多醫學院所需的生類實驗也在此進行。

深學院最是重視醫學，因此有些生類院學者常自嘲說這裡是「醫學院的別院」，不過生類院院長托馬索爾，應該是個跟這些毫無意義的自卑感無緣的男人。

這個房間可說是托馬索爾的堡壘，最能表現出他的個性；比起人的舒適感，他更重視待在這裡的生物是否舒適。

爲了讓生病的野獸能安心休息，房間燈光大多昏暗，走動時，一不小心就會撞到東西。

角落亮著一盞瓦斯燈，只有那裡亮如白晝。

在那明亮的一角，有位瘦高的男子。他蹲在一只大水盤前，正盯著什麼看。

托馬索爾一走近，男子便抬起頭來。

「赫薩爾！」

托馬索爾那張長滿鬍碴的臉龐頓時換上開朗的笑容。雖然已經年過四十，眼神看起來還是像年輕學徒一樣天眞無邪。

「姊夫。」

赫薩爾微笑著，向姊夫托馬索爾輕輕點頭示意。

「調查進展得如何？」

托馬索爾搖搖頭，抓著赫薩爾的手臂，將他拉近。

「這件事待會再說。你先看看這個！你太厲害了！上次帶來的藥，效果很明顯呢！」

水盤裡的水因為加了牛奶而顯得白濁。一隻抬高了鼻子的老鼠正在這稀釋的牛奶池裡游著泳。

托馬索爾放開赫薩爾的手臂，伸手去拿邊桌上的紙，用手指彈了彈紙面。

「我不在的時候，讓席康繼續實驗，不過因為結果實在太驚人，所以我又親眼驗證了一次。結果……」

托馬索爾說到一半，傳來房門打開的聲音和腳步聲。

這時候，躺在圍欄中的病狼迅速起身，開始激動地低吼。那聲音聽來不像威嚇，更像是恐懼和憤怒。

進入房裡的年輕男子走過圍欄時，聽到「喀鏘」的偌大聲響——好像是狼用身體撞圍欄所發出的。

年輕男子面無表情地瞥了狼一眼，沒有停下腳步，維持剛進門時的速度，往這裡走來。

托馬索爾看著年輕人，咧嘴一笑。

「你是不是在外面抱了狗？」

年輕人不解地皺起他的濃眉。他個子雖小，體格卻很結實。

「你怎麼這麼沒幽默感；我是問你，在哪裡沾上讓牠那麼亢奮的味道？」

托馬索爾用拇指比比狼的方向，年輕人恍然大悟，囁嚅著說：

「……我剛去犬舍替狗看診。」

說到這裡，年輕人便沉默了下來。

托馬索爾和赫薩爾看看彼此，微微露出苦笑。

這男人——席康就是這樣，很容易被誤會。不過在他平板的表情背後，卻隱藏著驚人的聰敏。他是個工作勤勉的得力助手，尤其馴馬和馴犬的技巧特別優異，犬舍和馬廄也很器重他。席康年紀尚輕，不知道滿二十歲了沒，但從來沒聽過他不檢點的風聲，爲人樸實低調。

「好歹也跟赫薩爾·悠格拉爾大人打聲招呼吧。」

在托馬索爾催促下，席康咕噥著幾聲聽起來像問候的話，一臉麻煩似的向赫薩爾低頭致意。赫薩爾淡淡露出微笑，聽著他不管面對誰都一樣的冷淡問候。

只要是在歐塔瓦爾聖領工作的人，面對悠格拉爾家的人，無不緊張到全身僵硬。儘管兩人已經有多年交情，不至於這麼緊張，不過面對可能大大左右自己升遷的赫薩爾，席康依然不改態度，臉上既無敬意，也不顯緊張。

「……『火馬之民，快放下執迷。』每次看到你我都會想到這句話。」

聽赫薩爾這麼說，席康的眼中略略浮現激動的光芒。他動了動嘴，似乎想說什麼，但最後什麼也沒說。

席康來自阿卡法南部的猶加塔平原。

業。

那裡是「火馬之民」的故鄉，當地人都以飼養阿卡法王國引以爲傲的駿馬——「火馬」爲

阿卡法王國被東乎瑠征服、無法繼續飼養火馬時，是托馬索爾把席康接到身邊的。

赫薩爾的姊夫托馬索爾是個對任何會動的生物都很感興趣的男人，尤其對阿卡法火馬的情感更是非比尋常。年輕時，只要有空，他就會去猶加塔平原，跟「火馬之民」一起生活，不斷探究牠們的生態。

阿卡法被東乎瑠征服後，原本有火馬馳騁的猶加塔平原，變成了東乎瑠牧民放養羊群的放牧地。托馬索爾平時爲人溫和，很難想像當時他大發雷霆，立刻砸了大錢給「火馬之民」，在東乎瑠將軍們下手前，買下二十匹最優良的種馬。

看起來，托馬索爾根本想一口氣買下所有的馬，不過在政治和經濟上都太難實現；繼姊也曾告訴赫薩爾，深學院院長還爲了托馬索爾的過度執著責備過他。

聽了赫薩爾的揶揄，托馬索爾搔了搔下巴，苦笑著說：

「你這個人眞的又沒禮貌又不懂人情世故。如果你會做人一點，我也能輕鬆些啊。」

席康靜靜聽著，頭也沒點。等老師說完了，他才轉向赫薩爾。

「赫薩爾大人，馬柯康大人在找您。好像有急事。」

這時托馬索爾輕嘆了一聲「啊！」拍了自己的頭。

「啊！是我讓他去找你的。抱歉抱歉，看到實驗結果太興奮，忘了說馬柯康正在找你。」

赫薩爾忍不住笑了。

「那傢伙每次都這樣。辛辛苦苦找人，結果徒勞無功。眞是可憐。」

「……我剛剛才在前面迴廊跟他擦身而過。我去帶他過來。」

席康沒給托馬索爾插話的機會，立刻轉身離開房間。喀鏘！又聽到圍欄的聲響。

「我交代馬柯康去找你來的理由，等他回來再說。你先看看這老鼠。」

托馬索爾轉向老鼠。

不知道什麼時候，老鼠已經停止游泳，頭探出水面，正在休息。從混濁的水面上看不出來，不過只有那個位置有可供老鼠休息的踏腳處。

「這傢伙是『多脂鼠』。」

聽到姊夫的話，赫薩爾睜大了眼睛。

「……給藥後過了幾天？」

「大概五十天吧。現在幾乎能用跟其他健康老鼠一樣的速度，記住踏腳處的位置了。」

赫薩爾感覺到不斷從心底湧現的興奮，盯著那隻把鼻子探出白濁水面，鼻尖還不斷抽動著的老鼠。

五十天前，這隻老鼠得了「忘卻之病」。

雖然事先已讓牠知道踏腳處在哪裡，但牠卻無法靠自己找到，只能在白濁的水中不斷游著，直到筋疲力盡，差點溺水。

如果一生下來就給牠比其他老鼠含有更高脂肪的飼料，在還年輕的時候，就會出現年邁老鼠常見的忘卻之病症狀。

發現這一點後，赫薩爾先是刻意製造出有記憶障礙的「多脂鼠」，並且長期反覆實驗，希望能找到具有恢復記憶力的藥物。

目前爲止，雖然曾有能帶來些許功效的藥，卻從來沒有效果如此顯著的。

「……你眞是名副其實的『魔神之子』呢。」

托馬索爾笑著搖搖頭。

「你想到製造『多脂鼠』這個點子已經很讓我吃驚了，而這簡直是通往奇蹟的一步啊。」

赫薩爾瞇著眼，輕聲說：

「還只是第一步呢。」

「不過已經是很不得了的一步。」

托馬索爾收起笑容。

「假如這藥對人也有效，我看『神聖中之神聖』那些人，一定會淚流滿面跪在你面前吧。」

赫薩爾安靜地盯著老鼠。

身上流著古歐塔瓦爾聖王血液的人，都有個奇妙的特徵——得到忘卻之病的比例特別高，多到不像是巧合。甚至還有人在壯年時期就發病。

尤其是被尊爲「神聖中之神聖」的「至聖三家」，發病機率比其他聖領主家的人更高。

因此，每個生在神聖家族中的人總是背負著恐懼，害怕自己有一天會罹患大家在背後稱之爲「聖王詛咒」的病，忘記發生過的一切，就這樣迎接生命終點。

有人說，這是因爲他們試圖接近神明，那貪婪的探究精神觸怒了神，所以才給聖王家這樣的懲罰，但赫薩爾完全不信這一套。

假如人會因爲自己所犯的罪而得病……那這個世界老早成了樂園。

疾病無關人情，也無關善惡。正因爲這樣，疾病才如此可怕。

爲了不讓風聲外傳，一向禁止在「深學院」以外談起「聖王詛咒」。不過在這個歐塔瓦爾聖領中，一方面發展著醫學等各種學問，另一方面也有種類似祈願的心情，希望能從這聖領主家代代相傳的可怕疾病中獲得解放。

在白濁池水中的那隻小老鼠，粉色的鼻尖和黑亮渾圓的眼珠上，正懸著千年以來不斷承受痛苦折磨的人們痛切的希望。

「……還只是第一步。對老鼠有效，不見得對人有效。」

赫薩爾再次強調。

「前面的路還很長。」

這時蹲在圍欄中的狼站了起來。

狼發出低吼的同時，門也開了，席康和馬柯康一起走進來。

托馬索爾宛如從夢中清醒般看著他們，然後又將視線拉回赫薩爾身上。

「來啦……這件事我們稍後再慢慢談，先切換到另一個詛咒上吧。」

赫薩爾挑挑眉，托馬索爾則苦笑著說：

「『阿卡法的詛咒』啊。這次請你來，是因爲之前的調查結果出來了。」

席康和馬柯康走近，向托馬索爾行了禮。托馬索爾輕輕點頭回禮後，接著又說：

「先去洗手梳頭。席康，你去把這沾了狗味的衣服換掉。」

馬柯康不解地皺著眉，托馬索爾微笑地看著他。

「我們要去見深學院院長。」

三　「奧」的總管

來到塔外，冷風打在臉頰上。

風雪比昨天傍晚拜訪繼母時小了些，不過天空裡滿布鐵灰色的雲，昏暗得幾乎不像是白天。一旁的馬柯康替赫薩爾打著的大傘，帶著些微潮濕的氣味。

「……下次放晴的時候，」

赫薩爾一開口，馬柯康立刻附耳過來問：「什麼？」

「記得把這傘拿去曬一曬。」

馬柯康不以為然地挑挑眉。

「這種時候您還擔心傘？」

「不行嗎？越是小事，越要在發現的時候說，免得以後忘記。」

兩人你一言我一語，說著說著，潮濕的黑色踏腳石出現在眼前。在這「奧之院」的玄關口，鋪滿了即使被雨雪沾濕，也不容易打滑的石頭。

馬柯康在玄關口收起傘，交給守門人，並接過室內鞋。

赫薩爾一行人換穿上對方依序遞過來的室內鞋，走進「奧之院」。

這幢將近有百年歷史，但依然堅固的建築，由於巧妙地配置了裝設反射板的燈光，因此絲毫不覺陰暗。不過玄關口的挑高很高，不免覺得冷。貼心的守門人事先暖好室內鞋，這溫度讓被雪凍著的腳穿起來舒適極了。

正面有一道筆直延伸的寬闊走廊，兩邊則是平緩蜿蜒而上的階梯。

這道上樓的階梯對赫薩爾來說，早就習以爲常；但不曾上樓的馬柯康卻隱約露出緊張的神色。

來到樓上，氣氛爲之一變。

走廊正中間鋪著一張織有春天花朵圖案的長地毯，垂掛在天花板的燈光也泛著如春天原野般的柔和色彩。

踏在將腳步聲吸得一乾二淨的地毯上，赫薩爾跟在托馬索爾身後，往走廊深處的房間去。托馬索爾停在門前，向守門人告知自己的來訪。

他想必已事先報告過來訪一事。守門人立刻低下頭，按下沉重的把手，將門打開。

一踏進房裡，立刻聞到一股淡淡香氣。暖爐裡正焚燒著香木。

寬廣房間的裡側、暖爐旁邊放了張大桌子。

赫薩爾等人走進房裡後，靠在桌前的一位矮胖男子和坐在桌邊椅子上的老婦同時抬起頭，慢慢站起身。

「赫薩爾．悠格拉爾；托馬索爾．那哈魯。」

矮胖男子以吟唱般的獨特語調喊著他們的名字，然後露出微笑。赫薩爾和托馬索爾對著那男子深深一鞠躬。

「深學院院長——羅多曼．歐基拉烏爾大人您好。」

兩人同聲問候，也向站在深學院院長身邊的老婦人低頭致意。

「奇哈娜．歐基拉烏爾大人您好。」

這位身高只到深學院院長胸口、嬌小豐潤的老婦人緩緩點頭。

赫薩爾感受到身後的馬柯康局促不安的氣息——第一次近距離看到奇哈娜，那意料之外的模樣讓他動搖了吧。

因爲地位較低的人不被允許見她，只能耳聞其名，所以很多人甚至連「奧」總管的性別都不知道。這位老婦人，可說是「地下深學院院長」。

「好了好了，客套就到此爲止。到暖爐邊來吧。兩位都辛苦了。冬天的旅途一定很辛苦吧。」

羅多曼揮著他厚實肥潤的手，邀兩人到火爐邊。

待在房間一角的男僕拿了兩張椅子，不著痕跡地悄聲走近，放在赫薩爾他們容易坐下的位置；另一位男僕拿著托盤近前，把香味馥郁的茶和散發誘人甜香的薄餅乾放在小桌上。

「來來來，先喝點茶吧。暖暖身體再慢慢聊。」

說著，羅多曼已經拿起茶杯。從這香味判斷，裡面裝的應該不是茶，而是蒸餾酒比例很高的飲料。

「你們喝嗎？」

羅多曼察覺赫薩爾的視線，拿起茶杯給他看了看。赫薩爾微笑著搖搖頭。

「謝謝您，現在就不喝了。邊喝邊談，醉了就談不成事了。」

羅多曼點點頭。

「說得也是。那誰先說？」

托馬索爾用眼神示意催促赫薩爾先說，赫薩爾便從御前狩獵時被咬傷的人發病，以及之後的病情演變，仔細地扼要說明了一番。

大致聽完後，羅多曼低聲沉吟。

「嗯……看來果然很不尋常。除了發病的狀況，致死的速度和致死率也都很不一般。看到利姆艾爾送來的書信時，我也這麼想，不過現在從你口中聽到詳細經過，更明顯感覺到其中的古怪——可是，也有人被咬之後保住一命……」

「是的。我實際診療過的病人中，我想阿卡法人的絲露米娜夫人就算不注射藥劑，應該也能活命。」

羅多曼臉上浮現淺笑。

「但總不能用她來實驗……其實還挺可惜的呢。」

赫薩爾也露出苦笑。

「您這話好過分啊。深學院院長跟我祖父果然是同類。」

羅多曼的笑意更深。

「你這評語我就姑且收下。不過你也是同類吧？」

赫薩爾聳聳肩。

「那倒也是。」

「抗病素藥的進展如何？」

「我覺得有一定效果。雖然效果還有限，但看來很有潛力。」

「那太好了。我記得那是從地衣類的阿蔕彌萃取出來的吧？」

赫薩爾微笑著回答：

「對，都是米拉兒的功勞。她長年來一直在研究地衣類。」

羅多曼點點頭。

「確實如此——這麼說來，可得好好觀察那具有藥效的地衣類分布在哪些地區。說不定跟對這種病具備耐受性的人有什麼意外的關聯。」

托馬索爾在一旁插了嘴：

「事實上，阿蓆彌是一種分布很廣的地衣類，也有很多近似種。因爲地衣類跟菌類共生，所以像伊杞彌這種地衣也具有和阿蓆彌很類似的抗病素力。對疾病具備耐受性的人，很有可能長期食用馴鹿等習慣吃這種地衣的動物吧。」

赫薩爾也點點頭。

「米拉兒也這麼說。她說如果要從食物上著手，找阿卡法人愛吃，而東乎瑠人不吃的東西，應該是最快的捷徑。」

托馬索爾突然一笑：

「你的情人眞是獨具慧眼。有這麼一個頭腦好又細心體貼的女人在身邊，諒你不敢隨便拈花惹草。」

赫薩爾苦笑著說：

「應該還好吧。比起我的事，現在我的慧眼情人更熱衷於尋找絲露米娜夫人和馬扎伊大人常吃，而伊撒姆少爺不愛吃的東西呢。」

羅多曼撫著下巴，不經意地說：

「……對了，聽說有個男人雖然沒注射過新藥，卻還能活命。」

赫薩爾臉色一正。

「是的。是個在阿卡法鹽礦慘劇中倖存下來的男人。來自土迦山地，名叫凡恩。要是能找到他就太好了。」

「從他的血液裡說不定可以製造出具有高度療效的血漿體藥呢。」

「是啊。事件之後，我也曾經借助墨爾法之力，讓馬柯康到歐基地方去追蹤那個男人……結果還是沒找到。不過這些事您應該已經聽說了吧。」

這時，從剛剛開始就保持沉默的奇哈娜，突然抬起頭看著馬柯康。

「難得當事人也在，你就說說當時是什麼樣的狀況吧。」

赫薩爾轉過頭，催促馬柯康開口。

馬柯康緊張地開始描述經過。雖然有些地方講得稍嫌囉嗦，但畢竟已經向赫薩爾報告過一次，因此該說的地方都沒有漏。

當馬柯康說起莎耶時，奇哈娜的目光顯得更深沉。

她的嘴角看似泛著微笑，但眼神裡顯現出來的卻不是笑意，更像是深思時出神的樣子。

馬柯康一說完，羅多曼便嘆了一口氣。

「之前讀信的時候，我也覺得在崖道上受到野獸攻擊實在太不尋常了。」

赫薩爾點點頭。

「是啊。這狀況未免太戲劇化。」

羅多曼搔著下巴，一邊思考一邊說：

「如果是有意圖的襲擊，那就表示牠們想阻止別人追蹤倖存的那個逃亡奴隸，就是那個甘薩氏族的男人。也就是說，正如王幡侯所擔心的，襲擊馴鷹狩獵和阿卡法鹽礦的悲劇，都不是碰巧從野獸身上傳染的病，而是有意的手段。那麼甘薩氏族，跟這件事就脫不了關係？」

奇哈娜搖搖頭。

「甘薩嗎？很困難呢。」

她的口氣不疾不徐。

「接到你捎來的第一道消息後……」

奇哈娜看著赫薩爾，說道：

「我馬上派奧的使者去土迦山地調查，不過甘薩氏族和鄰近氏族都非常狡猾，始終無法滲透進他們內部。」

奇哈娜那雙大大的褐色眼睛直盯著赫薩爾，又繼續往下說：

「不管是狗還是狼，要訓練好動物做這些事，得花上很長一段時間；我們也不可能掌握到高山或森林的各個角落，當然有可能沒注意到他們在馴犬。

「不過如果人的動向有變化，我們一定會發現。要在這麼長的時間裡策畫謀略，需要一定的組織能力，假如是動員整個氏族的行爲，總有一天一定能找到線索。」

羅多曼皺起眉頭。

「話雖如此，要是眞的跟他們有關，那可就麻煩了。土迦山地是抵禦穆可尼亞王國侵略的最前線，那裡也有許多東乎瑠駐軍。對王幡侯來說，這可是他最擔心會燃起反叛火苗的地區。正因爲如此，他才直接警告阿卡法王。」

「是啊。但就算王幡侯這麼做，也沒有確切證據顯示阿卡法王在背後操縱這件事。」

「儘管如此，他也還是不希望阿卡法動盪不安。再也沒有什麼比疑心生暗鬼更可怕的東西了。有沒有可能看起來極像人爲操作，但其實只是幾次巧合？」

赫薩爾搖搖頭。

「很遺憾，就我親眼看過阿卡法鹽礦的慘狀和御前狩獵悲劇的經驗來說，我覺得其中確實有人爲操控的跡象——那很明顯是有意圖的襲擊。有人出於某種目的做了這些事。」

羅多曼微微抬起眉。

「既然讓你有這種印象，那麼這種可能性或許很高。但儘管如此，還是無法斷定。我再強調一次，不管看起來多麼像人爲操弄，也並不代表完全沒有純粹出於巧合的可能性。」

「您說得很有道理。現在這個階段如果拘泥於某種假設，就有忽略眞實的危險。」

赫薩爾抓抓下巴，接著又說：

「我也覺得很奇怪。在御前狩獵後，雖然有疑似黑狼熱的零星報告，卻沒發生什麼太大的事件。」

說著，他臉上出現一抹苦笑，看著奇哈娜。

「假如在背後操控事件的是阿卡法王，那麼事件不再發生也是很有道理的。王幡侯都說重話、下最後通牒了，再加上阿卡法王看到阿卡法人也一樣會死於這種病，可能覺得可以就此打住了吧。」

奇哈娜臉上帶著微笑，但什麼也沒說。

「嗯。那不如從另一個方向下手。研究這種病有沒有可能經由非人的路徑感染。」

羅多曼說。

托馬索爾開了口：

「關於這一點，我們已經先試著研究過有沒有這個可能。」

托馬索爾回頭看著席康，向他招招手。

席康走上前，將夾在腋下的大紙捲交到托馬索爾手中。托馬索爾攤開那張紙，讓席康拿著另一邊給眾人看。

「我請求奇哈娜大人調查，有沒有其他疑似罹患這種病的人，結果終於整理出來了，我試著把結果標在地圖上。」

看到這張圖，赫薩爾瞪大了眼睛。

標上紅點的地方零散遍布在整個舊阿卡法王國領土中。

「……在鹽礦事件前就已經有這麼多案例了？」

托馬索爾點點頭。

「南從猶加塔平原、北到馬柯康追蹤那男人的歐基森林一帶爲止，都有疑似黑狼熱的病例分布。」

奇哈娜也說話了：

「除了分布範圍廣泛，還有一點很重要。根據奧之使者帶回來的消息，最早的病例早在八年前就發生了。」

奇哈娜撥開落在額前的頭髮，面色凝重。

「我確實太過大意，不過如果一開始沒有帶著可能是黑狼熱的前提去問，也問不出這些結果。」

羅多曼跟著嘆了口氣，說：

「唉，這也沒辦法。假如只是農民或牧民被狼還是山犬咬傷，之後發高燒死了，除非頻繁連續發生，要不然這種消息根本連謠言都算不上。」

赫薩爾盯著托馬索爾和奇哈娜。

「……沒有連續發生嗎？」

兩人點點頭。

「沒有。奧之使者探聽到的消息，多半是在森林裡被狼或是山犬咬傷，後來因病過世的頂多也只有一、兩個人，沒聽說疾病再擴散到附近區域的例子。」

托馬索爾說完，彎起嘴角。

「很奇怪吧？問題就在這裡啊！」

赫薩爾聽了，點點頭。

「就算假設這不是人傳人的疾病，但狼畢竟是群居動物。

「如果這是被狼咬傷後才發作的病，那麼發病後，那些獸群的地盤中應該更頻繁地出現病例才對。既然都過了幾年，表示也經過幾次夏季蜱蟎和蚊蟲大量出現的季節，如果這種病眞的是黑狼熱，照理來說應該會更流行。」

赫薩爾看著地圖，繼續說道：

「散布在這麼大的範圍中，而且每個地方受害的只有一、兩個人，實在太不自然了。看來必須找出抑制流行的要因。」

羅多曼瞇起眼。

「不，如果罹病的只有東乎瑠移住民……沒錯吧？這些患者全都是移住民吧？」

沒錯。奇哈娜點頭回應。

「既然如此，就能解釋爲什麼患者人數少了，因爲阿卡法人不會得這種病。」

赫薩爾偏著頭。

「不，請恕我直言，這還是說不通。請回想我們歐塔瓦爾滅亡時的狀況。黑狼熱對蜱蟎之類的蟲子感染力很強，所以才導致那麼嚴重的慘況不是嗎？

「那麼，假如身爲宿主的狼或山犬棲息在移住民聚落附近的森林，應該會對蜱蟎或野鼠等引起二次感染，直到現在也頻頻出現感染者才對。」

托馬索爾用力點頭。

「沒錯。另外從我的角度來看，還有一件奇怪的事。」

托馬索爾指著地圖。

「山犬和狼的分布地區出乎意料的廣，大有可能出現在草原或者極北的森林地帶。牠們有很多種類，根據居住地方不同，外貌和大小也有差異。一般來說，越往北邊，動物的體型就越大，狼也一樣，把極北地區的狼和南邊叢林地帶的狼放在一起，就能一目了然，絕對是北方的狼比較大。」

托馬索爾清了清喉嚨，接著說：

「我想說的是，既然病例擴散在這麼大的範圍中，那麼不管是北方或南方，只要是狼或山犬，都有可能是黑狼熱的宿主。但是這樣看來……」

「發病的例子未免太少。」

赫薩爾替他接了話，托馬索爾點點頭。

「沒錯。如果像這次在阿卡法引發重大問題的疾病一樣，傳染性高、致死率高、被咬傷之後幾乎每個人都會發病，那麼就跟赫薩爾所說的一樣，如果早在八年前就發生過的話，病例應該更多，而且也會讓蜱蟎產生二次感染。應該不斷有風聲傳出才對。」

赫薩爾皺起眉頭。

「如果沒有發生對蜱蟎的二次感染，原因可能會是什麼？」

奇哈娜稍稍皺起臉，喃喃說道：

「是不是表示身為宿主的山犬並未在當地久留，所以病還來不及轉移到蜱蟎身上？」

片刻之間，房裡陷入一片沉寂。

托馬索爾乾咳了幾聲。

「的確。但現在我們研究的是非人為的可能性，所以我試著思考，有沒有可能自然發生這種現象？這讓我想到另一個問題，那就是：在這麼廣大的範圍內，這些山犬或狼是怎麼擴散疾病的？這片區域非常大。北邊跟南邊的狼應該完全沒有機會直接接觸才對。」

「……會是從鄰近的獸群逐一傳播出去的嗎？」

「如果是自然傳染，確實只有這個可能，但這樣看來就更奇怪了。」

托馬索爾指著地圖。

「紅點旁邊寫的編號，是依照發生順序標上的。按照順序來看，就能明顯發現奇怪之處。」

赫薩爾湊近地圖。

最早的紀錄發生在南邊猶加塔平原邊緣的移住民聚落中。但下次發作卻不在南邊，而是西北方的山地。

「這是……」

赫薩爾不禁輕聲感嘆。

「亂七八糟對吧？」

托馬索爾苦笑著。

「如果病是從狼群傳給狼群的話，就不可能出現這種順序。」

赫薩爾瞇起眼，低聲開口：

「……倒也不見得。」

「什麼？」

托馬索爾反問。赫薩爾抬起頭，看著托馬索爾。

「假如宿主只有狼或山犬，那或許真如同姊夫所說的沒錯；但假如中間還有其他生物，也有可能出現這種分布。比方說，候鳥。」

托馬索爾驚訝地睜大眼睛。

「原來如此，這一點我倒沒有想到。眞是丟臉。但是，也對，這樣看來可能性錯綜複雜，多到難以想像啊……」

赫薩爾察覺身後的馬柯康蠢蠢欲動。

他轉過頭看著馬柯康。

「說吧。有什麼話，直說無妨。」

馬柯康乾咳了幾聲，舔了舔嘴唇。

「……可能沒有太大關聯，不過從這順序看來，似乎是從邊境漸漸往中央接近。」

赫薩爾猛然抬眉。再看看地圖，接著輕嘆了一聲。

「確實如此。沒想到你眼睛還挺尖的呢。」

說著，赫薩爾也苦笑了起來。一心放在動物生態和疾病的關係上，竟然沒注意到這麼單純的事，不免可笑。

奇哈娜開口：

「這一點我也很在意。」

站在房間角落的那名男僕悄然移動，拿來另一張地圖，攤開放在席康帶來的地圖旁邊。

這張地圖跟之前不同，以顏色來區分幾個不同區域，還標了箭頭和編號。

「我想我不說，你們也知道這是什麼地圖……」

那是顯示東乎瑠帝國版圖的地圖。

「用顏色區別的部分，是東乎瑠邊境民移居的地區。箭頭顯示移住民的移動，編號則是他們開始移住的順序。」

赫薩爾瞇起眼，仔細研究地圖。有趣的是，只要像這樣畫在地圖上，就能看出以往沒發現的地方。

東乎瑠將支配範圍往東西南北各地區擴大，不過從地圖上看來，讓本國國民移居到其他地區的比例，壓倒性地以西邊占大多數。

尤其是阿卡法王國附近——現在的王幡領，有許多色塊和箭頭集中在此處。

「王幡領眞是驚人。」

聽到他的感嘆，奇哈娜突然微笑。

「是吧？這樣一看，就知道他們多麼重視阿卡法的拓殖。不過西邊有穆可尼亞這個強國虎視眈眈，這麼做也是理所當然的。」

赫薩爾點點頭。

「還有，拓殖的土地幾乎都是草原和森林地帶。這裡原本就是人口較少的地區，在東乎瑠眼中，應該是還有開拓可能性的地方。」

托馬索爾哼了一聲。

「沒知識的人才會幹這種蠢事。草原和森林地帶有當地原本的植生，也有適合這些植生的生物。就算看起來一樣，但東乎瑠的草原地帶跟猶加塔平原的植生還是不同。想把火馬奔馳的原野變成羊群的放牧地或黑麥田，一定會出問題的。」

「好了好了。」

羅多曼安撫托馬索爾。

「拓殖政策確實有欠考慮的地方。不過我覺得很有意思的是，附近人口增加這麼多，這片土地還是能支撐這些人的生活。

「移住民帶來的黑麥看來很適應那片缺乏作物的平原，而且也比火馬之民過去種植的阿卡法麥更強韌，這可能帶來了巨大的變化，猶加塔平原也有可能變成比以往更豐饒的土地。」

赫薩爾的眼角餘光感覺到席康的蠢動不安。

席康雖然面無表情，但是他下巴附近顯得很僵硬。想必一定在心裡暗罵羅多曼。

托馬索爾則是明顯地將怒氣寫在臉上。

「深學院院長，您這話……」

他話還沒說完，奇哈娜先制止了他。

「有話等會再說。別岔題。」

她的語氣嚴厲，有如一鞭甩在空中。托馬索爾用力地收緊下巴，但額上青筋暴露。

奇哈娜指著地圖。

「比較兩張地圖，你沒發現什麼嗎？」

赫薩爾再看看地圖，馬上瞪大了眼。

「……咦？」

赫薩爾指著最早發現病例的地方。

「最早的病例發生在最早開始拓殖的地方？」

奇哈娜點點頭，瞥了托馬索爾一眼。

「這裡距離那個『火馬的報復』襲擊事件發生地點很近。你不可能沒發現，但目前爲止卻從來沒提過。」

托馬索爾一臉僵硬地看著奇哈娜，但他輕輕搖搖頭。

「我不是故意不提，只是在等適當的機會說而已。」

奇哈娜往後窩進椅子裡。

「那你現在說說吧。」

托馬索爾就這樣瞪著奇哈娜，開口說道：

「我之所以對於這件事如此慎重，是因爲一不小心可能會讓某些人背上莫須有的罪名。」

奇哈娜挑起眉。

「你說的『某些人』，是指『火馬之民』吧？」

托馬索爾緊咬著嘴唇，接著輕輕嘆了氣。

「沒錯……您聽說過晉瑪神嗎？」

赫薩爾沒聽過，不過奇哈娜和羅多曼好像知道。

「那是一位有著蒼蠅外表的小小神明。『火馬之民』都很畏懼祂。」

這個瞬間，席康抬起頭，開了口：

「不是畏懼，是尊敬。」

他的聲音雖低，但語氣很激動。

「寄宿在蒼蠅上的小晉瑪神知道很多事，也指引我們許多方向。不了解祂神力的人犯下侮蔑的愚行、辱罵我們，我們也絕對不會屈服。」

席康閉上嘴後，周圍瀰漫一片沉默。

乾咳了幾聲，托馬索爾說話了：

「就像剛剛席康所說的，晉瑪神對『火馬之民』來說是很重要的神明。這個說來話長，但是請先記得這個大前提。

「『火馬的報復』事件改變了很多事。火馬之民被迫離鄉，在異鄉從事各種工作，但許多人都因爲不適應新工作而飽受折磨。也有很多人借酒澆愁，弄壞了身體。

「其中，開始在北部歐基盆地和西部土迦山地定居，並以遊牧和狩獵爲生的人，算是相對安定的一群……您知道爲什麼嗎？」

羅多曼緊皺著眉。

「因爲遊牧生活跟過去的生活比較接近的關係？」

「這也是原因之一。但馬跟馴鹿或飛鹿畢竟完全不同。從這一點看來，他們應該也嘗過許多外人無法想像的辛苦。

「這些事我是聽席康說的，住在北邊的火馬之民，比起遊牧，更是技術精湛的獵人。」

羅多曼好奇地回應：

「眞的嗎？」

「是的。原因是……」

托馬索爾話說到一半突然停了下來，接著，才靜靜開口：

「因爲他們擁有相當優秀的獵犬。」

羅多曼眼中浮現一絲光芒。

奇哈娜大概已經知道，所以面不改色地聽著。

赫薩爾突然想起多力姆帶他去拜訪墨爾法時看到的獵犬，全都受過精心調教。

「那些獵犬……」

奇哈娜忽然插入一句，大家頓時將目光轉到她身上。

「其實是黑狼和山犬混種生下的半仔。聽說那種獵犬被稱爲『晉瑪神的贈禮』。」

托馬索爾緊蹙眉頭。

「既然您知道……」

奇哈娜揮了揮手。

「我只知道傳說中的故事。」

接著她開始抑揚有致地吟唱了起來。

「晉瑪神這麼教導：馬死不入土，要火葬唷。

「晉瑪神說：別讓狼翻土，記住馬味唷。

「晉瑪神這麼教導：但病死的馬要土葬唷。

「吃下牠的狼很痛苦，再也不想吃唷……」

這時席康竟然也張口跟著唱，高亢的聲音似是要蓋過奇哈娜的聲音。

「嚴寒冬季，馬瘦人飢，

「母狗懷了狼仔，晉瑪神問：

「犬啊犬，即使如此痛苦，也想產下腹中仔？

「母狗回答：

「晉瑪神啊，讓我回答您。不管多痛苦，都想生下腹中仔。

「晉瑪神帶母狗來到墳塚前。是病馬長眠的墳塚前。

「啊，泛著藍光，美麗的晉瑪塚！籠罩在一片光芒中的神之森！

「母狗食馬罹病，產仔而死。

「幼仔健康成長，成爲鄉里最優秀的獵犬。」

唱完後，席康盯著奇哈娜說：

「火馬還很多的那時候，每當馬病死，我們就會埋進墳塚，再挖出病死的馬肉給母狗吃。母狗跟古老歌謠裡傳唱的不同，並不會死；但牠們生下來的小狗確實如同歌曲裡所說的一樣健康強壯。不容易生病，又順從命令。」

他說完後，托馬索爾嘆了一口氣，接著說：

「火馬吃了毒麥死後，他們也一樣埋葬、餵給懷孕的狗吃。」

羅多曼探出身子。

「這麼說……」

托馬索爾臉上掛著苦笑。

「聽起來很可疑吧？假如這些母狗生下的小狗，就是帶有黑狼熱病素的狗，那麼很多現象都說得通了。」

他緩緩搖著頭，繼續往下說：

「但其實不是。當時的母狗並沒有生下小狗。這是我親眼看見的——我看見那些母狗痛苦掙扎至死的樣子。」

房間裡一片鴉雀無聲。

打破這片沉默的是奇哈娜：

「……但第一樁黑狼熱確實發生在那附近。」

托馬索爾點點頭。

「對。沒錯。我也不敢說跟毒麥事件完全沒有關係。」

他直盯著奇哈娜。

「所以請讓我查清楚，讓我找到事情的真相。」

奇哈娜沉默地思考了一會兒，又瞥了羅多曼一眼。奇哈娜看看哥哥的眼睛，點點頭，又將視線拉回托馬索爾身上。

「我贊成調查這件事，但我無法贊成由你去調查——因爲你跟火馬之民太親近了。」

托馬索爾臉色一變。

「……可是！」

奇哈娜打斷他，轉向赫薩爾。

「赫薩爾．悠格拉爾，你能去調查嗎？不只是事件的眞相，還有治療方法。」

赫薩爾笑了。

「您說得簡單，但我想這件事工程浩大；我現在還有很多其他該完成的工作。」

奇哈娜聳聳肩。

「應該沒有比阻止黑狼熱更緊急的工作吧？我總覺得這可能會演變成不小的動盪。看起來不是能放著不管的事呢。有需要的話，我們也會出手幫忙，務必請你負責調查。」

說完後，奇哈娜突然抬頭望向馬柯康，又補充了一句：

「你的隨從雖然只是個修練到一半就半途而廢的傢伙，但應該是猶加塔山地的人吧？他一定很清楚那附近的地理狀況，這次應該能派得上用場吧！」

赫薩爾轉過頭，看見馬柯康苦澀的表情，輕聲笑了。

四　枯槁冬季的移住地

淡淡鐵灰色的天空下，是一片枯槁的冬季原野。

儘管是如此寂寥的風景，偶爾還是有白鳥從天而降，落在枯野中零星的幾處沼澤，帶來短暫的生命喧囂。

白色羽翼裡有火一般的赤紅，拍打翅膀時，看來宛如火花飛散。

「……真搶眼的鳥。」

聽到赫薩爾的低語，馬柯康答道：

「那是火打鴨。冬天常見的候鳥。」

馬柯康的座騎似乎不喜歡他亂動，正一邊呼嚕呼嚕地噴著鼻息，一邊搖頭，噴出的氣息全部化為白煙流出。

雖然沒什麼雪，但是風很冷，赫薩爾將防風布一直纏到眼睛周圍。

「這裡什麼都沒有呢。『名來利』以前明明是個滿熱鬧的城市，怎麼這附近連路都沒鋪好？」

聽到赫薩爾的話，馬柯康搖了搖頭。

「這就是猶加塔平原本來的風景。名來利就像個傷疤一樣。」

赫薩爾挑起一邊眉毛。

「你這說法還挺有趣的。傷疤？為什麼這麼覺得？」

馬柯康眺望著盤旋在蘆葦原野上的鳥群。

「赫薩爾大人沒看過這個地方以前的樣子，或許無法了解吧。小時候，我父親曾帶我去過『火馬之城』——優卡魯姆好幾次，所以昨天看到那街景，我簡直要懷疑自己的眼睛。」

「改變這麼大嗎？」

馬柯康忿忿地說：

「豈止是改變。我覺得原本的城市幾乎就是被連根拔起，重新整地再蓋，簡直是另一個城市。」

當他看到常見的東乎瑠式黑瓦屋簷在街上連綿不絕時，好比珍視的東西被人踐踏在腳底下般，怒氣再次浮現，讓馬柯康緊咬著嘴唇。

「優卡魯姆原本是一座很有格調的城市喔。這裡本來就不是大城，是因爲有火馬交易才興盛起來的，所以沒有火馬交易的時期，通常都很悠閒。」

赫薩爾露出苦笑。

「……你比平常更不高興，原來就是這個原因？」

馬柯康低頭盯著赫薩爾。

「不高興的是赫薩爾大人吧？我幾次跟您說話，您都不搭理。」

赫薩爾哼了一聲。

「被逼著到這種地方來做什麼無聊的調查，我當然不高興啊。」

馬柯康挑起眉。

「怎麼會無聊呢？這可是人命關天的事啊！」

赫薩爾嘲諷地笑了。

「你眞是笨得可以。如果在治療院的話，一天可以救好幾個人呢！」

「這確實沒錯啦。」

赫薩爾沒理馬柯康的碎念，望著候鳥群聚的沼澤地，忿忿地說：

「叫我來這種冷清的地方揭發自己人的祕密，發兩句牢騷又怎樣！」

馬柯康覺得胸口一陣涼意掃過，表情一僵。

（……原來他已經發現了。）

馬柯康這麼想的瞬間，赫薩爾也轉過頭來，抬頭看著馬柯康。

赫薩爾看著馬柯康的眼神像是似乎想試探什麼，但最後他別過目光。

「你果然也發現了。」

馬柯康沒說話，只是低頭看著少主。赫薩爾依然望著那片枯野。

「奇哈娜大人這手段實在太卑鄙了。不愧是掌控『奧』的人，還眞是沒人情味的個性。何必派我來揭穿姊夫的祕密？她自己就辦得到啊！」

「那是……」

他伸手制止正要開口的馬柯康。

「我知道。這是那老太婆自以爲是的一點溫情。如果是我，就算查明事實，也會在告發前替姊夫找出活路。」

（這個人啊……）

赫薩爾面無表情，但是眼睛深處卻掠過一抹暗影。

馬柯康心想，他眞的很替姊夫著想。但，著想的對象眞的是姊夫嗎？或是姊夫的妻子、他的繼姊？

「這還不一定跟您姊夫有關啊。」

聽馬柯康說完後，赫薩爾聳聳肩。

「不，應該跟他有關吧。我想至少他在包庇犯人。希望他不要是主犯才好啊。」

奇哈娜拿出的東乎瑠人移住領域圖，加上托馬索爾提出的病例分布圖。

直到最後，托馬索爾都沒有說出只要把這兩張圖搭配在一起，就能明顯看出什麼事實。

說起「晉瑪神的贈禮」時，即使聽來可疑，托馬索爾還是想試圖說明火馬之民跟這件事沒有關係；但原本在這些說明後必須再補充說明的重要事實，他並沒有說出口。

最早發生黑狼熱的地方，不只是這個猶加塔平原的移住民村落——第二起病例出現的西北部聚落，也是火馬之民遭放逐後，大量遷居的地點。

如果質問托馬索爾，他應該會回答：「那又如何？」

他可能會說，假如真是火馬之民在暗中策畫，怎麼可能在這麼容易懷疑到自己頭上的地點刻意製造災害呢？

不過，這也只能表示他們「一開始並非有意的」。

飼養極其服從又聰明絕頂的猛犬、對東乎瑠人懷抱強烈的憎恨和敵意。而且又剛好就在最早和緊接著發生病例的地區——這麼多條件吻合，要人不懷疑他們跟這疾病無關，反而困難。

托馬索爾原本大概打算巧妙引導現場的討論方向，希望被正式任命負責調查黑狼熱吧。

一旦當上調查官，就可以告訴火馬之民，現在聖領和東乎瑠知道了些什麼、了解到什麼程度。也能給他們開許多方便之門。

但是，掌管「奧」的奇哈娜可沒有那麼容易落入托馬索爾的圈套。

赫薩爾確實感覺到當時微妙的心機算計——結果他卻被奇哈娜高明地當做王牌使用，這讓赫薩爾滿肚子不高興。

「……我也是。」

馬柯康低聲說。

「聽到托馬索爾大人說起『晉瑪之犬』，卻沒說到馴犬人時，我心裡也覺得奇怪。」

赫薩爾轉過頭，露出意外感興趣的眼神。

「馴犬人？那是什麼？」

馬柯康有點驚訝地低頭看著少主。

「咦，您不知道嗎？」

「嗯，不知道。」

（……原來如此。）

馬柯康突然想起奇哈娜看著他時，那帶著言外之意的表情。

（她說我會派上用場，原來是指這件事。）

自己生長在環抱著這片平原的猶加塔山地，早就聽慣了關於火馬之民的大小事，說不定能在少主的調查工作中幫上忙。

正要開口解釋馴犬人的事，就聽見背後有狗叫的聲音，馬柯康立刻將手放在劍柄上，轉過身。

一隻狗從高大蘆葦間的小道奔馳而來。背後跟著一個騎在馬上的人影。

「多塔！嚾！哈伊！」

那名男子身穿下級官吏服裝，用東乎瑠語叫住了狗，慢慢走近。

看到赫薩爾後，那人好像終於放下心來。

「您是赫薩爾大人吧。在旅宿沒找到您，還以爲錯過了呢，原來您還在這裡，眞是太好了。」

赫薩爾輕輕舉起手，對那人點點頭。

到這裡來之前，赫薩爾寄了封信給王幡侯的兒子與多瑠，拜託他先打點好熟悉這個地區的官吏，看來與多瑠馬上就下達了命令。

這位中年男子雖說是官吏，但面容看起來卻挺和善的；看到這個人前來，馬柯康再次覺得與多瑠果然是個能幹的人。

那官吏下了馬，一對眼睛藏不住好奇地看著赫薩爾，先自我介紹了一番。

「我叫佗矢，在這附近擔任鄉司。」

赫薩爾露出微笑，對他輕輕鞠了個躬。

「有勞了。」

剛剛臉上的陰沉，已經一掃而空。

＊

在佗矢的引導下，他們來到一處被麥田和羊隻放牧地所包圍的農家。

初秋播種的黑麥，在這寒冷的天氣裡已探出嫩芽。因爲只要風向一變，就會飄來羊的味道，惹得馬柯康頻皺眉。

阿卡法人經常揶揄東乎瑠農民用泥巴蓋房子，不過眼前的房子確實如此，混著稻草和泥巴的泥牆上，搭著看來沉重無比的茅草屋頂。

打開木門進了庭院，放養的雞受驚般喧鬧啼叫，倉皇躲進屋後。

佗矢一走進院子便放聲招呼，但房子裡沒人回應。

「奇怪了，不可能沒人在啊。」

佗矢碎念著，翻身下馬，將馬繫在院子裡的樹上。

馬柯康先下了馬，協助赫薩爾下馬後，心裡有了不祥的預感。雖然沒人回應，但他確實感覺到房子裡有人在。

「少主。」

赫薩爾看了馬柯康一眼，點點頭，像是在告訴他：「我明白。」

「喂！眞勘！陶女！你們在嗎？」

佗矢一邊叫著，一邊開門進了屋，只聽他「啊！」地驚叫一聲。還傳來他擔心詢問「怎麼了？」的聲音。

馬柯康制止了打算跟著佗矢進房的赫薩爾，搶在他之前穿過房門、踏進屋裡。

房子裡光線昏暗，還瀰漫著爐煙的嗆鼻味道和堆肥味。

等到眼睛習慣後，才發現架高在泥地上的木板房間裡，有個人躺在爐邊——好像是個小男孩。那孩子躺在草蓆上，一名看來還年輕的女子跪在枕邊，擔心地用手摸著孩子的額頭，應該是他母親吧。

「怎麼了？感冒了嗎？」

佗矢走進木板房裡問道。女子這才抬起頭來，用她疲憊的雙眼看著佗矢。

「……昨天開始就一直高燒不退。」

房間角落傳來聲響，馬柯康馬上轉頭望向那裡。

一名老婦坐在陰暗光線中。低著頭念念有詞，手上還不斷轉著個東西；好像是什麼咒具。

赫薩爾看看這家中的樣子，對佗矢說：

「我替那孩子看看吧。」

佗矢轉過來，對赫薩爾低頭致意。啊，您願意的話，那可眞是感激不盡！

然後他開始對那位望著這裡、一頭霧水的女子說明，這位是知名的醫術師，因爲有事想問妳才到這裡來的。

這時赫薩爾已經進房，坐在孩子身邊。

取得女子的同意後，赫薩爾開始觀察孩子的臉、替他把脈、撥開眼皮看看他的眼睛，再撬開嘴巴，檢查喉嚨和舌頭的狀況。接著讓孩子的胸口露出來，用耳朵抵在上頭聽了一會兒胸音。孩子全身無力，只能任人擺布。

「有一點腫呢。」

赫薩爾輕觸了孩子兩耳下方，轉頭看著母親。

「發燒之前，有沒有咳嗽流鼻水之類和平常不一樣的地方？」

母親苦著臉，一臉困惑。

「這……我想他應該沒有受傷。不過昨天白天就開始鬧脾氣，哭了一陣就睡了。我看他呼吸急促，臉頰也發紅，才想是不是感冒了。」

這位母親看來是只要一開始講話就停不下來的那種人。她接著又說，丈夫進城去買東西，等他回來，打算讓他去抓隻青蛙燉湯給孩子喝。

赫薩爾一邊「嗯，嗯」地附和著，一邊脫掉孩子的衣服，開始仔細觀察他的身體。赫薩爾的視線停在孩子的右小腿肚，輕輕一碰，孩子馬上扭動身體開始哭。

赫薩爾再摸摸鼠蹊部確認後，低聲說：

「……好像是蜂巢炎。」

赫薩爾抬起頭。

「把藥袋拿來。」

馬柯康已料到他會這麼說，遂從包裡取出裝有藥袋和治療工具的箱子，放在地上。

「多克沙羅爾嗎？」

馬柯康一邊打開藥袋一邊問。赫薩爾一臉很感興趣的樣子。

「喔，你現在也懂這些了？」

馬柯康聳聳肩：

「您治療蜂巢炎的過程我看過好多次了。」

接過馬柯康遞來的藥，赫薩爾輕聲嘆了口氣：

「也對。得蜂巢炎的病人確實不少。」

赫薩爾解開預防濕氣的包裹，取出小藥丸，抬頭看著那位母親。

「應該是在外面玩的時候有了小傷口，壞東西從那裡進到身體裡。讓他用大量的水服下這顆藥丸。這小袋裡放了七天的分量，記得每天讓他吃藥。」

他用馬柯康遞過來的乾淨棉布把孩子的小腿肚纏裹起來，繼續交代：

「這種病要是不小心處理的話，可會拖上好一段時間。在他腳下墊點東西，稍微把腳抬高，讓他好好休息。」

但母親沒有收下藥，而是爲難地回頭看著佗矢。

「這……我現在手邊沒多少錢，藥的費用我……」

「不用給我錢。快先讓他吃藥吧。」

儘管如此，那母親還是一臉猶豫地看著赫薩爾，最後終究恭恭敬敬地收下藥，讓孩子服下。

五　毒麥

孩子睡著後，母親替他將薄被拉高到脖子，百感交集地說：

「這孩子平常總是很活潑，不過這個季節實在冷得凍人，所以我總是告訴他別太常出去，可是……」

房間角落傳來悶哼聲。

那老婦人緊握咒具，幽幽嘆了口氣。

「……這片土地上都是壞東西。眞是一片被詛咒的土地。」

「啊啊，眞想回名越野去。一想到要死在這種地方，唉，我就受不了。」

孩子的母親狼狽地看著侘矢，再轉頭看著老婦人說，媽，有客人在，別說這些。

看到她倉皇的樣子，侘矢似乎也覺得不忍，出言安撫：

「陶女，別放在心上。婆婆只是想念故鄉，我不會因爲這樣責罰她的。」

陶女道了謝，不過表情還是一片凝重。

「侘矢大人您心地善良，或許不會責罰我們沒錯；但要是給其他鄉司大人聽到，一定會挨罵的。」

侘矢聽了，苦笑看著赫薩爾。

「讓您見笑了，這些事還請您別告訴上面的大人們。」

雖然只是小事，不過被外人知道移住民對東乎瑠的政策感到不滿，確實不太妙。

赫薩爾微笑著說：

「這種事我不會說的。」

然後又接著說：

「話說回來，我還很慶幸是你來接待我們。如果負責接待的是個不近人情的古板官吏，那我也打聽不到什麼重要消息了。」

佬矢眨眨眼，難爲情地低聲說，是嗎？

赫薩爾點點頭。

「您可能已經聽說，我來是爲了調查這裡過去發生過的疾病。疾病發生的原因有很多，有時候，眞正的原因是聽了會讓人很驚訝『原來跟這種事有關?!』之類雞毛蒜皮的小事。所以婆婆說『這片土地上都是壞東西』，其中說不定就藏有致病的原因呢。」

喔，佬矢點點頭。

「原來如此……既然是這樣，那麼大家住在這裡覺得很困擾之類的事，就很重要囉？」

赫薩爾對苦笑著的佬矢點點頭。

「一點也沒錯。」

陶女在一旁聽著兩人對話，突然一臉慌張。

「我這個人眞是的，這麼偉大的醫術師大駕光臨，竟然連茶都沒招待。」

陶女急忙要起身，赫薩爾制止了她。

「請別客氣了。比起泡茶，我更想請教您一些事。」

陶女露出不安的表情。

「什麼事呢？像我這種人能幫得上忙嗎？」

她身後的老婦人站了起來。

婦人綳著臉，從櫥櫃裡拿泡茶器具放在爐邊，開始生火準備泡茶。雖然頂著張臭臉，但泡茶的架式和手勢倒是挺俐落的。

陶女看著老婦，又看看佗矢，顯得局促不安。

「不要緊的，不是什麼困難的事。」

赫薩爾平靜地對她說。

「我一個朋友說，他以前曾聽妳父親說過……」

「喔？」

陶女臉一沉。

「我爸兩個月前過世了……」

「是，這我也聽說了。所以我才來拜訪您。」

「是嗎……」

「我想知道的是您祖父過世時的事。曾聽您父親說，您祖父被狼咬傷時，您也在場。」

「是啊……」

陶女終於舒展愁眉。

「原來你是說那時候的事啊。眞是嚇人呢。那時候，每天晚上都有羊被抓走，爺爺很生氣，說要殺了那些畜生，所以設下了陷阱，但是那些傢伙很聰明，完全沒掉進陷阱裡。」

緊張的心情一鬆懈，她開始滔滔不絕說個不停。

「那一天，羊群從白天就開始騷動，因爲實在鬧得太厲害，爺爺和爸爸就拿著弓箭去查看。我看到外頭那麼熱鬧，也趁機跟在後面偷看。就是想看看到底來了多少狼。

「結果你知道嗎，竟然只有一隻，而且還很小隻。」

「很小隻？還是小狼嗎？」

陶女搖搖頭。她眼神一沉，大概是回想起當時的光景吧。

「不，我看那應該已經是成狼。不過牠眞的很聰明、動作很快。明明只有一隻，卻貪心地咬了好幾頭羊的腳，眞的是性格很惡劣的傢伙。要是因爲肚子餓來攻擊就算了，但又不是。就像隻愛亂咬的惡犬一樣，總之看到什麼就咬。」

赫薩爾探出身子。

「牠有沒有滴著口水？」

「口水？這我倒沒看那麼清楚。對了，有些狼不是會齜牙咧嘴、大大露出牙齒來嗎？就是那種感覺。追著追著，爺爺的腳就被咬了……」

陶女緊皺著臉。

「您的祖父當場就倒下了嗎？」

「沒有。傷口沒有太嚴重，爺爺還吐口水大罵牠呢。

「爸爸射出去的箭好像稍微擦到牠，好不容易才把那傢伙趕跑，大家就這樣一邊發牢騷一邊走回家。

「那天倒沒什麼事，不過隔天嗎？還是又隔了一天？爺爺開始說喉嚨痛、全身無力，一直躺著……」

說到這裡，陶女摩擦著自己的手臂。

「你知道嗎，那時情況可眞嚴重。他整個身體像插了塊木板一樣，繃得直挺挺的，整張臉都是紅的……痛苦了一晚上，到了早上就……唉。畢竟也上了年紀，撐不住啊。」

陶女一停下，整個寂靜的屋子裡就只剩下鐵製茶壺蓋子發出的「喊喊」聲。

「在那之後，還有人被狼攻擊嗎？」

赫薩爾繼續追問，老婦人則在爐邊哼了一聲：

「那才不是狼呢。」

「什麼？」

赫薩爾轉過頭，老婦人正用布拿著握把，把鐵製茶壺從爐火上移開。

「那個啊，是狗喔。當時我也看到那到處使壞的傢伙，那東西雖然流著狼的血，但不是狼。那是狗。」

陶女也點點頭。

「也對。那傢伙長得確實像狗。」

「但妳父親好像說，他是被狼攻擊的？」

陶女露出無奈的表情。

「我爸說話喜歡誇大啦。要是跟別人說自己被狗攻擊，那不是很沒面子嗎？所以他才一直跟別人說是狼、是狼。」

赫薩爾敏感地察覺到馬柯康的動搖，轉過頭去。

「有什麼想問的就直接問。」

馬柯康點點頭，看著陶女和老婦，開口問：

「如果是狗，那妳們有看到主人嗎？或者妳們覺得那是山犬？」

陶女偏著頭，老婦人則抬著眼，瞪著馬柯康。

「……你爲什麼問這個？」

馬柯康皺著眉頭。老婦人的聲音裡帶著敵意。

「不、這……」

馬柯康支支吾吾，這時，赫薩爾溫和地插了嘴：

「婆婆，您從剛剛開始一直偷偷在看這傢伙，您爲什麼這麼討厭他呢？」

老婦皺皺鼻子。

「我沒有討厭他……那傢伙是這地方的人嗎？」

啊，馬柯康瞪大了眼睛。

（原來如此，因爲我身上有猶加塔山地民的刺青啊。）

這老婦已經在這裡住了十幾年，應該經常看到額上有鎮魂刺青的猶加塔山地民吧。

赫薩爾也露出恍然大悟的神色。

「原來是這麼回事啊。是我們不好，應該先跟您解釋的。」

赫薩爾微笑道。

「婆婆，您別擔心。這傢伙是我的隨從，他是已經被猶加塔氏族放逐的人，而且不管我們在這裡聽到什麼，都絕對不會給你們添麻煩的。

「我們只想知道關於疾病的事。兩位聽說過嗎？阿卡法鹽礦發生的事件。」

老婦人的眼睛微微動了動。她身邊的陶女點點頭。

「啊，你是說『阿卡法的詛咒』吧，聽說死了很多奴隸，後來還發生了很嚴重的事呢，在卡山啊……」

赫薩爾暗暗嘆了口氣，他稍微看了馬柯康一眼，又馬上把視線拉回老婦人身上。

「那不是詛咒。大家都是被狗咬死的。」

咦！陶女提高了音調，將手放在胸前。老婦人的臉也僵住了。

「那跟爺爺一樣……咦？所以……？」

赫薩爾搖搖手，安撫她們。

「我們來，只是推測或許有這個可能性，不過現在什麼都還不確定。

「咬了您祖父的狗身上所帶著的病，跟阿卡法奴隸所感染的病確實很像，但我們還不知道到底是否一樣……再說，這裡除了您祖父之外，沒有其他生同一種病的人了吧？」

陶女看看老婦人。老婦人搖搖頭。

「沒哪。」

陶女困惑地看著老婦人，輕聲說：

「不過死了很多羊呢。」

啊！老婦人連珠炮似的接口：

「對，死了，死了！一口氣被殺的喔。有好幾頭是被那畜生咬死的，在那之前，有的被蜱蟎咬、有的吃了毒麥，已經死了好幾頭。大家都在說，爲什麼我們非得搬到這種受詛咒的地方不可呢？」

赫薩爾探出身子。

「吃毒麥後死了？您是說羊嗎？」

「是啊！你知道嗎，這片土地上的東西都難搞得要死。狗的本性比狼更壞，連麥子都是嚇人的紅色……」

陶女插嘴進來，想打斷口沫橫飛的老婦。

「對了，有一次馬死了，不是鬧得很大嗎——不是這個聚落。聽說有一個聚落全部被燒掉了，非常淒慘哪……」

「對。妳說是火馬之民的襲擊事件吧。」

「對對對，原因就是麥子。」

赫薩爾點點頭。

「好像是呢。聽說吃了你們帶來的黑麥後，那些馬……」

老婦打斷赫薩爾：

「不是！才不是吃了我們的黑麥死的！都是那些壞傢伙隨口胡說、栽贓給我們！那些沒藥救的蠢蛋討厭我們，老是想把罪都推到我們身上……」

「可是……」

老婦圓瞪雙眼，豎起指頭搖了搖。

「那些馬吃的才不是我們種的黑麥！是他們種的赤麥！」

「好了好了，埜女婆婆。」

佗矢尷尬地安撫著老婦人，滿懷歉意地看著赫薩爾。

「這位埜女婆婆的哥哥當時被殺了，所以一提起這件事，她就會激動起來。還請您見諒。」

赫薩爾點點頭。

「不，是我不好，讓您回想起傷心往事——但我還是第一次聽說呢，赤麥是指這裡的阿卡法麥嗎？莖是紅的？既然這樣，那應該是火馬之民長久以來餵火馬吃的麥子啊……」

佗矢語氣平靜地回答：

「啊，這就有點複雜了。火馬吃的確實是火馬之民所栽種的阿卡法麥，不過其中好像混入跟我們帶來的黑麥混種的交雜種。」

赫薩爾的眼睛瞪得老大。

「……交雜種？」

「對。其實並沒有特意要混種，但是花粉乘著風混了進來。有一陣子可辛苦了。因爲黑麥跟阿卡法麥混種後，很容易長出毒穗。那毒穗的毒很怪，毒性很強呢。火馬死了，對當地人來說當然是場大災難，可是我們寶貴的羊也死了很多啊，全都是因爲吃了那個。中毒之後，羊就像跳舞一樣，繞著圈子跳呀跳，然後痙攣，我們都說那是羊的『跳舞病』。」

佗矢摩擦著手臂。

「火馬之民被放逐後，我們花了很長的時間把阿卡法麥燒掉，這才終於可以栽種能安心食用的黑麥。」

佗矢說完後，赫薩爾出神地看著他好一陣子。

「……赫薩爾大人？」

聽到馬柯康叫他，赫薩爾才回過神來，長嘆了一口氣。

「原來如此，原來是這樣啊。啊，我終於懂了。」

他口中不斷自言自語似的碎念著。

「火馬和羊都是吃了那種麥子而死的……但狗並沒有死。」

老婦人哼了一聲。

「狗又不吃麥子。那些畜牲把死掉的羊挖出來吃，從此愛上羊的味道。」

赫薩爾反射性地猛一抬頭，盯著老婦。

「吃了？妳說狗吃了被毒麥毒死的羊？」

老婦表情扭曲，像看到什麼髒東西一樣。

「就是啊。眞是的，這地方的人腦袋眞的有毛病，故意慫恿狗去吃。我看到那些貪吃的畜牲吃了被毒麥毒死的羊，痛苦而死，心裡只覺得牠們活該。」

「死了？那些狗死了嗎？」

「哈，死得好。可是呢，明明是他們慫恿狗去吃羊，等到狗死了，那些傢伙還說是因爲我們玷汙了土地，硬找藉口。眞是一群沒種沒用的變態！現在他們不在，大家總算落得清靜。」

赫薩爾盯著老婦，平靜地問：

「妳說的那些傢伙，是指火馬之民嗎？」

老婦人聳聳肩，沉默了一會兒，最後她看了馬柯康一眼。

「我不知道……你不如問問這位小哥吧。」

六　馬柯康的故鄉

赫薩爾騎馬登上長有茂盛茅草的山路，回頭看了馬柯康一眼。

「你別太過分了，走那麼慢，等會就得在野外露宿了。」

馬柯康一臉不悅地看著赫薩爾。

「露宿就露宿。最好可以一直露宿。」

赫薩爾不禁失笑：

「都多大的人了，怎麼還像個鬧脾氣的小孩子？你就這麼不想回家鄉？」

馬柯康嘆了口氣，望著蜿蜒連綿的山路。

「不想。」

嘴裡雖然這麼說，但眼前這條被入冬後的枯槁樹木染上淡淡灰綠色的山路，卻讓他懷念得泫然欲泣。

如果能再回來這裡，哪怕失去性命也無所謂。在他心中，家鄉本應如此。

十五歲那年春天，他緊咬牙關奔下這條山路；到了年近三十的現在，終於再度步上……而且還是以歐塔瓦爾聖領名門之後的隨從身分。

命運之神一定是個性格相當乖僻的傢伙。

小鳥們踩折了枯枝，飛過一個又一個樹梢。啾啾輕囀著的小鳥胸口的淡綠色，看來格外明亮。

現在回想起來，當時眼前一片灰色的未來，其實也擁有許多滿溢生氣的色彩吧。或許當時那雙年幼的眼睛所看不見的東西實在太多。

想起在嚴肅表情背後藏著哀傷、絕望看著他的父親臉龐，馬柯康暗自在心裡嘆了口氣。

父親身爲數百年來皆事奉歐塔瓦爾聖領「奧」的席諾克家長子，他順服地接受了命運，年輕時就開始負責「奧」的工作，氏族裡都很尊敬這位對外部動靜無所不知的貴族。

馬柯康的哥哥姊姊也一樣，從小就跟著父親學習各項技藝，很快就進入「奧」工作，往來各地擔任密探。

馬柯康跟哥哥相差十歲，跟姊姊相差八歲，在他眼中，兄姊就像是一年只回家一兩次，還會受到母親熱烈歡迎的奇妙貴客。

儘管如此，馬柯康還是滿心期待兩人返鄉。

大概是因爲年齡的差距，或因爲少見面，兄姊兩人都很親切，待在家鄉的期間都相當疼愛馬柯康。

跟氏族中其他朋友的兄姊不同，自己的兄姊格外出色——看遍廣闊世界的這兩人，向來是馬柯康的憧憬和驕傲。

身爲席諾克家的次男，馬柯康也接受已從「奧」工作崗位退下的祖父和叔叔指導。如果就這樣什麼事都沒發生，或許等到滿十五歲時，馬柯康也會前往歐塔瓦爾聖領，向聖家宣誓忠誠，事奉於「奧」吧。

然而馬柯康十三歲那年冬天，傳來了大大改變他人生的消息——哥哥捲入醜聞，遭到姊姊親手處刑。

接獲這起消息時，母親哭到近乎崩潰，但父親和祖父並沒有表現出心裡的哀傷。

據說哥哥愛上了不該愛的人，背叛了歐塔瓦爾聖領的聖家。而姊姊爲了展現席諾克家和氏族的忠誠，親手結束了哥哥的生命。

當時父親把馬柯康叫到房中，把一切眞相對這個年僅十三歲的兒子和盤托出。

當時心裡產生的激動情緒——無論有什麼理由，居然逼得姊姊殺了哥哥的「奧」，讓他心存疑慮和憤怒，而這些情緒不管過了幾年，依然沒有消退。

以往全心相信的事，彷彿在那一瞬間全部遭到顚覆和背叛。不管看到、聽到任何跟「奧」有關的工作和制度，都讓馬柯康開始覺得骯髒醜惡。

有些事在他長大成人後，也漸漸了解。

在這個許多國家彼此虎視眈眈的殘酷世間，歐塔瓦爾聖領所擔負的角色；還有爲了扶持聖領，「奧」所定下的種種規矩章法的意義，這些他現在都懂了。

但當時跟「奧」有關的一切，在他看來，就像是一條顏色黯淡的沉重鎖鏈。

於是，在他原本應該踏上旅程，到「奧」出仕的十五歲那年春天，馬柯康終於拒絕繼續活在這樣的枷鎖下。

抗拒與生俱來的命運，就等於這個人未曾存在——就在他拒絕宣誓效忠的那一刻，馬柯康被席諾克家斷絕關係，也遭到氏族放逐。

冬陽溫柔地照在山路上。

這條路前方所在的家鄉，母親還在。

別說祖父了，父親也已經過世。成爲席諾克家的主人、支撐這個家的，是叔叔的長子，也就是堂兄。聽說母親繼續跟叔母們一起住在原本的宅邸中。

母親應該老了不少吧。想到這裡時，身邊的赫薩爾輕聲說道：

「……有人渴望回鄉，也有人抗拒回鄉啊。」

馬柯康沒回答，赫薩爾又說：

「那個婆婆。」

「嗯。」

想起那位東乎瑠老婦在爐邊抬眼瞪著自己的模樣，馬柯康不覺皺起眉頭。

「她個性還真嗆。」

赫薩爾呵呵笑了兩聲。

「不那麼嗆的話，日子很難過吧。莫名其妙被帶離故鄉，到一個根本不想居住的地方終老此生。又不是他們願意去的，但當地的人卻那麼痛恨他們，拚命欺負、踐踏他們。也難怪她會有這麼難搞的性格啊。」

東乎瑠的移住民，都是住在邊境地區的貧窮農民或牧民。

每當皇帝征服其他國家、擴張領土，這些人就得移居到新的邊境地區，把當地變成東乎瑠的風格。

種植東乎瑠人喜好的農作、飼養家畜、開路造鎮，和被征服地的人民漸漸融合，不知不覺將那片土地變成東乎瑠人所有。這是一支不帶武器的尖兵。

由於稅賦比在故鄉時更輕，開拓的土地也可納爲己有，所以對於受制於地主的小農來說，這項政策並非全無好處。但許多移住民心中，卻不斷受到再也無法回鄉的悲哀所折磨。那名老婦的心裡，想必也懷著這種哀愁吧。

回想起她抬眼瞪視的樣子，馬柯康喃喃低語：

「是啦，您這麼說確實沒錯……」

赫薩爾抬頭看著馬柯康，咧嘴一笑。

「怎麼？就是不想接受？因為你是當地人的關係嗎？」

馬柯康皺起眉。

「請別這樣。不要這樣畫分啦。」

「但這是事實吧？不過，說不定該把你畫分到另有圖謀的那一邊。」

看著赫薩爾帶著笑意的眼裡，竟浮現出乎意料的嚴肅，馬柯康有些驚訝。

「您是開玩笑的吧？」

「你覺得呢？」

「當然啊。不然我就會出手了。」

赫薩爾認真打量著馬柯康，突然笑出聲來。

馬柯康沉默著，就連馬也看著眼前發出驚人笑聲的少主。

「……你真的不適合當隨從呢。」

赫薩爾擦去眼角堆積的淚，調整呼吸後開了口。

「你這壯漢要真的出手，我可受不了。但我會懷疑也是理所當然的吧？你老家在這裡，還知道這裡有什麼馴犬人，可是我們去視察阿卡法鹽礦的慘劇時，你對這種可能性卻隻字未提。」

馬柯康無奈地低頭看著少主。

「那時您不是說應該是狼嗎？」

「也是啦。但是一般來說都會聯想到吧？可能也有人能自由自在地操控狼。」

「只有像您這種人才聯想得到。至少我是一點頭緒都沒有。」

赫薩爾又笑出聲。

「真不錯。你這顆木頭腦袋，我喜歡。」

馬柯康一點也不覺得有趣，沉默著沒接話，只見赫薩爾搖頭嘆息。

「總之，到達族都前，你趕緊告訴我關於馴犬人的事。」

馬柯康皺著眉。

「我知道的是東乎瑠移住民來之前的事了。再說，我只是小時候聽過看過，也不太清楚詳情。到了族都，再找熟悉這些事的人問比較好吧。」

赫薩爾苦笑著。

「你還真倔。我想先聽你說。把你知道的告訴我就行，總之就先說吧。」

風沙沙吹動樹梢。

聽著葉片摩擦的聲音，馬柯康回想起孩提時跟父親一起走在這條路上時曾遇見的老人，慢慢開了口：

「火馬之民裡，有一群專門『獵狼』的人，我記得大家好像都叫他們『晉瑪的馴犬人』。

「他們身上穿著從頭罩下的奇怪馬皮衣，還帶著很多狗，往來於平原和這片山地之間獵狼。」

馬柯康突然想起以前曾看過忽然從草叢中現身的馴犬人，那身裝扮看似鬼怪，他嚇得縮緊肚皮，躲到父親身後。

「我還住在這裡的時候，他們住在平原，很少打照面，跟我們氏族應該也有來往吧。我曾在這附近看過他們。」

喔。赫薩爾輕哼一聲。

「這附近並不是火馬之民可以自由狩獵的地方？」

「那當然。這裡已經是山地氏族的領地了，非山地人擅自在這裡狩獵，可是會遭到處罰的。不過……」

馬柯康慢慢靠近遙遠的記憶，一邊回想，一邊說起：

「好像有共同狩獵的機會吧。我依稀記得山地獵人跟『晉瑪的馴犬人』在氏族長宅邸後院一起分獵物。」

赫薩爾點點頭。

「……原本還有這樣的交情啊。」

馬柯康思考著回答：

「嗯，就是啊。我父親曾告訴我，在這猶加塔地方的大氏族──火馬之民、沼地之民、山地之民，在太古時代原本是同一支民族。」

赫薩爾挑起眉。

「我也聽說過火馬之民和山地之民本是同根的說法，但沼地之民我還是第一次聽說。」

「是嗎？也許吧。因為沼地之民是一支侍奉火馬之民的極小氏族，看在別人眼中，可能分不出他們跟火馬之民的差異。如果這樣跟火馬之民說，他們可能會生氣地說『別把我們跟奴僕氏族混為一談』。」

喔。赫薩爾哼了一聲。

「我從來沒聽過。原來如此啊。不過，既然關係近到被別人說是系出同門，當火馬之民被趕到平原時，『晉瑪的馴犬人』應該就去投靠你們氏族了吧？」

馬柯康沒回答，眼睛一直看著山路前方。

在移住民家被老婦瞪視，以及被指責自己明明知情卻刻意隱瞞時，心裡那股冰涼的不悅感再次湧現。

火馬之民被趕到猶加塔平原，是馬柯康拋棄故鄉後的事。

當時也在老婦家的鄉司佬矢曾問他：「你眞的不知道嗎？」但他完全不知道火馬之民被放逐後，「晉瑪的馴犬人」去投靠山地氏族這件事。

不過，如果這是事實，就表示第一椿事件發生時，「晉瑪的馴犬人」正與馬柯康的氏族住在一起。

「……馬柯康。」

聽到少主叫喚，馬柯康回過神來看著他。

赫薩爾臉上是少有的嚴肅。

「到你家鄉前，我先提醒你：記得，我們不是來斷罪的。」

馬柯康不懂這話的意思，皺著眉頭盯著赫薩爾。赫薩爾意有所指地說：

「就算那些馴犬人就是散播疾病的眞凶，歐塔瓦爾聖領也無意制裁罪行——我們沒有立場這麼做。

「即使有人以黑狼熱爲武器，想報復東乎瑠，我們也無意涉入此事。」

赫薩爾的話一點一滴滲進腦中，馬柯康的眼睛漸漸睜大。

（……原來如此。）

說起來，這其實是理所當然的事。

因爲看過阿卡法鹽礦當時慘絕人寰的景象，所以馬柯康覺得，如果那是有人刻意所爲，爲了避免災害繼續擴大，確實應盡早逮捕犯人。但回頭想想，受害的只有東乎瑠人。

貪婪的東乎瑠人在玷汙了阿卡法大地後受到詛咒。現在四處風傳著這些謠言，因病而死的幾乎都是從東邊被帶來的奴隸或移住民。

（假如是自然發生的疾病，確實可怕，如果出於人爲，反而不那麼可怕了吧。）

馬柯康瞇起眼。

（假如這是火馬之民爲了報復東乎瑠所爲，那麼對阿卡法還有歐塔瓦爾聖領之民來說，或許根本無所謂。）

歐塔瓦爾聖領和阿卡法王國確實都歸於東乎瑠帝國統治，但也沒道理特地爲了東乎瑠抓來想報復他們的人。

就在馬柯康覺得心情稍微輕鬆時，赫薩爾的聲音又傳來：

「不過呢……」

回過頭，赫薩爾又低聲說：

「疾病，是一種太不安定的武器。」

看到赫薩爾纖瘦的臉龐浮現令人心驚不已的深刻憂慮，馬柯康連點頭回應都忘了，只等著赫薩爾說出後面的話。

赫薩爾望向前方，像是喃喃自語：

「就連長年來一直在研究疾病的我們，都還不清楚到底什麼是疾病。我們根本無法掌握它千變萬化的眞面目。疾病跟世間萬物糾纏牽連，我們還無從掌握它的複雜面貌。」

他眼中倏然浮現強烈怒氣。

「如果那個什麼『晉瑪的馴犬人』眞的企圖把疾病當成武器，那也未免太傲慢了——就算能控制狗，也不可能有人能控制疾病……」

說到這裡，赫薩爾閉上了嘴。

在他專注說話的這段期間，兩人不知不覺已走到山頂，一片壯麗風景不期然在眼前顯現。

赫薩爾入神地望著眼前這片光景。

連綿至遠方的群山懷裡，是悠然開展的盆地。

星星點點的綠意從薄薄一層積雪底下透出。初秋種下的阿卡法麥嫩芽埋在雪中，等待春天的到來。

田間有幾條河從中流過。那些看起來如銀幣般平坦光亮的圓形物體應該是水池吧。一片恬靜風景中，散落著許多房舍。

右邊的山腰上，有一群被堅固城牆包圍的宅邸。從這裡望去，可看出規模不小。占地大約相當於一個小規模的隊商城市。竟然能在山中建造這等規模的城塞都市，龐大得令人驚訝。

「那是……」

赫薩爾輕聲開口，馬柯康點點頭。

「對，那就是族都。西邊有個鐘樓，看見了嗎？」

「你說綠色的那個？」

「對。」

馬柯康瞇起眼。

「鐘樓右邊有幢黑色板瓦的屋子，那就是我出生的老家。」

喔，赫薩爾點點頭，就在這時，馬柯康突然覺得有什麼東西碰觸著他的頸子。

一轉身，馬柯康全身僵硬。

山路兩旁的樹叢有眼睛發出的亮光。不只一兩隻，而是好幾隻狗，從草叢內一直盯著這裡。

「怎麼了？」

赫薩爾狐疑地看著馬柯康。

冷汗沿著臉頰滴落，馬柯康低聲說：

「……請別動。我們被狗包圍了。」

他的聲音簡直變成暗號似的，所有狗同時從樹林裡出現在道路上。牠們齜牙咧嘴，發出低吼，但沒有上前攻擊。

爲了避免刺激牠們，馬柯康輕輕地移動手，正要握上劍柄時，赫薩爾突然往後一倒，像顆熟柿子落地般直直落馬。

「赫薩爾大人！」

馬柯康一驚，大叫出聲，瞬間脖子上一股刺痛。他急忙用手按住脖子，碰到一根小小的針。

（……吹箭?!）

接著，只覺得一陣暈眩，馬柯康就這樣墜入一片黑暗中。

＊

馬柯康茫然地望著淡紅色的幾條光束。

當他發現那是從格子窗照進來的夕陽映在地上的光束時，原本悶鈍的頭痛頓時變得尖銳而激烈。

馬柯康一邊呻吟，一邊吐出口中的唾液，正想擦嘴，才發現自己被反手綁住。

有木頭的味道。他轉過頭，看見牆邊有堆高的薪柴。

（……是放木柴的小屋？）

看來好像如此。他試著動了動被綁住的手，卻感到一股往後拉的力量。好像不只手腕被綁住，還被縛在柱子之類的東西上。

狹窄的小屋裡，沒有其他人。

（赫薩爾大人……）

他人在哪裡？爲什麼會變成這樣？

馬柯康強忍著炸裂般的頭痛，試著思考，但是腦中浮現的淨是不祥的推測。

（難道是馴犬人用吹箭把我們迷昏、關在這裡？）

只有這個可能了，但是他想不到理由。假如不想讓人查出眞相，大可不用這麼麻煩，當場殺人滅口便是。

牆壁另一邊傳來狗叫聲，是撒嬌般的叫聲。

微弱的腳步聲傳來。有人漸漸接近小屋。

伴隨著吱嘎聲，門開啓了，小屋裡一下子變亮起來。

一個背對著黃昏餘暉的人影走進小屋，馬柯康皺了皺眉頭。

進來的是個女人。

她反手關上門，小屋裡再次陷入昏暗，但對方不再背著光，終於可以看清她的面貌。

是名中年女子。身形高大，但五官端正。

看著那張臉，馬柯康的心跳越來越快。

（……不會吧？）

馬柯康呼吸急促地盯著那張臉。那眼角和緊抿的嘴似曾相識。

馬柯康張開嘴巴，用嘶啞的聲音說著：
「姊、姊姊？」

Eurasian Publishing Group
圓神出版事業機構
用心與你對話．視野無限寬廣
圓神出版社
Eurasian Press

www.booklife.com.tw reader@mail.eurasian.com.tw

小說緣廊 003

鹿王（上）倖存者

作　　者／上橋菜穗子
譯　　者／詹慕如
發 行 人／簡志忠
出 版 者／圓神出版社有限公司
地　　址／台北市南京東路四段50號6樓之1
電　　話／（02）2579-6600．2579-8800．2570-3939
傳　　真／（02）2579-0338．2577-3220．2570-3636
總 編 輯／陳秋月
書系主編／李宛蓁
責任編輯／林雅萩
校　　對／林雅萩．李宛蓁
美術編輯／林雅錚
行銷企畫／吳幸芳．張鳳儀
印務統籌／劉鳳剛．高榮祥
監　　印／高榮祥
排　　版／莊寶鈴
經 銷 商／叩應股份有限公司
郵撥帳號／18707239
法律顧問／圓神出版事業機構法律顧問　蕭雄淋律師
印　　刷／祥峯印刷廠
2016年10月　初版

SHIKA NO OU 1: IKINOKOTTA MONO

Edited by KADOKAWA SHOTEN
First published in Japan in 2014 by KADOKAWA CORPORATION, Tokyo.
Chinese translation rights arranged with KADOKAWA CORPORATION, Tokyo,
through TOHAN CORPORATION, Tokyo.

定價 800 元（上下冊不分售）　ISBN 978-986-133-590-2

人的身體就像一座森林一樣。
有無數小生命住在我們身體裡，
這些小生命匯聚起來，就成爲人。
——上橋菜穗子，《鹿王》（上）倖存者

國家圖書館出版品預行編目資料

鹿王（上）倖存者／上橋菜穗子著；詹慕如譯.
--初版-- 臺北市：圓神，2016.10
432 面；14.8×20.8公分 --（小說緣廊；3）

ISBN 978-986-133-590-2（平裝）

861.57 105015409